La tentation

DU MÊME AUTEUR

Voyage sur la ligne d'horizon, *roman, Gallimard, 1988, et Folio, n° 3178*

Liverpool marée haute, *roman, Gallimard, 1991*

Furies, *roman, Gallimard, 1995*

Mille six cents ventres, *roman, Fayard, 1998, prix Goncourt des lycéens, et Folio, n° 3339*

Les Indiens, *roman, Stock, 2001, et Folio, n° 3877*

Les Invisibles, 12 récits sur l'art contemporain, *essai, Éditions du Regard, 2002*

Notes pour une poétique du roman, *essai, Inventaire/ Invention, 2002*

11 septembre mon amour, *roman, Stock, 2003, et Livre de Poche, n° 30389*

La Fin des paysages, *roman, Stock, 2006, et Folio, n° 4660*

Cruels, 13, *nouvelles, Stock, 2008*

Esprit chien, *roman, Stock, 2010*

Délit de fiction, *essai, Gallimard, « Folio Essais inédit », 2011, n° 558*

Mother, *roman, Stock, 2012, et Folio, n° 5801*

L'Autoroute, *roman, Stock, 2014 et Folio, n° 6407*

Au commencement du septième jour, *roman, Stock, 2016, et Folio, n° 6406*

Luc Lang

La tentation

roman

Stock

Couverture : © Myeongbeom Kim

ISBN : 978-2-234-08738-5

Pour Anna

Que serait-ce quand il faut dans un livre, dans du livre mettre de la réalité. Qu'arrive-t-il toujours. (...) Il me faut une journée pour faire l'histoire d'une seconde. Il me faut une année pour faire l'histoire d'une minute. Il me faut une vie pour faire l'histoire d'un jour. On peut tout faire, excepté l'histoire de ce que l'on fait.

Péguy

UN

« Ce sont des bêtes, des bêtes sauvages, pensai-je avec horreur. Tous ont, sur leur visage et dans leurs yeux la belle, la merveilleuse et triste mansuétude des bêtes sauvages, tous ont cette folie concentrée et mélancolique des bêtes, leur mystérieuse innocence, leur terrible pitié. Cette terrible pitié chrétienne qu'ont les bêtes. Les bêtes sont le Christ, pensai-je, et mes lèvres tremblaient, mes mains tremblaient. »

Kaputt, Malaparte

L'index sur la détente, la joue sur la crosse, l'œil dans la lunette, il scrute l'animal, un cerf à seize cors dans la lumière dorée d'un jour d'octobre, qui se tient, puissant, campé dans une splendeur héraldique, les sabots enfouis dans une flaque de neige, la tête tournée de son côté avec une sorte d'affectation, comme s'il regardait la mort en face. L'homme aurait été sous le vent, la bête se serait déjà enfuie. C'est un cerf de sept ou huit ans qu'il a observé dans ses jumelles l'automne précédent, vigoureux mais trop jeune et dont les bois n'étaient pas encore dans leur plénitude. Cette année, la pousse est accomplie, les empaumures sont vastes et régulières, telles deux mains aux doigts écartés, les andouillers de massacre sont eux-mêmes d'une amplitude considérable.

Son chien est mort trois ans plus tôt, il se contente de chasser seul, il s'accommode, il sait observer, se placer dans le vent, effacer sa propre odeur, il pourrait marcher des heures sans faillir, deux jours d'approche cette fois le long des contreforts montagneux... Le travail de repérage lui semble toujours participer d'un désir charnel, celui d'une partie de cache-cache, presque d'un corps-à-corps. Mais à présent que l'encolure fauve et grise de l'animal se pose dans sa lunette Zeiss, le télémètre laser affichant une distance de 88 m il se trouble, s'embarrasse. Depuis quelque temps, il supporte difficilement ce déséquilibre des forces, sa puissance de feu qui interrompt brutalement la partie, en vole la fin, conférant à cette studieuse poursuite sur le massif une absurde vacuité. Ce serait quoi, finir la partie ? Il n'a pas de réponse, il éprouve simplement une amère déception dans les secondes qui suivent le tir après avoir pourtant signé, trente années durant, d'impressionnants tableaux de chasse. Dans un dixième de seconde, la balle entrera dans les chairs avec 450 kg d'énergie cinétique, l'animal sera fauché, l'altière silhouette disparaîtra dans l'horizon, une anomalie visuelle quasi hallucinatoire. C'est lui en somme qu'il va effacer en abrégeant la course du cerf, sa course vers le cerf. D'où cette hésitation qu'il a de l'index à l'instant où le dernier soleil rasant fait peut-être scintiller l'optique de sa lunette, que le cerf a bougé instinctivement, que la crispation du doigt sur la détente est devenue réflexe et tardive. La balle est partie, 860 m/s, éclair, soubresaut de l'épaule et du torse, secousse dans la nuque avec le recul de la carabine sans frein de bouche et qu'il maîtrise si bien. Mais cette hésitation d'une microseconde à une telle distance expliquerait que la balle ait manqué sa cible. L'animal a légèrement fléchi sur son côté droit, il a paru boiter un instant puis s'est enfui, faisant brusquement demi-tour pour s'évanouir sous le couvert des arbres. François jure entre ses dents, l'œil collé à sa lunette, la flaque de neige vide étincelant de reflets d'or, jusqu'à lui brouiller la vue. Il maugrée, marquant l'emplacement et la direction du tir avec un Chatterton orange fluo collé en croix sur le rocher, enfin s'avance jusqu'au névé où se tenait le cerf. Aucune trace de sang, il l'a… Mais il distingue sur la neige une touffe de poils fauves, courts, que la balle a vraisemblablement sectionnés à l'impact. Il sait qu'on ne se précipite pas sur les traces d'une bête blessée, au risque d'embrouiller soi-même les pistes, l'animal courant en tous sens pour semer son prédateur. Il y a donc ces poils mais pas d'esquille d'os ni de moelle, il se retourne, évalue l'emplacement du tir grâce au Chatterton fluo qui vibre sur la roche, il voit par où s'engouffrer sous le couvert des arbres… C'est à une cinquantaine de pas de l'anschuss qu'il découvre les premières traînées de sang sur les troncs de jeunes arbres à hauteur de ceinture. Il est à présent certain d'avoir touché le cerf au cuissot droit, la patte arrière gauche marquant fort sur le sol spongieux. C'est une balle haute de venaison, la blessure ne saigne pas nécessairement à l'impact ni durant les premières foulées. Il poursuit l'exploration du sous-bois, repère de larges gouttes maculant les feuilles d'automne dans l'empreinte même de la patte blessée, plus loin de fines gouttelettes qui indiquent la direction prise, avec le sang qui luit, vermillon sur le sol détrempé. L'animal a dévalé le contrefort à l'oblique, ses appuis sains sur l'aval pour ménager l'appui blessé, il zigzague peu, ne s'éprouve pas traqué. François se tient maintenant à presque 300 m de l'anschuss, une trop grande distance, il devrait appeler son ami Laurent, conducteur de chien de sang, afin de retrouver la bête blessée, le téléphone n'a aucune connexion, dans une heure il fera nuit, alors il continue, se fiant à son expérience. Un long brame déchire la pénombre bleutée, il n'est pas certain que ce soit son fugitif célébrant les biches alentour, le timbre paraît différent, quoique... Un bref silence, le brame de nouveau qui se prolonge en une plainte qui enfle, faisant tournoyer les points cardinaux. Il reprend sa progression, les arbres bientôt s'espacent, le versant vient buter contre la départementale, il épaule le fusil, pressentant que sa proie peut se tenir tapie plus loin dans le fossé. Il patiente de longues minutes, se redresse, s'approche de la route, relève une tache de sang frais qui lui colore la pulpe des doigts. Le bruit d'un moteur creuse le silence quand, à 50 m, surgissant de la matière même du rocher, l'animal bondit, traverse l'asphalte dans un claquement de sabots qui sonnent comme de la céramique, François n'a plus le temps d'épauler parce qu'il y a cette foutue BMW bleue débouchant du virage, qui roule si vite, moteur hurlant, le conducteur qui découvre la masse fauve et les bois immenses juste devant son capot, qui freine, donne un coup de volant, fait une embardée, le train arrière du grand coupé glissant vers le bas-côté, les roues mordant le gravier puis l'herbe et la terre, des flaques de boue qui giclent, des feuilles d'automne qui s'envolent en une nuée de papillons frémissants, le cerf est passé, il dégringole le fossé, disparaît sous la route... Il remarque deux personnes à l'avant de l'auto, un entrelacs de têtes et de bras que ballote la violente embardée, mais ce qui le bouleverse, c'est la chevelure et le profil trois quarts arrière de la passagère, une impression suffocante et confuse... Le conducteur, jeune, brun, des cheveux longs, une barbe de plusieurs jours, dont il n'a pu détailler les traits, a brutalement accéléré, parvenant à redresser le coupé qui s'est vite dissipé dans la courbe grise de la route... François s'avance avec l'hésitation d'un homme soudain vieilli, ses semelles comme engluées dans le goudron alors qu'il lui faudrait s'élancer à la suite de l'animal. Il reste figé au milieu de la route parce qu'il peut nommer l'image qui l'obsède et le pétrifie depuis une poignée de secondes, l'image d'un présent qui envelopperait toute son existence. Oui, ce mouvement du buste, de l'épaule, des cheveux, c'était Mathilde. Le soupçon dévorant que c'était elle la passagère à l'avant du coupé, avec une tension dans la nuque et le dos, une panique que le simple dérapage du véhicule ne peut seul expliquer. Il saisit son portable, sélectionne le prénom de sa fille, enclenche l'appel, mais ça ne capte toujours pas. Il fixe le bout de ses chaussures boueuses, rangeant machinalement le Samsung dans sa poche intérieure. Un bruit de moteur se rapproche dans son dos, il finit par traverser, se retourne vers... La silhouette équestre d'un gros scooter sort du virage, arrive à sa hauteur, le dépasse très vite, pilote et passager tout en noir, baskets, jean, parka, avec des casques à visière argentée, qui le fixent avec insistance. François recoiffe ses cheveux entre ses doigts, réajuste son bob toilé, revient à lui et descend le fossé à son tour, cherchant de nouveau l'empreinte des sabots. Il écoute la forêt, aucun craquement de bois brisé, aucun froissement de feuilles piétinées, c'est un silence d'avant les hommes, baigné d'une ombre laineuse qui tisse ensemble l'ossature des arbres et tend l'obscurité. Une encre épaisse suppure dans les replis du sol, effaçant les indices, mais on n'abandonne pas un animal blessé, un chasseur termine son travail, il doit conclure avant la nuit. Il dévale, vingt minutes encore, sans espoir, à la lueur de sa lampe torche, débouche aux abords d'un chemin qu'il reconnaît aussitôt, s'arrête, reprend son souffle, perçoit un léger bruissement de feuilles derrière un taillis. Il progresse courbé sur une trentaine de mètres, enjambe une souche d'arbre, évite un buisson de ronces et de noisetiers, deux chocards s'envolent dans un puissant brassage d'air, le cerf est là, allongé sur le flanc, pantelant, une écume blanche à la bouche. À l'approche de François, il se relève, vacille, parcourt quelques mètres puis s'abat de nouveau, la prunelle luisante, enfiévrée, un regard fixe de pure terreur. La bête sait de quelle imminence elle est l'objet, l'odeur de son bourreau emplit ses naseaux. La blessure au cuissot ne goutte plus, le pelage est simplement croûteux, noir de sang séché, mais la ramure est d'une dimension et d'un dessin si… il faudra préserver la tête s'il décide une naturalisation, il imagine la satisfaction d'Antoine, son ami taxidermiste, devant une telle perfection. François arme la carabine, glisse l'index dans le pontet, le replie sur la détente, il inspire, vise le poitrail à l'endroit du cœur, cherche un motif qui déclencherait son geste, entame un compte à rebours, s'attarde, pour finalement demeurer interdit. Ce n'est plus un trouble intérieur, c'est une... Il contourne prudemment l'animal, s'agenouille, pose sa main sur la tête en sueur, caresse le pelage gras et poisseux, saisit les bois, en palpe le grain, se relève, s'éloigne à reculons, rejoint le chemin, le barre en travers d'une lourde branche, puis remonte la pente à grandes enjambées. Il atteint la route, prend sur la gauche et marche un bon kilomètre dans une nappe de ténèbres, un froid humide qui sent l'humus et la terre, il songe à la silhouette de la jeune femme dans l'auto, il décompose sa vision, la déplie comme s'il allait contourner le profil pour distinguer le visage. Il aperçoit bientôt le pick-up, une tache claire à l'orée de la forêt et du départ de plusieurs GR. Il démarre le gros V6, empruntant la route qu'il vient de parcourir à pied, bifurque à l'embranchement du chemin forestier, il roule lentement, les pleins phares versant troncs, herbes, feuilles, rochers, flaques d'eau et de neige dans une incandescence blanche. Il poursuit trois minutes encore avant de stopper devant la branche placée en travers du chemin, descend, allume les phares sur le toit de la cabine, les braque sur le plateau, l'arrière du pick-up et le sous-bois, repère le buisson, s'approche, la bête a bougé d'une dizaine de mètres, elle frissonne, dans le même état de fièvre et d'épuisement. Il inspecte le relief du sol, puis manœuvre le Ford, les pneus s'enduisent d'une boue collante, il enclenche le crabot, met le 4×4 en travers et descend à reculons dans le bas-côté, s'enfonce au pas dans la végétation, s'immobilise non loin de l'animal noyé dans le pinceau des phares. Il coupe le moteur, sort, enfile des gants de chantier, tire avec force de sous le plateau la rampe d'accès en fonte d'alu, en pose l'extrémité au sol, déroule le câble du treuil à l'arrière de la cabine, y noue une corde nylon. La bête ainsi couchée est immense, elle rue, voudrait se redresser, lance ses bois dans le vide. Il tente de ligoter les antérieures et les postérieures à l'aide de nœuds coulants, il s'y prend mal, peste contre sa maladresse, se couche à moitié sur le flanc de l'animal, vaste, chaud, appréhendant un coup de sabot, une morsure. Il est en nage, s'essouffle, songe à ces fiers cow-boys qui neutralisent au lasso et ligotent en quelques secondes une vachette du même gabarit, de la même sauvagerie, il est loin du compte, il se bat contre une puissance musculaire insoupçonnée, une énergie élémentaire qu'il invective ou qu'il raisonne sans aucune espèce d'effet, autant injurier les arbres… Il patauge dans le feuillage pourrissant, la mousse, il rue lui-même dans la terre détrempée, le sang frais qui suinte à nouveau du cuissot troué, qui poisse, il suffoque dans l'odeur musquée du gibier aux abois, dans l'arôme du larmier, huileux et entêtant à l'époque des amours, un corps-à-corps absurde, un pugilat abruti dans l'éclat cru des phares, mêlant ses jurons et ses grognements aux cris d'effroi de la bête. Il parvient enfin à serrer les nœuds, les quatre pattes ficelées ensemble au plus près. Il est à genoux, tête basse, les mains sur les cuisses, il cherche l'air, ses veines saillent aux tempes, aux poignets, le cœur cogne dans les côtes. Il demeure prostré deux longues minutes, vide, sans force, se relève lentement, s'approche du plateau, ramasse le boîtier de télécommande, enclenche le treuil électrique, le câble se tend, puis la corde, l'animal vissé à la terre s'allonge, se distend, dépasse sa marge d'élasticité, les pattes puis le tronc s'engagent sur la rampe d'accès, le froissement râpeux du pelage sur l'alu rainuré a la sécheresse d'un Tergal, François maintient haut sur son bras libre la tête et la coiffe, accompagnant sur la rampe la montée du cerf à la vitesse de l'enroulement du câble. Aucun accrochage ne vient endommager les andouillers, le cervidé repose sur le plateau du pick-up qu'il encombre de sa masse, François range la passerelle, installe de vieux sacs de toile sous l'encolure et les bois, arrime mieux la bête, l'enveloppe de couvertures, verrouille l'abattant arrière, éteint les phares sur la cabine, redoutant que la peur n'achève l'animal. Il s'installe au volant, s'essuie le visage et les mains avec un chiffon sale, l'odeur du gibier imprègne ses vêtements, il baisse sa vitre, franchit les 30 m de sol forestier puis le bas-côté, profond en cet endroit, le nez du Ford se dresse, les roues avant s'engagent sur le chemin, il remonte prudemment vers la route. L'animal dans sa pleine maturité doit avoisiner les 250 kg,

François ne comprend pas ce qu'il entreprend, il est fourbu.

*

Il ne croise aucun véhicule sur les 40 km de départementale qu'il parcourt à petite vitesse. Il jette fréquemment un regard par la vitre arrière mais ne distingue que la ramure, quelques lambeaux de velours accrochant une lumière livide dans l'air pur et glacé du soir. Le pick-up s'extirpe de la zone forestière, un message de son fils clignote sur l'écran du Samsung. Il l'appelle aussitôt

T'es où ?

Comment ça ?

Je t'attends.

T'es à Lyon ?

Ben non. Si je t'attends… je suis au relais.

Au relais ? T'aurais pu prévenir.

Je t'ai envoyé un message.

Ça capte pas.

J'ai essayé de t'appeler hier soir, t'ai laissé un sms.

Mince. Désolé… Bon, un quart d'heure, je suis là.

Tu chasses la nuit maintenant ?

Je t'expliquerai… Ouvre et allume la boucherie, s'il te plaît. Au fait, t'as eu ta sœur au téléphone ?

Non, pourquoi ?

Comme ça.

François se concentre sur sa conduite, il n'entend plus l'animal s'agiter ni cogner ses bois contre la tôle. Il s'en inquiète, la perte de sang est importante, quant au stress… Il glisse le CD d'une messe de Bach dans le lecteur, l'habitacle flotte dans la nuit, les larges pneus sur le bitume résonnent faiblement dans la cabine. Des lignes de roches sombres saillent dans l'herbe jaunâtre couverte en de rares endroits d'une neige fluorescente, il enchaîne très doucement les virages, la départementale enfin s'aplanit, s'étirant, droite, il débouche sur le plateau, un chevreuil bondit dans ses phares, il freine, donne un coup de volant, reprend sa trajectoire, hanté de nouveau par la traversée de sa proie devant la BMW bleu violine, visualisant dans un ralenti hypnotique l'embardée de la voiture, la giclure des graviers, de la boue, l'envol des feuilles, des écussons d'or qui retombaient par paliers tremblants et papillonnants. Et puis, emportés dans cet inexorable mouvement, le conducteur au regard furieux, ses mains fébriles sur le volant, qui braquait et contrebraquait, et la jeune passagère dont il n'avait pu voir les yeux, juste ce profil renversé, le buste vrillé, le visage tourné vers le ciel, ses mains, des oiseaux affolés, le bras droit et l'épaule protégeant son visage… Comment pouvait-elle à ce point exprimer l'enfermement horrifié dans ce moment suspendu ? Celui d'un possible accident, certes, mais enfin, la panique qui exsudait de son être était au-delà, plus exactement, c'était à cause de cette embardée qui ralentissait sa fuite, son échappée, comme si elle avait eu la mort aux trousses et que l'incident du cerf dilatait en elle l'insoutenable terreur de devoir mourir bientôt. En soi, la vision de cette jeune femme au travers d'une vitre pouvait torturer François, mais le fait que ce puisse être Mathilde… Il récupère son smartphone sur la console, essaie de la joindre, l'appel tombe aussitôt sur la messagerie, avec la voix de sa fille invitant à… Il quitte le plateau, s'engage sur une communale en lacets, traverse le hameau d'une dizaine de maisons, poursuit sur 3 km, prend un chemin défoncé, dépasse les lourds piliers sculptés, 200 m encore, les pneus grésillent sur le gravier lorsque apparaît la silhouette du relais de chasse, une imposante bâtisse en bois édifiée en 1805 sur un soubassement en pierre, flanqué d'une tour carrée avec, sur la droite, d'anciennes écuries dont une partie aménagée en un garage ouvert où stationnent déjà sa berline et celle de son fils. Les lampadaires, reliés à des capteurs, s'allument en façade, il manœuvre le Ford devant la remise, y pénètre en marche arrière jusqu'à une table servant d'établi pour découper la viande. Qu'il stocke ensuite dans les frigos industriels installés contre le mur du fond. Il éteint le moteur, s'extrait, courbatu. La boucherie, comme ils l'ont surnommée, baigne dans la lumière des néons. Un treuil et une poulie fixés au plafond permettent de soulever les bêtes du pick-up pour les déposer sur l'établi, ou encore pour les suspendre et les éviscérer quand les chasseurs se sont contentés de tirer le gibier.

Le cerf est bien vivant, François a ôté les couvertures, lui caresse la tête et le museau, le sang ne suinte plus de la blessure, il fouille dans un placard, l'animal tressaille à chaque bruit, chaque mouvement, il trouve un flacon d'halopéridol et une seringue jetable, lui injecte le neuroleptique à l'arrière de l'épaule, lui met un linge sur les yeux, et patiente en nettoyant le plan de travail avec de la javel peu diluée. Il sort d'un tiroir une bouteille de Bétadine, plusieurs paires de gants en latex, une boîte de compresses antiseptiques, le cerf paraît plus calme, la masse musculaire du poitrail devient plus souple, l'encolure et les pattes se relâchent, il peut pratiquer l'anesthésie générale avec une chance que l'Immobilon fasse son effet. C'est une seringue speed contenant deux molécules qu'on utilise habituellement dans un fusil hypodermique. Il rajoutera une injection de kétamine d'ici vingt minutes pour éviter un réveil inopiné. Il use de sa compétence de chirurgien, il s'adapte intuitivement, mais les bêtes sauvages sont d'une autre complexité, il est loin de satisfaire au cahier des charges vétérinaires. Contrevenant de surcroît à la législation de la chasse en amenant chez lui un animal sauvage, vivant et blessé. Il plante la seringue avec assez de force pour que le piston se déclenche, injectant aussitôt le produit dans le muscle. L'épaule frémit, une onde frissonnante courant alors sur l'échine, il faut une poignée de secondes pour que le cerf s'évanouisse. Il met les cordes qui ficelaient les pattes au crochet de la poulie, enclenche le treuil, l'animal s'élevant lentement au-dessus du plateau, les sabots à 50 cm du plafond, une divinité ancienne… Il fait glisser le cerf, tête et coiffe pendantes, en surplomb de l'établi, l'y dépose avec précaution, dégage le crochet, desserre les cordages, passant la main sur le flanc chaud. Il monte dans le pick-up qu'il sort de la remise, puis se dirige vers la maison.

*

Dans le vaste hall en carrelage de ciment noir et blanc, il entend la télévision qui bourdonne à l'extrémité du second salon, le plus spacieux, il distingue des éclaboussures de lumières fluorescentes diffusées par l'écran géant. Il s'engage de l'autre côté, traverse la salle à manger pouvant accueillir une vingtaine de convives autour de la longue table d'un bois sombre, un mobilier Renaissance au piètement raide avec de lourdes chaises tendues d'un velours rayé. Il longe une tapisserie de presque 5 m représentant une chasse à courre dans la campagne giboyeuse, des cavaliers et une piétaille de rabatteurs armés d'aiguillons qui s'élancent à la suite d'une cohorte de lévriers. Enfant, il commentait avec son frère les gestes de la scène, ils détaillaient les animaux et les nuances colorées des points de tissage, ils guettaient ainsi le retour de leur père parti dans la nuit soigner un paysan de la vallée haute, cela fait des lustres qu'il ne la regarde plus. À droite de la cheminée monumentale, une porte ouvre sur son bureau, il entre, s'approche d'une armoire vitrée, récupère plusieurs flacons et des seringues qu'il fourre en vrac dans la poche de sa vareuse, ramasse sa trousse de chirurgien puis repart dans l'autre sens
C'est toi, papa ?
Ta sœur a téléphoné ?
Non.

26

Je suis à la boucherie.

Il claque la porte derrière lui, traverse l'esplanade, rejoint la bête endormie qui sature la table et la remise de sa sauvage puissance. Il s'étonne d'une telle incongruité, sentant monter en lui un désir inédit. Il pense à d'anciennes lectures évoquant le lien patiemment construit avec un lion, des orangs-outangs, un dauphin, jusqu'à ce cobra qui finit par tuer l'enfant dans un film de Renoir. Il sait que ce désir est tordu, que ce lien est marqué du sceau de l'échec, de la séparation et de la mort... Il pose sur la table trousse et flacons, remplit une cuvette d'eau chaude et de javel, détrempe et nettoie la patte avec une éponge neuve, la croûte de sang séché se dilue difficilement, il essuie le cuissot, noie la plaie dans de la Bétadine, puis entreprend tout autour de la blessure de raser la fourrure, laissant la peau nue sur cinq bons centimètres. Ses gestes sont précis, sans heurts, il soulève la patte, la plaie est laide sur l'intérieur de la cuisse, les lèvres de chair autour du trou sont boursouflées, déchiquetées, comme sous l'effet d'une explosion interne, il constate une fois de plus les conséquences balistiques d'un calibre 7 à forte charge, très différentes entre l'entrée et la sortie de la balle traversant un corps, par chance aucun organe ne paraît touché, même s'il ne peut préjuger de l'effet cinétique du projectile. Ce qui le contrarie, c'est qu'il a décidé ce soir de soigner cette foutue plaie, et ces bords déchirés sont difficiles à recoudre.

Il met à tremper aiguilles, scalpels, bistouris, ciseaux dans une cuve inox remplie de dakin, ses doigts sont gourds dans le froid presque hivernal. Il ferme la double porte, allume le réchaud à gaz, patiente 5 min en examinant de nouveau la blessure, se frictionne les mains, chausse ses lunettes grossissantes équipées d'une lampe frontale, puis enfile ses gants jetables. Il a remarqué une déviation de la balle dans la traversée du cuissot, il incise plus largement l'orifice de la plaie et commence avec un écarteur et le faisceau de sa lampe à fouiller dans le grand adducteur, suivant la trajectoire du projectile jusqu'au fémur. Il comprend vite que la balle s'est fragmentée, l'un des morceaux ayant écorné la crête osseuse, la ligne âpre à l'arrière du fémur sans causer plus de dégâts, ce qui est une espèce de miracle, 2 mm plus à gauche et c'était une fracture de l'épiphyse, souvent mortelle. Il trouve une fine esquille correspondant sans doute à cette ligne âpre, et 1 cm plus avant dans le muscle un bout de métal de la taille d'une lentille qu'il peine à extraire tant le tissu fibreux l'a enserré. Il le dépose dans le bac, le sang qui l'enduit se dilue dans le désinfectant, il reconnaît la couleur cuivre caractéristique de ses balles GPA. Il ne repère pas d'autres débris dans le cuissot, la balle s'est bien divisée en deux fragments, le plus important, qui a conservé seul l'énergie vectorielle de la balle, devenu irrégulier et abrasif, explique une telle explosion des chairs à la sortie du projectile. Il inonde encore la plaie d'antiseptique, choisit un fil épais, du Vicryl résorbable, sa plus grosse aiguille courbe, et commence la couture des plans profonds. Vingt minutes plus tard, alors qu'il travaille avec sa pince à griffes à réunir les lèvres de la plaie interne, qu'il a changé de fil et d'aiguille et qu'il va s'atteler aux sutures de surface, il entend son fils entrer dans la remise, précédé d'un courant d'air froid

Ouh, c'est l'étuve ici!

Ferme vite.

Tu fais quoi?

De la couture…

Mathieu s'approche de la table, évalue le dessin de la coiffe, la couleur fauve et luisante de la fourrure et cette sorte d'étoile blanche sur le front

Tu prends pas que les bois, la tête aussi?

Je prends rien. Tu vois pas, je répare…

Il est vivant?

Endormi…

Tu l'as saoulé au whisky?

Il me restait des seringues d'anesthésiant. Quand on a transféré des populations de cerfs dans l'Ariège, je t'en avais parlé…

Moi qui pensais que tu découpais la viande… Finalement, tu soignes la bête sur laquelle tu tires? Ça peut durer longtemps.

Et Mathieu s'esclaffa, imaginant sans doute la scène répétée à l'infini

Laisse-moi travailler, tu veux?

Le fils se racle la gorge, recouvre son calme, observant les mains de son père d'une dextérité déroutante. François lui avait expliqué un jour qu'il fallait penser les opérations comme des chorégraphies parfaitement réglées, même s'il existait toujours une part d'improvisation. Les hésitations, les repentirs s'inscrivaient dans les chairs en autant de lignes brisées rendant malaisée la cicatrisation, sans parler de la perte sévère d'une souplesse des tissus. Il y avait un fil des chairs comme un fil du bois qu'il fallait suivre, presque sensuellement. Ces remarques, dénuées pour Mathieu de sens et d'intérêt, lui revenaient peut-être en mémoire au spectacle des mains de son père qu'il découvrait pour la première fois au travail. François en nourrissait le vague espoir, le surprenant, attentif et silencieux. Et puis le portable de son fils sonna

C'est ta sœur ?

C'est une idée fixe, ma parole… On mange quoi ?

J'en sais rien, Mathieu, ouvre un bocal de gibier, on cuira des pâtes, j'arrive…

Son fils s'esquiva pour répondre à l'appel La porte, Mathieu ! Dieu, c'est pas vrai… Il entendit ses premiers mots dans le combiné, ses pas s'éloigner sur le gravier, il serrait son troisième nœud plat, six ou sept encore de la même facture, il aurait terminé. Dix minutes plus tard, il brisa les extrémités de quatre ampoules de vernis chirurgical, l'appliqua sur les coutures afin d'en préserver la durée, il faudrait au cerf un réveil sans stress ni mouvement de panique ni fuite éperdue qui anéantirait son travail. Il déplia sur le sol en ciment deux vieilles couvertures, déclencha le treuil, l'animal s'éleva lentement, François maintint la cuisse recousue plaquée contre son ventre, fit glisser corde et poulie sur le rail jusqu'au surplomb des couvertures, y déposa l'animal, défit l'entrave, revint à l'établi, ôta lunettes et lampe frontale, nettoya ses outils, jeta les gants en latex, contempla la bête sur son flanc, l'abondante fourrure, le poitrail puissant, la tête et ses seize cors, il se remémorait des légendes celtes, des scènes mythologiques, Diane et Minerve chevauchant un cerf, saint Edern, le moine ermite de Bretagne... Il le recouvrit de trois autres couvertures, ouvrit grande la double porte afin que l'animal puisse humer l'air du dehors, sortir dans la nuit... Il posa une cuvette d'eau, un tas de feuilles et de fourrage sur le seuil, éteignit le gaz, les lumières, puis quitta la remise.

Sur la vaste esplanade, il suspendit son pas, envahi d'une solitude vibrante. La voûte était d'une telle transparence qu'on la croyait poudrée d'or, c'était un ciel d'*Adoration des mages*, il songea aux cieux de Giotto dans ce parfait silence, tête renversée, parcourant les configurations stellaires. Son enfouissement dans la voie lactée le dilatait d'un sentiment de quiétude jusqu'à ce qu'il s'éprouve saisi d'un vertige, d'une sourde inquiétude à l'endroit de sa fille, et d'une douleur naissante dans la nuque. Il délaissa le ciel, acceptant le bruissement des graviers sous ses semelles. Des frissons de fatigue l'assaillirent lorsqu'il entra dans la maison.

*

Ils sont à table dans la grande cuisine. Les couverts tintent sur la faïence des assiettes, la conversation est lâche, ils ne trouvent pas les mots. Et depuis que Mathieu vit à New York...

Un peu trop cuites, les pâtes... La cuisson des tagliatelles, c'est compliqué.

Franchement, ça va. Pourquoi Cassandra n'est pas là ?

Week-end de Toussaint, elle est en famille… De toute façon, le relais, l'hiver, elle vient plus.

Elle nous aurait cuisiné un bon dîner…

T'aimes le chevreuil, non ? D'ailleurs, c'est elle qui l'a…

Enfin, si tu te mets à réparer le gibier au lieu de le débiter en morceaux de choix, la famine nous guette.

François lui fait remarquer qu'il a dans les congélateurs de quoi nourrir une famille nombreuse au-delà des dates de péremption, qu'il en a distribué à tous les amis, en terrine, en pâtés, en salaisons, qu'ils en ont stérilisé en daube, Cassandra y a travaillé une semaine entière l'été dernier… François finissait par ne plus savoir que faire de ces viandes

Qu'est-ce qui t'a pris ?

Quoi ?… Ah, je sais pas.

Il y avait cette… gêne qui l'assaillait… Tirer, ce n'était plus même figer les mouvements comme dans une photographie, non, ça s'arrête, ça s'effondre, ça se répand, une flaque de mort… Le spectacle des bêtes s'élançant sur les contreforts du massif s'imposait à lui plus fortement que le désir de les tirer qui engendrait après coup une espèce de déception, presque un abattement. C'était nouveau, peu rationnel, il n'avait rien à en dire

Tu vieillis, papa…

T'en connais qui rajeunissent ? Comment va Jennifer ?

Bien. Excuse-la, elle a souhaité se…

La fatigue du voyage, je comprends, mais vous auriez pu venir à la maison ?

Elle voulait l'eau.

L'eau ?

Oui, l'océan… Un lac a minima.

Vous êtes bien installés ?

Bah, Annecy, le choix est maigre et tu connais Jennifer. On a trouvé une suite, ça va, c'est sur la bonne rive, c'est convenable.

François crochète des tagliatelles, tourne sa fourchette, les pâtes s'enroulent autour des dents, il les trempe dans la sauce au vin, porte la bouchée à ses lèvres, il ne sait quoi dire, cela fait plus d'un an qu'il n'a pas vu Mathieu

Tu repars quand ?

Demain, fin de matinée.

C'est court.

Je suis arrivé tôt ce matin, papa, mais tu étais déjà…

Suis parti à 6 h. Le cerf, je le guette depuis deux automnes. Et toi, tu débarques à l'improviste… D'ailleurs, je pouvais être au bloc.

Un week-end de Toussaint ?

J'aurais pu être d'astreinte. Aux urgences.

Non, Mathieu n'avait pas débarqué au hasard, il avait vu sa sœur avant-hier, il savait que leur père serait au relais de chasse pour trois ou quatre jours.

François en eut un léger tressaillement, il lui demanda si c'était à Lyon, comment il l'avait trouvée… Non, c'était au lac d'Annecy, elle était venue avec son Jules, étrange drôlerie du hasard, ledit Jules s'avérait l'un de ses rares clients en France qu'il

rencontrait habituellement à Paris ou en Suisse…
François ignorait que… mais sa fille ne lui confiait
rien de sa vie privée, elle le sollicitait parfois, et pour
cause, à propos de ses études de médecine qu'il
finançait entièrement. Ils se parlaient au téléphone
une fois la semaine, c'était à peu près tout. Mathilde
passait parfois en coup de vent, toujours charmante,
légère, la grâce de ses 22 ans. Mais il ne se méprenait
pas sur la profonde indifférence polie de sa jeunesse,
seulement intéressée d'elle-même. Une attitude
somme toute assez convenue

Je comprends pas. Il habite Paris et… ?

Non, il habite Lyon.

Ah ! Ils avaient quoi, comme voiture ?

De quoi tu parles ?

Ta sœur avec son type, au lac, le modèle de la
voiture ?

Un cabriolet, je crois, j'ai pas fait attention… une
Datsun, peut-être… c'est quoi ta question ?

Non, rien.

Mathieu insiste. François lui raconte le moment
où le cerf blessé traverse la départementale, le grand
coupé BMW bleu violine qui surgit, l'embardée, la
vision de Mathilde en passagère…

C'est pour ça que tu me tannes ? Savoir si elle a
téléphoné ?

C'était une vision, François en convenait, un mouvement du buste et de la tête, l'intuition d'un visage
qui le hantait, mais le fait que sa sœur soit venue
dans un cabriolet rouge le rassurait quelque peu, du
moment que Mathieu était sûr de sa réponse… Il
était certain pour la couleur, mais l'homme possédait

plusieurs voitures, cela ne prouvait rien. Son fils lui fit remarquer qu'il devait être stressé par la poursuite du cerf, épuisé, dans un état mental favorable à ce genre d'hallucination anxiogène. Il ne comprenait pas pourquoi son père séjournait ici, tellement isolé, ayant donné congé à Cassandra, s'en allant de surcroît solo à la chasse sans même un chien... Son Bruno du Jura qu'il n'avait pas remplacé. N'importe quel incident au cours de sa traque sur les contreforts ou dans la forêt et il pouvait crever congelé dans la nuit à 1 800 m d'altitude... Ce n'était pas prévu que François soit seul, leur vieil ami Gérard avait annulé sa venue au dernier moment, son épouse soudain alitée avec une grippe sévère

Tu dis que c'est ton client, c'est qui cet homme ? Il est vieux ?

La petite trentaine. Relax. Très sympa. Un bon client. Beaucoup d'argent. Beaucoup...

C'est tout ?

C'est confidentiel, papa, les placements financiers...

François se redresse sur sa chaise. Il n'éprouve plus aucune fatigue, juste cette douleur au milieu du dos qui se réveille, sa vieille hernie discale. Il regarde son fils comme un étranger, un sentiment désagréable, ils ne marchent plus côte à côte, Mathieu se tient loin devant, il l'aperçoit de dos qui disparaît dans l'horizon. Sa voix se tend irrépressiblement. Il s'en fout, des revenus de ce gus ! Il veut parler de l'homme qui partage le lit de sa fille, comment Mathieu, oui, le frère aîné, considère cette relation ?

Tu veux que je balance ma sœur ?

Comment ça ?

Que je raconte ce qu'elle ne te confie pas ?

Tu m'énerves. Je suis inquiet, Mathieu, tu peux comprendre !

Son fils déguste une gorgée de Malbec, repose son verre, sourit à son père. C'est un garçon enjoué, grand prince, BG, sa sœur semble heureuse et vraiment toquée

Si c'est sérieux, c'est un bon parti, papa. Te bile pas.

Il fait quoi ?

Import-export, je crois, avec l'Espagne et le Maghreb. C'est pas mon job de... Je place, je fais fructifier.

Je sais. Sociétés bidons, paradis fiscaux...

Arrête, papa ! Je travaille pour une banque d'investissements.

Parmi les trois plus grosses des States, je n'ose pas imaginer les mag...

Attends, attends, tu crois pas qu'avec ta clinique rutilante, là, t'es bien actionnaire, non ? À 50 % ?

40 avec les 10 de Mathilde, tu sais bien...

Tu penses vraiment que c'est parfaitement clean, vu ce que ça rapporte ?

C'est pas moi qui gère.

Mais t'empoches ! Je mets ma main au feu que vous pillez la Sécu, que vous placez des bénefs conséquents dans des sociétés écrans à Malte, au Luxembourg, ou je ne sais où...

N'importe quoi ! Je travaille comme un forcené, moi ! Et je sauve des gens. Tu peux pas comparer...

Tu sauves même des cerfs !

…

Allez, papa, fais pas la gueule.

François s'est levé de table, il débarrasse couverts, assiettes et plats

Tu veux du fromage ?

Non, merci.

Le silence se fit lourd, les deux s'activaient au rangement entre l'évier, le lave-vaisselle et le buffet, tâchant de ne pas se gêner ni se heurter, cherchant sans doute comment renouer le fil de la conversation. François ne sait plus, depuis fort longtemps, à quelle distance se tenir de son fils qui avait commencé des études de médecine, suffisamment bien classé au concours pour envisager la voie royale, la neurochirurgie, François avait éprouvé cette satisfaction et cette assurance de voir son fils devenir un prolongement de lui-même. Mais un soir où il avait congédié Cassandra et cuisiné son fameux terre-mer, rentré tôt de la clinique, Mathieu lui avait annoncé, alors qu'il sortait la tarte du four, sa décision de lâcher médecine, sans aucune explication. Il se souvenait très précisément de l'altercation. Mathilde avait 12 ans à peine, elle s'était réfugiée dans sa chambre. Son épouse était à la dérive dans ses crises mystiques, cloîtrée dans son chemin de croix, à guetter les stigmates de son élection divine dans les paumes de ses mains quand elle n'était pas toute dédiée à leur fils qu'elle couvait d'une passion dévorante. C'était une sale période où il se trouvait comme assiégé, inapte à comprendre comment Mathieu pouvait ainsi… Des paroles blessantes avaient été échangées, certaines cruelles... de cette cruauté exacte et mortelle qui ne s'élabore qu'au sein des familles, édifiant entre eux un mur de verre. Le fils avait jeté quelques affaires dans un sac, était sorti au pas de charge sans même fermer la porte de l'appartement, filant par l'escalier plutôt que d'attendre l'ascenseur, s'évitant de rester planté à quelques mètres du seuil, sous les yeux de son père. Mais il croisa sa mère quelques marches plus bas, qui sortait de chez la voisine du dessous, une vieille femme alitée à qui elle prodiguait soins et prières Tu fais quoi, trésor ? Le fils emporté dans sa rage continuait de dévaler Mathieu ! Que... ? Mathieu ! Attends-moi ! finit-elle par hurler dans la cage d'escalier qu'elle se mit à dégringoler à sa suite. François était penché sur la rampe à suivre ces têtes-épaules qui se poursuivaient. Elle le rattrapa, il se laissa rejoindre plus exactement au rez-de-chaussée où elle lui prit le bras, ils s'évanouirent de son champ visuel, François se rendit au balcon pour les apercevoir de nouveau sur le trottoir, cinq étages plus bas, ils étaient enlacés comme des amoureux que rien ne pourrait séparer, Maria, la tête enfouie dans le cou de leur fils. L'image rapetissée de ce couple aux abois lui apparut comme le juste tableau de leur folie familiale, espérant malgré tout que son épouse saurait le convaincre de rentrer à la maison. Ils finirent par dénouer leurs bras, il y eut la main de Maria caressant la joue de Mathieu, ils s'embrassèrent une fois encore, François crut avec la distance surprendre des amants qui mélangeaient leurs lèvres et leur visage, puis le fils récupéra son sac à ses pieds, s'éloignant, descendant la ruelle qui menait au fleuve. Il se retourna à deux reprises, sa mère ne bougeait plus, statue de sel à regarder le fils décroître sous ses yeux qu'elle essuyait furtivement avec la manche de sa robe, Mathieu avait disparu à l'angle du quai. François hésitait, peut-être devait-il descendre la chercher, tant Maria demeurait scellée au trottoir, il fallut d'interminables minutes avant qu'elle ne s'engouffre dans l'immeuble, sans doute assaillie par le froid. Il l'attendait sur le palier, elle surgit enfin de l'ascenseur, ne lui adressa pas un regard, se précipita dans leur chambre pour entasser à la hâte des habits dans une valise, il la raisonnait, la questionnait, la conjurait de... Elle enfila un élégant manteau, arrangea son foulard devant la glace et comme s'adressant à son reflet Puisque tu nous chasses... Avant de dégringoler de nouveau l'escalier. Elle resurgit dix jours plus tard, au milieu de la nuit, défaite, harassée, refusant néanmoins d'échanger la moindre parole une semaine durant, empoisonnant suffisamment l'air pour que Mathilde en eût des espèces de convulsions. Leur fils n'avait pas remis les pieds à la maison pendant près d'une année, et quand il s'était présenté, là, debout, dans le cadre de la porte, plutôt souriant, François avait cherché des mots pour l'accueillir, l'enjeu était si... il était demeuré maladroit, trop drapé, mesurait-il à présent, dans l'orgueil de sa propre réussite qu'il affichait comme une leçon de vie. Lorsque Mathieu lui avait finalement confié qu'il étudiait le droit financier, son regard s'était brouillé, il observait son fils mais ne parvenait pas à l'identifier. Un visage, une voix, un corps si proches, mais dont il ne pouvait reconstituer l'histoire, le chemin ni la consistance. Tant la médecine nourrissait la nécessité du clan depuis trois générations. François avait à plusieurs reprises sollicité son frère Pierre, anesthésiste à l'hôpital Mondor, dans l'Est parisien, qu'il raisonne son neveu! Mathieu restait inflexible. Quatre ans plus tard, en septembre 2009, il était recruté dans une banque d'affaires à Londres, manifestant très vite de sérieuses aptitudes puisque, à 25 ans à peine, plusieurs de ses clients lui avaient offert, quinze jours durant, une suite dans un palace de Saint-Moritz, à table ouverte, avec un départ en jet privé et une limousine à disposition, en remerciement des gains très improbables qu'il leur avait permis sur l'ensemble de leurs portefeuilles. Il touchait des primes à l'intéressement de 300 à 400 000 euros annuels, il gagnait surtout et déjà tellement plus d'argent que son père… Durant cette période londonienne, Mathieu ne daignait plus descendre à Lyon, François l'avait vu à trois reprises chez son frère à Paris, il en avait ressenti un mal-être profond dont il ne pouvait définir les raisons. Son fils était emporté dans le tourbillon d'une rivière en crue, il essayait de l'en sortir en l'agrippant par le col et les manches de sa veste de costume, mais il glissait entre ses mains comme un savon mouillé, il s'était réveillé en apnée, suffocant, échappé des profondeurs liquides… Ce rêve l'avait hanté longtemps, un mot en avait éclos, bizarrement perpendiculaire, qui s'imposait sans cesse à son esprit: le *chiffre*. Il y avait eu cette soirée chez

Pierre, en… décembre 2014, oui, c'est ça, juste avant que… bref, François évoquait Cerbère, son Bruno du Jura, une race de chien noir qu'on dressait souvent comme chien de rouge ou chien de sang, qui avait débusqué une trace de chevreuil blessé datant de l'avant-veille alors qu'elle avait eu le loisir de se mélanger à d'autres traces, et Mathieu, traversé par une analogie incongrue, avait articulé avec quelle délectation : 58 millions de dollars…

De quoi tu parles ?

D'un chien.

De chasse ? Qui flaire l'or ?

Non ! D'apparence gonflable, orange, en acier inox, 3 m de haut…

Il cherche l'image sur son iPhone, la montre à son oncle et son père. En effet, une forme de chien sortie d'un dessin animé de Walt Disney ou encore des doigts habiles d'un faiseur d'animaux en ballon gonflable, une sculpture de Jeff Koons mise aux enchères. Un record absolu pour l'œuvre d'un artiste vivant. Proférer ce chiffre, 58 millions de dollars, donnait tout son sens à l'objet. Son seul et unique sens, songea-t-il, d'un vide abyssal, comme le chiffre qui ouvrait à l'infini des nombres. Un sens aussi court, une forme aussi pauvre, c'était vouloir se payer le vide infini sidéral, ce gadget inox atteignant un prix qui échappait à la représentation. Qui en cela seulement devenait hypnotique comme de contempler la mort en face. Une façon nouvelle, en somme, d'appréhender la métaphysique. Du moins pour Mathieu qui semblait, plus que jamais, animé d'un étrange désir d'atteindre à l'absolu monétarisé.

François ne pouvait plus retenir son fils par la manche, ça glissait entre ses doigts, un corps et une étoffe trop lisses, comme la soie ou la laine de ses costumes.

*

Il nettoie la table, rince l'éponge sous l'eau froide, met une dose de lessive dans le lave-vaisselle, l'enclenche, propose de boire un rhum devant la cheminée Tu veux bien allumer un feu dans le grand salon ? Je prends une douche, j'arrive... François passe dans son bureau, entre dans sa chambre, celle qu'occupait son père, la plus confortable, la mieux disposée, il ôte ses vêtements qui empestent la sueur, la sienne et celle du gibier, l'acidité du stress partagé, il est décidément fourbu, il aimerait se coucher, un vieux cheval, mais son fils s'est invité, un moment si rare, peut-être rencontre-t-il des difficultés ? Ça ne lui ressemble pas, cette visite impromptue, François devrait s'en inquiéter... Il fait couler la douche, marche nu-pieds sur le sol en galets noirs, règle le jet au plus fort, qui lui masse les épaules et le dos, notant combien sa nuque et ses trapèzes sont contracturés. Il s'abandonne à l'eau cinglante, ses muscles se relâchent, ses plantes de pied s'apaisent sur les galets, il pense au cerf qui se réveillera dans moins de deux heures, il n'avait malheureusement aucun produit injectable pour faciliter son réveil. Il fixe la fenêtre d'une obscurité d'encre, est-ce le reflet de... ? Il s'approche. Non, c'est bien une précipitation dense d'hosties déchiquetées, des flocons épais d'une pâleur luminescente, le sol est déjà uniment neigeux, soutirant à la nuit d'invisibles lueurs.

Il se savonne, se rince longuement, enveloppé d'une vapeur parfumée, se sèche, entrouvre la fenêtre, enfile un pantalon de velours, une chemise en laine, des savates fourrées, il quitte la chambre, traverse le bureau, la salle à manger, le hall, le premier salon, et rejoint Mathieu, assis devant l'âtre où crépitent des fagots embrasés. Il met en sourdine un CD de jazz, du piano, un classique : *You must believe in spring*

Tiens, d'ailleurs, t'as vu ? Il neige.

Ah ? Non… Oh là, mais ça tombe, je risque d'être coincé demain…

Rhum alors ? Ou whisky ?

Il ouvre un bar en acajou de la Sécession viennoise acheté dans une salle des ventes à Lyon, verse le liquide ambré dans deux verres qu'il pose sur la table basse, se laisse choir dans un profond Chesterfield, il pourrait se sentir parfaitement heureux en compagnie de son fils, dans ce relais de chasse qu'il a toujours connu, hérité de son grand-père, sa maison socle, avec le craquement du bois dans la cheminée, le piano de Bill Evans, la neige qui tombe dans le cadre des hautes fenêtres, l'enchantement intact de l'enfance chevillé dans l'âme, mais il lutte contre un malaise qui serpente en lui, la fumée d'un feu mal éteint. Il regarde son fils à la dérobée. Éprouve une espèce de stupéfaction muette devant l'être qu'il voit trop peu. Il est médecin, il sait la croissance du corps humain, mais il est cette fois le témoin originaire d'une violente métamorphose dont il réalise mal le processus. Cette voix qu'il connaît bien, le timbre, la tessiture, le flux, dans un visage qui s'enveloppe, avec ces fines ridules au pli des yeux, cette pilosité plus drue. Quand il l'observait à l'instant devant l'âtre, replaçant les bûches, il voyait un dos puissant, des épaules d'homme, il doit s'y reprendre, un bégaiement, pour admettre que ce corps puisse être celui de l'enfant dont il se sent encore si proche aujourd'hui et qui a bel et bien disparu. Il songe à la Grèce antique, dépeuplée d'enfants, à l'Ancien Testament où Adam et Ève surviennent déjà adultes. Quant à la naissance de Jésus... Le nouveau-né est hâtivement évoqué chez Matthieu et Luc, mais ce sont Marie et Joseph les véritables acteurs, et c'est Jésus adulte qui s'incarne aussitôt pour recevoir le baptême de Jean et commencer son odyssée. Il songe enfin à la peinture chrétienne, elle ne montre que le nouveau-né dans les bras de la Vierge, puis l'adulte prêchant et bientôt souffrant sur la croix. Entre ces deux extrémités, aucune figure de l'enfant ne se dessine ni ne s'impose. L'enfant qui ne sait parler, l'enfant qui serait une faiblesse, une innocence par trop fragile pour fonder un monde. Une instance et un temps refoulés, tout juste bons à nourrir en creux une sombre mélancolie, un théâtre d'ombres simplement, qui infuse et façonne nos existences. Il faudrait attendre le XXe siècle pour que l'enfant...

Tu penses à quoi ?

À rien.

Osera-t-il lui dire que cet homme qui se rapproche de lui-même, de sa propre image, chaque jour jusqu'au vertige, creuse entre eux, à chaque heure, un fossé plus profond ? Ils lèvent leur

verre, ils trinquent, boivent une première gorgée.
Mathieu apprécie

Et toi, tout va bien ?

Ça va...

La vie à New York ?

Il explique qu'il n'a pas le choix depuis ses succès
dans la filiale de Londres, la direction l'a réclamé
au siège, et à moins de partir chez un concurrent

De toute façon, les places importantes sont à
New York.

Sinon, tu quitterais ?

Pas nécessairement. Ils ont d'ailleurs déménagé,
ils ne résident plus en bordure de West Side Central
Park, trop résidentiel, un peu vieillot...

Suis bête, t'es venu ?

Non, c'est ta sœur qui est...

Pardon, c'est le père de Jennifer qui...

François vide son verre. Se ressert aussitôt

Et Jennifer, comment va-t-elle ?

Mathieu sourit, passe la main dans ses longs cheveux, paraît toujours sous le charme de cette jeune
femme qui continue le mannequinat, demeure une
star qu'on retrouve souvent sur les couvertures des
magazines Elle est financièrement très autonome,
tu sais ? Il avoue que les shootings aux quatre coins
du globe sont parfois pesants

Ils ne font pas des inserts numériques pour les
décors ?

Non ! Ils vont sur des plages d'Asie, des montagnes du Kazakhstan, dans le désert de Gobi...
et sur les photos, tu vois quasi rien du paysage, ce
pourrait être n'importe où.

Quand il en fait la remarque, elle pouffe, se moque, lui parle des lumières, de la couleur des tissus, des patines du décor qu'on ne peut inventer... Il la souhaiterait plus à la maison

J'ai un avenir comme grand-père ?

Ah, ah ! tu avoues ! On y pense. Adopter un...

Pouvez pas avoir d'enfant ?

C'est pas ça. Jennifer ne veut pas porter... ventre lisse, poitrine ferme.

Enfin !

Me regarde pas comme ça. C'est son métier. On hésite encore.

Comment ça ?

Entre une mère porteuse...

Une GPA ?

Oui, ou une adoption. Filières mexicaine, brésilienne, on a l'embarras du choix.

La blondeur de Jennifer, ça va détonner...

Je suis brun, c'est moi qui gagne ! Franchement, on s'en fout, papa. Du moment que le bébé est clean... Non, merci, papa, tu bois trop vite.

Tu sais que ta sœur envisage une spécialisation gynéco ?

Non, elle ne lui a rien précisé, simplement qu'elle continuait médecine.

Le féminisme, sa seule voie ! J'aurais préféré qu'elle...

Je sais, papa, neurochirurgie ou orthopédie, évidemment. Un milieu tellement macho... la pauvre !

Gestation pour autrui, donc, ta sœur va grincer des dents.

Qu'elle grince, la vieille porte !

François juge, certes, la gestation pour autrui fort contradictoire puisqu'on investit la nature d'une fonction de reproduction à l'échelle industrielle et marchande au nom même d'une préservation de la filiation naturelle. Ça ne diffère en rien, finalement, des pratiques touchant au bétail. Il préférerait en fait que Mathieu et Jennifer se tournent vers l'adoption, ce qu'il appelle le choix d'un bébé ready-made, dans un parc inépuisable de nourrissons, seule richesse que peuvent encore produire les populations pauvres. Enfin, qu'ils fassent ce que bon leur semble, Mathieu et Jennifer appartiennent à un autre monde, la GPA leur correspond, c'est de la technologie chère et dernier cri, dans une économie libérale accomplie où l'on peut louer des utérus Ce serait pour quand ? Mathieu admet que c'est seulement une idée, encore abstraite dans l'esprit de Jennifer, être mère... S'il accepte d'évoquer ce projet avec son père, c'est pour lui confier l'inquiétude qui l'entame à propos d'une épouse dont la fragilité et les sautes d'humeur ouvrent sur des béances souvent infranchissables. Jennifer ne serait plus seule au centre de l'univers alors qu'elle en était le joyau, en attestaient ces photos répandues dans les luxueux magazines de mode du moment où sa beauté irradiait, drapée par les plus grands couturiers, le joyau mais aussi le gouffre, le vortex central d'où remontaient, telles des vapeurs méphitiques, toutes ses angoisses, ses humeurs délétères, ses hallucinations morbides, le grand abîme qui, à l'inverse, engloutissait toutes les énergies du personnel de maison et de Mathieu lui-même, il y songeait lorsqu'il traversait à pied l'esplanade du Mémorial et qu'il longeait les deux rectangles béants et sans fond du World Trade Center où se précipitaient les eaux glacées, autant dire les larmes versées et les forces de vie gâchées, depuis l'assassinat des innocents, ce premier 11 septembre du troisième millénaire. Jennifer ne serait plus seule donc, au centre du monde et de leur couple, il faudrait partager l'attention et les prévenances dont elle était l'unique objet, si tant est que dût survenir autre chose qu'une simple naissance. Mathieu voulait sans doute dire une nouvelle ligne du temps tout à fait définitive et dont il faudrait se préoccuper ad vitam aeternam… François ne l'a entrevue qu'une seule fois, à Paris, Jennifer refusait de quitter la suite où le jeune couple logeait une semaine durant. Elle ne visitait Paris qu'en voiture. Elle sortait de la limousine accompagnée de son chauffeur afin d'acheter vêtements, sacs et chaussures dans les boutiques du Faubourg-Saint-Honoré. Elle s'était courageusement aventurée au Bon Marché, avait failli périr d'angoisse, semant, perdant de vue le chauffeur fatigué ou trop distrait qui s'était essuyé un blâme cinglant de sa direction. Jennifer égarée, seule, un oppressant quart d'heure dans ce labyrinthe à plusieurs étages, assaillie par la foule. Paris lui semblait une ville sale, inextricable, sa population confuse, sans doute dangereuse. Déambuler dans les rues grouillantes, c'était se mélanger aux lépreux d'Égypte.

Aussi mandait-elle coiffeur et esthéticienne chaque jour dans ses appartements. Ils en avaient souri avec Pierre et Rachel, sa belle-sœur, contraints de dîner dans leur suite de l'avenue d'Iéna, sous peine de ne pouvoir partager un seul repas avec la resplendissante Jennifer Lillianson. Quand ils s'attablèrent ensemble dans leur salon, après qu'elle eut exigé de changer deux fois la vaisselle qu'elle jugeait douteuse, Rachel ne sachant plus comment dissimuler sa honte, ils n'aperçurent dans son assiette qu'un fagot de jeunes asperges et deux cuillerées à soupe de quinoa, puis une poignée de fraises pour tout dessert. Mathieu n'en paraissait aucunement troublé, engloutissant ses Saint-Jacques au poivre de Madagascar flambées au raki, son pad-thaï aux crevettes... Il évita le fromage, tous évitèrent le fromage qui pouvait indisposer Jennifer jusqu'au malaise vagal, il choisit un mille-feuilles vanille pour conclure, ils mangèrent finalement avec appétit, François diagnostiquait chez sa bru une authentique anorexie, observant néanmoins, quelque peu fasciné, le vert tendre et mat de ces cinq asperges, l'ivoire et le brun velouté de ce quinoa, enfin le rouge vernissé de ces onze fraises dans le blanc faïencé de l'assiette, parce qu'il y voyait le dépouillement accompli et vibrant d'une nature morte flamande du xve siècle qui le distrayait d'une épaisse sensation de mal-être. Jennifer dégageait malgré tout un charme attendrissant, elle était souriante, aimable, perdue, on se sentait porté à la secourir, à la protéger, on s'inquiétait de la voir se lever, marcher, traverser la vaste pièce, tant elle était sans cesse au bord du déséquilibre et de la chute, trahissant une grande faiblesse physique, comme si toute la matière de son corps était passée dans les luxueuses images des magazines de mode, François l'imaginait mal portant un enfant ou même un nouveau-né sans que ses jambes défaillent. Plus douloureusement, elle semblait recluse dans une âpre solitude d'avant même sa propre naissance, séquestrée qu'elle fut par des parents riches mais absents, dans un palais désert qui devint cette prison intérieure dont elle ne s'échapperait sans doute plus. François pensait à sa propre épouse, tout aussi incapable de se soustraire à une hyperesthésie d'elle-même qui l'isolait du monde, plus encore depuis la naissance de Mathilde. Être mère pour Jennifer pouvait être en effet une idée suffisamment inconcevable

S'occuper d'un enfant va la rendre plus forte, Mathieu.

Tu crois ?

Vous avez du personnel, non ? Tu prends une gouvernante, au besoin…

Je me ressers, et toi ?

Ils échangèrent sur l'actualité, la présidence de Trump n'avait aucune incidence sur l'essor des marchés financiers, bien au contraire, oui, tout allait pour le mieux. Ils restent absorbés par le jeu des flammes, engourdis dans les vapeurs d'alcool, François évoque une opération du cœur en acheminant les outils par les artères, évitant l'ouverture de la cage thoracique, réduisant l'effet traumatique de plus de 80 %. Mathieu l'écoute distraitement, il n'insiste pas, les voix se tarissent, Bill Evans entame *All of you*, le dernier morceau du CD

T'es venu en France pour tes affaires ?

Les deux. Un peu de repos au lac d'Annecy. Ensuite, les rendez-vous, deux jours à Genève, deux à Paris, trois à Londres, et on rentre. Il est tard, papa, vais au plume, bonne nuit.

La chambre que le fils occupe donne sur le grand salon. Ses pas sur le parquet qui craque, sa nuque, le col de sa chemise blanche sur le gilet de cachemire, la porte qui s'ouvre et se referme.

*

François regarde sa montre, pose une bûche sur les charbons incandescents, l'écorce s'enflamme aussitôt, il s'approche de la fenêtre d'où il aperçoit les écuries, la neige tombe toujours dru, cette lenteur évanescente des flocons... Il contemple depuis la maison, arrêté par la transfiguration du décor, l'esplanade immaculée où rien n'existe à proprement parler. La nature se déploie, s'impose dans un scintillement mat et une telle indifférence à sa propre beauté qu'il en éprouve une sorte de soulagement, mais aussi un fort soupçon quant au peu de réalité de sa propre existence. Il croit percevoir un vague mouvement d'ombres brunes dans l'obscurité de la remise, il ne respire plus comme s'il risquait d'interrompre le cours des choses, c'est l'heure plus ou moins. Il attend, il guette, cinq lentes minutes, montre en main. C'est alors une tête et ses bois qui dépassent l'entrée de la boucherie, qui s'attarde, se désaltère longuement dans la bassine d'eau, qui mâche quelques feuilles sèches, qui hume l'air ambiant, enfin c'est le cerf tout entier qui s'extrait du cadre noir, qui s'avance, posant délicatement ses pattes dans le manteau neigeux comme s'il foulait un nuage, le ciel sous ses sabots. Il semble boiter très légèrement, il s'aventure avec prudence plus avant sur l'esplanade, arbore ce même poitrail altier qui fait socle puissant à la tête et aux bois, il s'immobilise, scrute, se tourne, tend son museau vers sa cuisse blessée, doit flairer des odeurs inconnues incrustées dans la chair, il se déploie, fixe à nouveau les lueurs jaunes dans les fenêtres, il hume encore l'air ambiant de ce territoire étranger, le même panache, la même magnificence héraldique que lorsqu'il le tenait dans sa lunette de tir. Il s'élance soudain entre les écuries et le relais de chasse, des gerbes de neige aux sabots, un délié musculaire parfait en dépit de la plaie juste recousue, il s'est dissipé dans le bois des Cendres. François sourit, rejoint le hall, enfile sa vieille canadienne, des bottes, coiffe un feutre puis sort, traverse les allées de graviers couvertes d'une ouate fraîche qui étouffe ses pas, aérien à son tour, il s'approche, repère les traces qui dessinent des lignes vives filant vers la forêt, déjà floutées et adoucies par la nouvelle neige qui va tout recouvrir, ne décèle aucune tache de sang jusqu'aux abords des arbres. Il se rend à la remise, allume les néons, les couvertures au sol sont piétinées, il les secoue, les plie, les range sur une étagère, sans remarquer non plus la moindre tache de sang.

Il déplace la bassine d'eau, le tas de feuilles et de fourrage sous l'avancée du toit, en rajoute une pleine brassée, éteint la lumière, referme la double porte à clé, puis s'en retourne à la maison, marchant à reculons, souhaitant vaguement l'apercevoir qui déambule à la lisière des habitations. C'est pourtant tout l'effort et la résolution qui l'animaient ces dernières heures, que la bête se relève pour s'évanouir sur le haut plateau. Il pense à ces gisants qu'il opère depuis vingt ans, dont il ouvre les chairs, qu'il fouille, qu'il répare, ces paysages organiques mouillés de sang, de lymphe, d'humeurs, de suintements, d'une telle fureur grouillante de vie que personne n'ose s'y voir ni s'y contempler, alors qu'il s'agit de soi, ces confins qui palpitent sous sa propre peau lisse. Lui, donc, le géologue des tissus profonds, qui refermera les chairs jusqu'à l'épiderme sur le secret de cet univers inenvisagé, pour qu'à nouveau les gisants se relèvent, il songe que sa grande satisfaction s'alimente de cette relevée des corps qui vont sortir de son regard, se fondre dans le monde. Il s'agit bien de les reverser dans le mouvement des vivants, il s'agit bien d'une restitution. Qu'espère-t-il à tort ? L'animal s'est enfui. Ainsi peut-il sceller, à la faveur de cette restitution du cerf à sa forêt la fin plus que probable de son activité de chasseur.

Il sait bien sûr la nécessité de la chasse afin de maintenir un équilibre agro-sylvestre ainsi qu'un bon état sanitaire de la population sauvage, lui qui élaborait avec son ami Marc, président de la commission départementale, d'impeccables plans annuels et même hebdomadaires pour les sociétés intercommunales, des plans de chasse toujours ratifiés par le préfet à l'exception d'une fois où une soudaine épizootie de babésiose avait brouillé les chiffres de cerfs élaphes à prélever. C'est à la mort de son Bruno du Jura, un accident lamentable lors d'une battue, un tir malheureux dont il ne put identifier le responsable, personne ne sut véritablement qui avait tiré cette balle fatale, pas même l'auteur probablement, tant cette chasse au sanglier avait tourné âpre et violente, à se demander si une colère des dieux ou une certaine configuration des astres avait ourdi contre eux en semant la folie parmi les hommes et les animaux, puisqu'un chasseur expérimenté, n'ayant pu stopper la charge d'un puissant quartanier, s'était également retrouvé la cuisse ouverte comme un fruit trop mûr. Tous lui avaient virilement témoigné de sincères marques d'affliction devant son accablement pétrifié. Mais François avait, à la suite de cet évènement, pris ses distances, non pas avec son vieil ami Marc, vétérinaire rural de profession, mais avec son engagement dans la commission départementale, puis avec la société de chasse intercommunale qu'il présidait. Il n'avait plus participé aux battues, il partait plus rarement, toujours seul et à l'affût. C'était une trajectoire logique, il ne tirerait plus à la carabine, sinon pour le plaisir et l'adresse, sur des disques d'argile au ball-trap de son cercle.

Il lève la tête, le ciel est bas, un couvercle nuageux gris-noir et une précipitation neigeuse qui ne tarit pas, il fixe dans l'air son regard sur un unique flocon qu'il tâche de poursuivre jusqu'au sol, puis il recommence, un jeu oublié, pourtant assidu, avec le ciel enneigé de l'enfance au relais. Il cherche de nouveau les traces, elles sont presque ensevelies sous le manteau. Il monte les marches, tape ses semelles sur la pierre, un dernier regard circulaire, il ouvre la porte, s'engouffre avec la neige, referme avec le talon, ôte canadienne, feutre et bottes, s'en va éteindre le feu dans le grand salon et toutes les lumières, excepté celles du hall qu'on peut distinguer dans la voûte vitrée au-dessus de la porte, une vieille habitude familiale depuis trois générations, cette lueur jaune en demi-cercle et qui veille, guide, accueille l'étranger perdu dans l'hostile nature alentour. Il rejoint sa chambre puis la salle de bains, se lave les dents, absent à son geste, il a les traits tirés, le teint pâle, des cernes, ses cheveux gris en bataille Une tête de déterré, pauvre bougre... Il se rince, s'essuie la bouche et va se coucher. Une chose encore, il prend le combiné de la ligne fixe, plus fiable, il s'allonge, la nuque et le buste relevés sur les gros oreillers, il compose le numéro de Mathilde, l'un des rares qu'il sache par cœur, il aboutit sur la messagerie, il ferme le poing, le porte à sa poitrine, il hésite, va raccrocher, puis il parle, il essaie, il piétine dans ses mots, ça cafouille, ça s'effrite, une syntaxe défaite, un message confus, il se reprend, il aimerait avoir de ses nouvelles, ce qui ne veut rien dire puisqu'il l'a vue la semaine dernière, en coup de vent comme à l'habitude, mais enfin, elle allait comme un charme, traversant l'appartement. Il ajoute que Mathieu est ici au relais ils auraient déjeuné tous les trois demain lundi avant que son frère s'en retourne à Annecy il viendrait la chercher à la gare de Modane avec le pick-up sous cette neige précoce un paysage de Noël ça devrait te ravir et... Il insiste anormalement, il sait pourtant que ce n'est pas la manière avec Mathilde, mais la vision qui le ronge bouscule cette façon précautionneuse dont il use pour s'adresser à sa fille. L'attitude de Mathilde, parfois, est bien celle d'une furie, notamment quand il s'agit de son indépendance. Il reformule autrement, sur un autre ton, il se répète, il est en boucle

Ah, je te raconterai l'aventure avec un grand cerf élaphe !

Bref, il attend son appel. Il coupe. Il est en apnée. Il reprend son souffle.

*

C'est une lueur lointaine dans l'horizon. Il conduit vite, leur enfant est suspendu au bras de sa mère, il les voit de dos, ils s'éloignent sous le couvert des arbres, ça frappe à la vitre, c'est Mathilde qui court sous l'orage, elle veut monter dans la voiture, elle frappe avec son poing, il est assis, il voit sa nuque, Mathilde conduit, elle pleure, il voudrait la consoler mais aucun mot ne sort, il est paralysé sur la banquette arrière, et cette lueur entraperçue, inondant l'habitacle, ils sont aveuglés, l'accident ! Il sursaute, ouvre les yeux, le soleil entre à flots dans la chambre, il a oublié hier au soir de fermer les volets. Il se lève, prend une douche, rejoint son fils dans la cuisine, déjà attablé. Ça sent le café et le pain grillé, Mathieu feuillette un magazine. François remplit un grand bol, celui de son père, ébréché, avec une ligne bleue qui serpente sur la circonférence, il attend que le toaster éjecte le pain de mie, il contemple par la fenêtre le paysage serti dans un ciel d'azur, les frondaisons doublées d'un cerne neigeux, l'esplanade poudreuse et virginale, trois corbeaux d'un noir aux reflets bleus qui picorent la charogne d'un rongeur à la lisière du bois Neige précoce, hiver féroce... Il se demande si la vallée est aussi blanche qu'ici, à 1 600 m d'altitude. Il entend le déclic du grille-pain, quitte la fenêtre, pose les toasts dans une assiette, s'assied

T'as vu ça ? Comment je vais rentrer ?

T'as des pneus neige ?

J'en sais rien. Si j'avais imaginé qu'un 30 octobre... Quel bordel !

Si ça coince, je t'emmène à la gare avec le Ford.

La voiture, on en fait quoi ?

On appellera l'agence, qu'ils envoient un chauffeur...

Un chauffeur ?

Oui, une camionnette à plateau.

Il étale la confiture de mûres sur le pain chaud, Mathieu pianote sur sa tablette, consulte les horaires de train. François rallume son Samsung, les yeux sur l'écran, l'impatience l'envahit, le bureau se configure, non, aucun message de Mathilde

T'as des nouvelles de ta sœur ?

Nan, papa.

Excuse-moi, j'ai fait une espèce de cauchemar...
Tu... tu passes voir ta mère?

Elle est à Lyon?

Non, au carmel. C'est jour de visite aujourd'hui, on y va, si tu veux?

Jennifer râle que je m'absente... on est censés être en vacances, là.

M'enfin, c'est normal que tu voies ta...

Je peux pas! J'ai promis qu'on passait l'après-midi ensemble. Deux heures et demie de route, et là, cette putain de neige...

François est penché au-dessus de la table pour récupérer le pain grillé, un mouvement trop brusque du coude, il renverse la bouteille d'eau, la rattrape au vol mais bouscule son bol, le café déborde en vagues, éclabousse sa chemise, une flaque fumante inonde la table, dégoutte du côté de Mathieu qui recule d'un bond

Tu fais quoi, papa?!

C'est rien, c'est rien...

T'as failli m'ébouillanter, mais à part ça...

Il tend la serpillière à son fils pour essuyer le sol, saisit l'éponge, absorbe la flaque, sèche la table avec le torchon

C'est rien.

Ça t'arrive jamais ces maladresses avec tes mains de chirurgien, là...

C'est pas les mains, c'est le coude.

Le plateau est net, les choses ont retrouvé leur place, François était en train de dire, il voulait dire: plutôt que de le conduire à la gare, il l'emmènerait là-bas

Et je te ramène directement à Annecy.

N'insiste pas... 80 km aller, en pleine montagne, pour rejoindre ce trou de l'enfer et 180 retour.

Attraper le bourdon toute la semaine... t'es gentil.

C'est ta mère.

Des fois, je préférerais pas... tellement perchée.

François pense avoir mal joué. Mathieu lui manque, et depuis son installation à New York, l'océan les sépare, il a baissé la garde sur son choix professionnel, il aimerait évoquer tant de sujets avec lui, il y songe quand il est seul, s'y cogne, voit très clairement comment il engagerait la conversation, il souhaiterait son avis, une complicité, une vision du monde partagée, disputée au besoin, mais quand ils sont ensemble, si rarement, ça se bouscule, François ne sait par quoi commencer, ne commence pas, juste suffoqué par la présence du fils, il perd toute initiative, il est à la remorque, s'imagine en vieillard bégayant, qui bave, incapable de dérouler sa phrase, de déplier ses mots comme un lasso qui attraperait toute l'attention de Mathieu, emporté, lui, dans sa vie, son temps, son devenir, loin de tout ce qu'il incarne, François ne peut guère lui être utile. Mais il ne se décourage pas, y revient, c'est un élan, instinctif, inentamé, trouver un motif qui le retienne ici. Or ce matin, l'inquiétude de ne pouvoir joindre Mathilde, qui confirme son intuition, c'était elle dans la BMW, quelque chose de terrible qui se fomente... la panique l'envahit insidieusement, au manque s'ajoute le besoin que son fils soit à ses côtés pour l'aider à affronter il ignore quoi. Invoquer cependant une visite à sa mère, c'est mal jouer, c'est plomber l'ambiance, ce que lui signifie le regard de Mathieu. Ils se voient vingt-quatre heures en dix-huit mois, et François est foutu de… Comment apprendre à… ?

J'ai rien dit, Mathieu.

Tu parles !

Il entame la dernière tartine, l'abandonne dans l'assiette, boit le fond de café tiède qui ne s'est pas répandu sur la table. Mathieu se lève, il va vérifier les pneus de sa Lexus de location, voir s'il peut rouler. François est quasi certain qu'il va devoir l'emmener à la gare, à cinquante minutes de distance, ils n'auront pas le loisir de déjeuner ici, tranquillement. Il débarrasse la table et file changer de chemise, il a de larges maculatures de café sur les manches.

*

Mathieu avait travaillé un moment sur sa tablette à régler des dossiers, parlé longuement au téléphone avec plusieurs clients qu'il devait rencontrer dans les prochains jours, François s'était entretenu de son côté avec un confrère à propos de deux interventions délicates cette semaine, il avait ensuite appelé son secrétariat pour réaménager le planning, s'était assuré que le centre des greffes validerait le transfert d'organe pour une patiente d'ici jeudi. Il avait revêtu un costume sombre sur un col roulé, rejoint son fils dans le grand salon

T'es prêt ?

C'est l'heure ?

Si tu veux le train de 12 h 26, c'est maintenant.

Mathieu a récupéré son sac, ils sont dans le hall à enfiler leur manteau, la porte est ouverte sur le champ de neige qui flambe dans le soleil, l'air est piquant, François tire la porte, ils descendent les trois marches, foulant un coton cristallisé dans la nuit, ils avancent dans cette matière souple qui exhale une joie étincelante à laquelle il faudrait s'abandonner... il tente finalement le partage d'un sentiment comme il lancerait les dés

C'est beau, non ?

Oui. Tu verrouilles pas ?

Quoi ?

La porte. Tu verrouilles pas ?

Qui veux-tu qui... ? Je pars pas longtemps.

Je t'empêche d'aller à la chasse, hein ?

J'y serais pas allé.

Trop de neige ?

Peut-être...

Ils approchent des écuries. François a fait démonter les stalles, remplacer les portes vermoulues, fait tomber une partie des façades, le bâtiment en briques et tuilettes d'ardoise est pour moitié ouvert sur l'esplanade, accessible aisément à trois véhicules. Il s'arrête net, tend son bras, retient Mathieu Regarde, regarde ! Son fils ne voit rien, ne sait plus lire le sol, ce n'est pas faute de l'avoir suffisamment emmené à la chasse. Ils approchent de la boucherie

Tu les as pas repérées en allant voir tes pneus ?

Repéré quoi ?

Les traces, tu vois pas les traces ?

De chevreuil…

Ben non, de cerf. Regarde, il appuie plus fort à gauche et la foulée est plus courte, c'est le mien! Blessé à l'arrière droit.

Il est revenu?

Oui, boire et manger.

Des sabots avaient piétiné aux abords de la bassine, le tas de feuilles et de jeunes brindilles avait presque disparu. François contourne les dépendances, ramasse plusieurs brassées d'herbes et de feuillage à brûler qu'il dépose de nouveau au…

Tu le fragilises là, à lui donner vivres et couvert, avec ton odeur qui plane.

Il est blessé et c'est pas son territoire. Il va se rétablir plus vite.

Tu m'as expliqué durant des siècles tes plans de chasse, qu'il fallait tuer plusieurs centaines de cerfs, biches et faons chaque année sur le département pour l'équilibre de la faune et de la flore, qu'ils n'avaient pas de prédateurs, et tu t'acharnes à… Bref, on y va?

Ils montent dans le pick-up, le 3,7 litres tousse puis démarre, François a enclenché le crabot, les quatre roues motrices patinent dans la neige, ils franchissent les piliers marquant l'entrée dans la propriété, prennent par le chemin forestier creusé de profondes ornières. Ils roulent 500 m, débouchent sur la communale blanche et damée où commencent d'éclore des plaques grisâtres plus liquides

Un coup de gel la nuit prochaine, et c'est la patinoire.

Je serais jamais passé avec la Lexus.

Oui, je sens que mercredi je vais rentrer avec le pick-up, laisser la Volvo ici.

Tu opères jeudi ?

Ben oui, le bloc jeudi, comme d'habitude.

Ça te pèse pas, seul ici ?

Ça me repose. J'ai pas pris de vacances depuis un an.

Le pick-up louvoie silencieusement sur la neige. Les grandes roues font un bruit de cascade sur les zones poinçonnées par le soleil où le bitume ruisselle d'une fine pellicule d'eau. Ils croisent le camion de sablage, François salue le chauffeur, ils traversent le hameau, rejoignent la départementale déserte, puis dévalent le versant français du Mont-Cenis. Le ciel se couvre, d'épais nuages arrivent de l'ouest, la lumière décroît, le portable de Mathieu sonne, il décroche, c'est Jennifer qui, toutes les trois heures... ils conversent en américain, une prononciation relâchée, moins accentuelle que l'anglais, plus pâteuse. Mathieu, de surcroît, n'a jamais été doué pour les langues étrangères. Il lui explique la météo, finalement il lui faut repartir en train, il a une correspondance à Chambéry, il prendra ensuite un taxi jusqu'à l'hôtel, il espère arriver vers 16 h. Il pleut depuis le matin, Jennifer s'ennuie, elle voulait partir à Hawaii, pas en Savoie, fin octobre, avec ce temps pourri... Mathieu se confond en promesses, il évoque des destinations subéquatoriales pour Noël. Elle raccroche brutalement

Au moins, t'es tranquille, papa.

Tranquille ?

Seul, ici.

François a un hochement de tête équivoque, il a quitté Lanslebourg, se traîne derrière un car scolaire vide, trop de virages, impossible de doubler, ses doigts tapotent le volant, il soupire. Le manteau neigeux se ternit, se disloque, des plaques épidémiques de terre marronnasse et d'herbe jaune s'élargissent, s'étendent, la frondaison nue des arbres laisse apparaître des squelettes charbonneux aux chevelures crépues, le gris cendreux monte dans l'hiver du décor, ça devient un goût dans la bouche. La route continue sa descente vers l'extinction des couleurs. Le fond de vallée industrielle s'impose au détour d'un virage, la lumière s'engloutit dans un écheveau de bitume et de voies ferrées, dans la matité du béton, la poussière, les fumées. Lorsque François quitte la splendeur des hauts plateaux et des contreforts montagneux, sa stupeur est intacte. L'hiver devient une pluie gluante, la route celle d'une lente submersion dans une fosse à vidange. Les lacets se défont, il trouve une ligne droite, double l'autocar, le V6 vrombit, moelleux, ils atteignent les anciennes filatures, des bâtisses verdâtres que frôle la départementale, de longs murs lépreux que maculent d'une boue grasse voitures et camions. Certaines servent encore d'entrepôts, annonçant l'entrée dans la ville. Mathieu ne cesse de regarder sa montre

Tu oublies à mesure ?

Pardon ?

Rien.

J'oublie quoi ?

Non, rien.

Ils traversent la zone pavillonnaire d'après-guerre, des maisons carrées aux murs crépis, cernées de pauvres jardinets en pelouse bordés de viornes rectilignes. Puis ce sont les immeubles et les magasins du centre-ville. François s'engage sur le boulevard Jean-Moulin, c'est à 400 m sur la gauche, une place minérale avec la gare en retrait, massive, une pierre grise avec un bossage en pierre de diamant, édifiée en plein essor industriel, 130 ans plus tôt. Le mobilier urbain défraîchi, abri-bus, plans, vasques, poubelles, bancs, transforme la circulation en un parcours d'obstacles On a dix minutes, ça va…

Il gare le Ford, ils sortent sous un fin crachin, Mathieu enfile un bonnet de laine, François ajuste son écharpe, ils se hâtent, les épaules rentrées, le menton dans le col, pénètrent dans le hall de marbre percé de courants d'air. Mathieu se précipite vers un guichet, François a filé vers les présentoirs de la Maison de la Presse, il survole les manchettes des journaux, s'arrête sur la Une du *Midi libre* évoquant en gros titre une fusillade en plein centre de Lyon, un probable règlement de comptes dans le grand banditisme, une poursuite s'est ensuivie, on déplore un mort et un blessé grave

Quai 2 ! Tu fais quoi, là ?

Vas-y, vas-y, j'arrive.

Je t'attends, dépêche.

François prend le journal, paye à la caisse, glisse le quotidien sous son bras. Ils descendent l'escalier, empruntent le souterrain carrelé dans la pénombre blafarde des vieux néons, grimpent les marches de l'autre côté du ballast, le train stationne à quai

Tu vois ? Large.

Enfin, trois minutes.

François se mordille les lèvres, fixe le tableau lumineux, la liste des villes où s'arrête le TER jusqu'à Chambéry-Challes-les-Eaux. Son cœur cogne sous les côtes

Ça n'a pas l'air d'aller.

Hein ?

T'as les yeux qui…

Rends-moi service, Mathieu, appelle ton client, s'il te plaît.

Mon… ?

Oui, le compagnon de Mathilde.

Et je lui raconte… le mauvais temps ?

Tu prends des nouvelles… de… de Mathilde.

M'enfin, si je veux des nouvelles de ma sœur, y'a plus simple… C'est un client, justement !

On peut imaginer que c'est ton beau-frère, à terme, non ?

Tu dérailles, papa.

Je l'appelle, moi, si tu veux.

Sûrement pas !

Je te demande pas la lune… J'arrive pas à la joindre.

Putain, c'est pas vrai.

Mathieu dégaine son portable, joue des pouces sur l'écran, s'éloigne de cinq pas, tournant le dos à son père, tête basse, l'iPhone à l'oreille, les yeux sur le bout pointu de sa chaussure qui écrase un

66

mégot de cigarette, il semble articuler deux phrases, raccroche, range le mobile dans sa poche intérieure, rejoint François

Ça répond pas. J'ai laissé un message bidon, prenant de ses nouvelles. C'est son numéro professionnel, j'ai pas l'autre. Voilà, t'es content ?

Tu comprends pas. C'est le journal…

Quoi, le journal ? Mathilde a braqué une banque ?

Très drôle.

Tu fais quoi aujourd'hui ?

Je passe voir ta mère.

Ah. Tu l'embrasses pour moi, alors.

J'y manquerai pas.

Salut, papa. Et arrête de t'inquiéter pour rien.

Le wagon est désert, Mathieu s'installe, sac, bonnet, manteau, en vrac sur le siège d'à côté, il sort sa tablette, s'assoit, agite vaguement la main, un geste pour dire au revoir, mais aussi pour conclure, signifiant à son père qu'il est temps de partir sans attendre que le train s'ébranle, il a d'ailleurs le regard définitivement posé sur l'écran de son iPad. François l'observe comme s'il cherchait l'assentiment de Mathieu, qu'il n'aura pas, comme s'il cherchait alors à identifier un visage qu'il connaît mais qu'il ne reconnaît plus. Le sien au même âge ? Celui de son fils enfant ? Il esquisse un salut à son tour, s'interrompt, enfonce les mains dans ses poches puis quitte la scène, le monde décidément ne l'attend plus. Il verse dans le sentimentalisme, ça l'irrite. Il entend le sifflet du chef de gare alors qu'il descend les dernières marches, enfin la stridence des roues d'acier sur les rails, le passage souterrain vibre sourdement, un tourbillon d'air s'engouffre, plusieurs néons clignotent et s'éteignent.

*

Leur fille traversait sans bouée la piscine d'eau turquoise dans le sens de la largeur. Maria était juchée sur le plot n° 3 du départ des nageurs. Elle regardait Mathilde, âgée de 7 ans, qui tentait cette traversée du grand bain, agitant trop ses bras, trop sa tête au-dessus de l'eau, elle avançait trop lentement, trop debout, pas assez allongée, pas assez étendue, pas assez diluée dans la fluidité de l'eau, elle était un corps trop enraidi, étranger à cette souplesse aqueuse, du moins était-ce le sentiment vague et lointain qu'en avait François à l'autre extrémité du bassin, plus ou moins distrait, à s'essuyer dans la serviette éponge tandis que Mathieu lisait une BD, allongé sur l'herbe du parc. Un malaise cependant exhalait lentement de la scène dans l'angle de ses yeux, une anomalie visuelle encore indistincte, Maria était sur le plot, elle était penchée sur l'eau, un peu en surplomb, il croyait deviner ses lèvres qui bougeaient, elle devait encourager leur fille, l'apaiser au besoin dans l'épreuve qu'affrontait résolument l'enfant. Mais Mathilde décidément trop droite n'avançait plus, tout son effort désordonné s'absorbait dans une oscillation verticale, l'inverse de la nage. C'était le bas du visage à présent qui s'immergeait plus fréquemment, ses bras menus et ses mains minuscules n'en étaient que plus fébriles dans l'air, des gestes tout à fait vains. Et puis Maria descendit du plot, demeurant en retrait, leur fille toujours dans son champ visuel mais juste au ras de l'arête du carrelage, dans l'oblique et non plus dans le surplomb. Un véritable retrait. Maria, oui, se retirait de la scène sinon le regard, les traits, dans une sorte d'attention fascinée, ne voulant rien perdre du spectacle, se disposant à contempler sans impatience, jusqu'au retour étale et quasi liquoreux de la surface des eaux, la noyade assurée de leur fille. Elle pourrait bientôt apercevoir distinctement son jeune corps inanimé reposer sur le fond carrelé du bassin. François cessa de s'essuyer, fixa la scène plusieurs secondes, arrêté lui-même dans une espèce de sidération, lâcha la serviette, se mit à courir, la distance était grande, 40 à 50 m, Mathilde se débattait, si loin, il longeait à présent le bassin, la tête de l'enfant sombrant dans des gerbes d'écume, cinq ou six enjambées encore, il plongea au plus près, le jeune corps déjà entre deux eaux, son visage d'ange tourné vers l'étendue d'un ciel liquide qui s'éloignait, il plongea au plus près donc, l'agrippant sous ses bras brindilles pour la propulser hors de l'eau, l'entraînant jusqu'au bord, elle toussait, les joues enflammées, elle serrait, griffait, malaxait convulsivement les épaules de son père de ses doigts allumettes pour s'assurer sans doute de sa présence à la secourir, elle devait pleurer toutes les larmes de sa peur, sinon que son visage inondé n'en... Ils atteignirent l'échelle, s'extirpèrent du bassin, Maria se tenait à la même place, dans l'exacte attitude de sa contemplation morbide, François était blême, il l'apostropha d'une voix glaciale, il voulait que ses phrases soient des lanières de cuir, des lames, qu'elle en soit lacérée. C'était un dimanche, dans la propriété d'un ami qui s'était absenté pour une courte sieste, son épouse jouait au tennis avec leurs trois filles, plus loin sur le court en terre battue, le seul témoin de la scène fut Odette qui débarrassait tasses et cafetière, verres et bouteilles vides, circulant entre les tables et les fauteuils de jardin, sous la treille, à quelques mètres du dallage en terre cuite qui cerne la piscine. Elle accourut avec une serviette comme si Mathilde était tombée dans un lac gelé au cœur de l'hiver, elle serait bien accourue avec un torchon, un service à thé, un verre d'eau, ce qu'elle souhaitait c'était accourir auprès de l'enfant pour lui manifester son affection, son attendrissement bouleversé, la serviette de bain qui traînait sur un transat lui parut l'objet le mieux approprié pour oser accourir au plus vite, chamboulée, les larmes aux yeux, à trop bien comprendre ce dont elle avait été le témoin, drapant dans le tissu éponge les épaules de Mathilde, sortant un caramel de la poche de son tablier Tiens, chaton! échangeant un regard avec François, s'échappant alors après s'être ainsi précipitée, toute chavirée, vers le miracle accompli, celui de l'enfant sauvée, s'échappant donc sans un mot, pressée de fuir à présent, pressentant avoir frôlé le fil d'une histoire familiale suffisamment ténébreuse pour receler la possibilité même du meurtre d'une enfant, s'emparant de son plateau surchargé de verres et de tasses pour se diriger vers la maison sans se retourner. Maria ne réagissait pas, à l'exception d'un vague sourire figé, tout juste affronta-t-elle deux, trois secondes le regard de François, elle eut de la main un geste d'agacement pour lui intimer de se taire, puis quitta la place, mutique, empruntant ce qu'elle faisait le mieux, une démarche de reine, nuque et dos droit, avec un tel naturel, comme si sa beauté justifiait à elle seule son existence et ses agissements, le long du bassin bleu, dans le soleil de juin, jusqu'à rejoindre sur la pelouse l'endroit des serviettes, pour aller s'allonger dans un transat non loin du fils, lui assenant au passage quelques mots tendres sans doute, des baisers sur la tempe et dans le cou, Mathieu, qui n'avait rien vu de la scène, plongé, lui, dans sa lecture. François s'était tu, saisi d'une révélation qui ouvrait l'abîme sous ses pas. Il est accroupi auprès de sa fille secouée de convulsions respiratoires, il la serre contre lui, blottie dans la serviette, il lui parle jusqu'à ce qu'elle recouvre son calme, des phrases aimantes qui seraient des caresses. À un certain moment, Mathilde articule distinctement : elle a dit… elle a dit… maman, elle a dit… Et puis elle suspendit tout net, bâillonnée de nouveau par ses hoquets qui soulevaient tout son torse. Elle ne finit jamais sa phrase, les yeux de François couraient de Mathilde à Maria, du moins à cette silhouette allongée dans un transat qu'il savait être son épouse, supposant dans sa bouche des mots venimeux propres à entraver Mathilde, un poison dans ses muscles, une myopathie, un désordre neuro-moteur qui aurait expliqué l'incohérence de ses gestes s'éloignant tellement de la nage qu'ils devinrent ceux d'une noyade. Il fut tenté d'insister Qu'a-t-elle dit, Mathilde ? Qu'a dit ta maman ?

Mais il prit peur, autant pour lui-même que pour sa fille, qu'elle eût à proférer des paroles qu'il imaginait délétères et dont elle pourrait mesurer toute la cruauté en les répétant, il n'insista pas, soulevant Mathilde, la tenant dans ses bras, la berçant, alors qu'il marchait lentement en direction des serviettes, se demandant à quoi pouvait, à quoi pourrait à présent ressembler leur vie commune ?

La départementale qu'il emprunte suit agréablement la rivière sur une trentaine de kilomètres, elle longe deux beaux villages puis s'enfonce dans une vallée toujours plus encaissée. La montagne se fait alors écrasante, la route se glisse à certains endroits sous le rocher creusé en une voûte basse, à d'autres elle semble une corniche précaire en surplomb des eaux bouillonnantes qui grondent et dévalent. C'est au sortir d'un pont étroit, deux voitures ne peuvent s'y croiser, qu'il bifurque sur une communale s'élevant abruptement dans la faille du massif. Il traverse une forêt d'épineux noyée dans une pénombre de cave, le bitume est jonché d'aiguilles et de pommes de pin, des nids-de-poule s'y creusent chaque hiver, il croit pénétrer dans son propre labyrinthe, et quand il s'arrache au couvert forestier, 800 m plus haut, la lumière vive habituellement l'apaise, sinon que le ciel brumeux ne laisse aujourd'hui rien deviner des chaînes montagneuses. De vastes névés éclaboussent le haut plateau d'alpage, il prend à droite après une ferme d'estive, la route serpente et grimpe encore sur le contrefort, il contourne une lame de roche coupante, l'ensemble gothique surgit soudain, planté dans le flanc de la montagne, église, cloître, couvent dominant le lac d'une eau noire où flottent de larges pans de glace. Il s'engage sur le chemin entre les terrasses potagères abandonnées à l'hiver, remarque la cinquantaine de ruches à l'abri du vent, se gare devant le carmel. Le parking est désert, il sort du Ford et se dirige vers la porte ferrée, tâchant d'éviter les flaques de neige boueuse. À droite de la haute voûte en pierre, François tire fort la poignée d'une longue chaîne, sans quoi la cloche ne sonne pas. Les premières fois, quand il en ignorait l'usage, il pouvait attendre en vain. Il patiente cinq bonnes minutes, un courant d'air glacé lui enserre la nuque malgré l'écharpe. Il entend des pas, l'étroite porte basse découpée dans celle à double battant s'entrouvre, sœur Thérèse, qui l'accueille le plus souvent, n'a pas son franc sourire plissant ses joues fraîches et rosées. C'est l'étonnement qu'il lit dans ses yeux verts. Et la gêne sur ses traits

Monsieur Rey?

Bonjour, ma sœur.

Le carmel est fermé.

Ah? un premier lundi du…

C'est jour de Toussaint.

Mince… je viens de loin, comme vous savez.

Je… je dois en référer à… un moment, je vous prie.

Et la porte s'est refermée sur l'inquiétude de François devant le trouble de la carmélite. Il tape des pieds sur les pavés disjoints, se frictionne les bras, les cuisses, peste de n'avoir pris un bonnet, il sautille sur place tant le vent souffle et l'engourdit. Enfin, des pas sur les graviers, le battant s'ouvre, sœur Thérèse s'efface, il enjambe le seuil, se penche, se faufile quasi, dans la cour, la jeune femme verrouille derrière lui

Veuillez me suivre.

Tout va bien, ma sœur ?

Elle hoche la tête, ne répond rien. Ils longent la maison des converses, la fromagerie, l'atelier de conditionnement du miel, les logements des moniales, le gravier crisse désagréablement, ils empruntent l'allée couverte qui borde le scriptorium et cerne le cloître, le jardin, les massifs de buis, le bassin d'eau à moitié gelé C'est déjà l'hiver, on dirait... Il peut apercevoir, dans l'ouverture qui conduit au parvis, les prés vastes à l'arrière du carmel et le bâtiment des étables, détaché de l'ensemble abbatial. Cette surface d'alpage en plan légèrement incliné révèle combien l'édifice n'est plus adossé à la montagne sur le versant est qui domine l'autre vallée Difficile de vous chauffer, j'imagine ? Ils ne croisent personne, bifurquent dans un long couloir de pierre après la salle capitulaire, sœur Thérèse ne desserre pas les dents et François renonce à parler. Elle toque à une lourde porte, ouvre, il s'avance, la moniale se retire, refermant derrière lui. Il reconnaît le cabinet de travail, une salle voûtée blanche, un dallage d'anciennes tomettes, un mobilier rudimentaire de bois sombre, une bibliothèque basse, deux chaises paillées à dossier droit, un bureau à caisson, un grand crucifix sur le mur quand on entre, une étroite fenêtre au nord qui diffuse peu de lumière, tout semble en place pour l'éternité.

Ce n'est pourtant pas sœur Elisabeth qui se tient derrière le bureau sur un pauvre tabouret, mais une femme d'une soixantaine d'années qu'il n'a jamais vue Je vous en prie. La chaise à demi-dossier cisaille les vertèbres à hauteur des dorsales, on évite de s'y appuyer, il échangerait volontiers avec le tabouret, il est décontenancé par...

Monsieur Rey, que puis-je pour vous ?

Désolé de vous importuner un jour...

Oui, il existe un règlement, savez-vous ?

Je pensais que le premier lundi du mois...

Non, pas ce lundi... à moi cependant d'être intriguée par votre venue.

Comment ça ?

Maria Rey Alberti a quitté le carmel et...

Pardon ?

Il y a deux jours.

Comment est-ce... ? La mère supérieure, sœur Élisabeth, connaît bien mon épouse, elle a beaucoup aidé à son rétablissement, pourquoi ne m'a-t-elle pas av...

Sœur Élisabeth n'est plus ici. Je lui succède.

C'est son départ alors qui a...

Je vous rappelle que nous sommes toutes égales, monsieur Rey, sans distinction d'âge ni d'expérience et qu'il n'existe aucune relation privilégiée avec telle ou telle. Seul l'amour de Jésus-Christ et le culte de la Vierge Marie nous occupent...

Ce n'est pas ce que j'ai voulu dire. Mais sœur Élisabeth avait su...

J'ai connaissance du dossier, monsieur Rey.

Comment ça, le dossier ?

Je veux dire la longue histoire de Mme Rey Alberti.

Elles sont donc parties en même temps ?

La mère supérieure offre un visage affable, avec l'amorce d'un sourire permanent, elle parle à François avec une espèce de tolérance pédagogique, elle lui explique la vie à chaque phrase, il sait qu'il lui faut garder l'expression attentive de l'élève studieux, il s'efforce.

Je suis ici depuis peu, mais je me suis entretenue à plusieurs reprises avec Mme Rey Alberti, nous en sommes arrivées à la conclusion qu'il lui fallait au plus vite retrouver la vie séculière.

Elle range une mèche de cheveux gris échappée de sa coiffe, François remarque un gros bouton sur sa tempe, trop clair pour être un mélanome, sans doute un kyste sébacé sans gravité

Vous auriez pu m'avertir de son départ, elle est perturbée, je...

Je vous promets qu'elle va au mieux, monsieur Rey, et comme vous savez, nous ne sommes ni un hôpital ni une maison de repos.

Je sais, je sais, mais...

Elle n'est donc pas rentrée chez vous, si je comprends bien ?

Il se tient dans une lumière éteinte, appuyé contre l'aile du pick-up, indifférent au vent qui mord, face au panorama d'altitude, le plateau qu'il a traversé à l'ouest, l'ouverture béante sur l'autre vallée à l'est, les sommets toujours englués dans un ciel bas. Le carmel s'est refermé dans son dos, il imagine Maria dissoute dans le mystère du lieu, l'épaisseur glacée de ses murs. Il ne parvient pas à se la représenter, taille moyenne, ample chevelure noire et bouclée qu'elle avait ensevelie sous sa coiffette et sa toque de carmélite, mince, maigre depuis son entrée ici, elle aurait abandonné la robe brune du postulat, la mère supérieure se refusait à la nommer sœur Maria... elle aura quitté l'endroit dans les vêtements d'été qu'elle portait à son arrivée, grelottante donc, sa valise à la main, montant dans un taxi vers quelle destination ? Deux jours qu'elle s'est évaporée, le temps de disparaître à l'autre bout du monde... Et Mathilde de son côté qui... Il se surprend à claquer des dents, il doit se calmer, elle est probablement rentrée chez eux à Lyon, comme à son habitude lorsqu'elle quitte un séjour de prière. Il pose la main sur son crâne, sa tête va congeler s'il reste prostré ici plus longtemps. Il sort ses clés, bipe l'ouverture des portières, s'installe au volant et reprend la route du plateau. La mère supérieure s'était faite rassurante, sans doute pour se débarrasser plus vite de sa présence importune, affirmant que Maria était une femme tout à fait adaptée à la vie civile, lui rappelant, s'il en était besoin, qu'elle était mariée, mère de deux enfants, sous-entendant que sa présence abusivement longue en ce lieu, qui dérogeait d'ailleurs gravement aux règles du carmel, semait un sacré foutoir dans la communauté, c'était pour elle-même peu souhaitable de prolonger cette aventure... Il avait compris « cette mascarade »

Vous connaissez le chemin, monsieur Rey. Dieu vous garde.

La mère supérieure venait brutalement de lui tendre un miroir sur les lubies de son épouse oisive en quête de quelle élection ? Ce qu'il ne se formulait plus, tant la succession de ses retraites dans des lieux de silence, tant la succession de ses élans mystiques au gré d'ordres religieux les plus divers, et ce depuis plusieurs années, étaient devenues le quotidien des jours. François n'avait rien tenté pour la rappeler à une existence plus ordinaire, il y trouvait une espèce de repos, toute l'attention de Maria étant accaparée par une quête de Dieu qui mettait les enfants à l'abri de ses perversions morbides, son désir de mort envers leur fille, son amour immodéré, quasi incestueux, et tout aussi délétère envers leur fils. Il s'était donc habitué aux dérives de cette femme qu'il continuait par ailleurs d'aimer et de désirer. Son catholicisme flamboyant instruisait, érotisait pour ainsi dire leurs étreintes encore fréquentes, avec la même puissance que celle de la peinture italienne qui avait su faire du corps souffrant du Christ en croix le tableau d'une sensualité suffocante. La mère supérieure l'avait rappelé à l'ordre, celui de ses responsabilités, et maintenant que les enfants étaient des adultes hors de portée, il était peut-être temps de remettre Maria au centre de leur vie commune. Si finalement sa folie mystique devait triompher, les entraînant tous deux dans un naufrage, ce qui le fit sourire alors qu'il rejoignait la départementale et le pont enjambant les eaux furieuses... il ne parvenait pas à considérer cette éventualité comme un drame.

*

Il conduit dans la gorge encaissée où la lumière du jour finissant peine à descendre, l'impatience l'envahit de rejoindre la vallée. Il surveille sur son écran le retour d'une connexion qui lui permette... Il se gare en hâte sur le talus, téléphone à Maria, ça sonne, son portable est donc rallumé, ce qui le rassure, il essaie à deux reprises, ne laisse aucun message, le téléphone dans leur appartement de Lyon est tout aussi muet. Il repart, longeant la rivière plus large et apaisée, apercevant bientôt les premiers immeubles de la banlieue de Modane. La nuit se répand, les lueurs électriques maculent les murs de flaques blêmes, la circulation est plus dense, les feux bavent dans l'air mouillé. Il passe devant la gare, Mathieu doit être arrivé, il l'imagine au bord du lac, installé sur un wharf quelconque, une ter- rasse d'hiver, prenant l'apéritif avec sa Jennifer, une distance de 150 km à vol d'oiseau, ce n'est pas New York... c'est comme une épine sous l'ongle, qu'ils ne soient pas tous réunis au relais. Certes, la fin de l'automne là-haut, ce serait un peu sévère pour sa bru... Il soupire, tente à nouveau de joindre son épouse, ça sonne, ça décroche Maria ? Allô ? Puis ça coupe. Il se range précipitamment sur le trottoir, relance l'appel, trois fois, se heurte à sa voix solaire, son accent italien, l'invitant à déposer un message Mais qu'est-ce qu'elle... ? Il peste, se glisse dans le flux des voitures, sort de la ville, prend la direction de Lanslebourg, dépasse les anciennes filatures, accélère dans les dernières lignes droites, la route s'enroule en lacets, il aimerait considérer ce départ précipité du carmel comme une hâte chez Maria à renouer avec une vie normale, c'est une femme tellement... Il doit reconnaître qu'il a manqué les jours de visite ces derniers temps, les premier et troisième lundis du mois, ayant souvent vécu ces entrevues d'une trentaine de minutes comme d'éprouvantes confrontations. Parfois il n'entendait pas même le son de sa voix, elle demeurait prostrée devant une fenêtre poussiéreuse tendue de toiles d'araignée, où son visage inerte semblait affaissé dans une sorte de catatonie. Parfois son visage tendu et vibrant tout au contraire semblait irradié d'une grâce intérieure... Maria prétendait poursuivre son postulat, ce que l'ordre religieux ne permettait pas, mais enfin, il la savait contenue dans une folie plus ordinaire, Dieu, Jésus-Christ, sœur Élisabeth occupant avantageusement ses pensées. Il s'efforçait quant à lui de penser à la mère qu'elle fut pour s'éloigner de la femme qu'elle était, s'imaginant accéder à une sorte d'indifférence douce, à reculons. Il a quitté le village, s'est engagé sur la route du col, veut tenter de joindre à nouveau Mathilde et Maria, finalement renonce devant l'échec annoncé, balance le portable sur le siège passager, parcourt près d'un kilomètre encore, ralentit aux abords de l'intersection... Un phare surgit en face, à la sortie d'un virage, se rapproche trop vite, le deux-roues a la priorité, François patiente, son clignotant mis, avant de bifurquer lui-même à gauche sur l'embranchement de la communale. Le faisceau est puissant qui l'aveugle à moitié, il porte sa main en visière, la forme équestre le croise Nom de... L'engin roule à grande vitesse sur le revêtement défoncé, un bruit d'échappement rauque, deux silhouettes noires soudées, ils ont tourné la tête d'un même mouvement vers son pare-brise, passant à moins d'un mètre du pick-up arrêté de biais au milieu de la chaussée. Ce serait les mêmes parkas, les mêmes visières argentées sur leur heaume de chevaliers lorsqu'ils traversent dans ses phares C'est qui ces zozos ? Ils visitent la montagne ou quoi ? La nuit, avec ce froid de gueux, le risque de verglas, même si la neige a fondu sur cette portion de départementale qui conduit au Moncenisio. François a baissé sa vitre, il fixe le feu arrière qui se dilue dans les ténèbres, assuré qu'il s'agit du même modèle 850 Aprilia, des mêmes types qui l'ont dépassé hier, le cerf venait de franchir la route devant la BMW... Il embraye, s'engage sur la communale, la neige persiste au milieu de la chaussée et sur les bas-côtés, quelques flocons éparpillés s'accrochent encore dans le halo des phares, comme égarés dans l'air et le ciel, et qui ne tomberont pas. Sur le thermomètre du tableau de bord, la température est négative, la route sera bientôt impraticable. Il avance au pas dans le chemin, avec la vision de son buste et de sa nuque vrillés, son bras levé vers le plafond de la voiture pour protéger sa tête... Non, il n'était aucunement exténué ni stressé en traversant sur les traces du cerf, il n'est pas davantage sujet à des hallucinations, son inquiétude est démesurée peut-être, cloué qu'il est dans sa peur, mais ce profil trois quarts arrière, à la tangente de la joue et du cou... Il débouche sur l'esplanade enneigée, un miroitement pâle dans la nuit transparente. Il ne bouge plus, voûté, les avant-bras et le menton en appui sur le volant, l'inquiétude à l'endroit de Mathilde et maintenant de Maria se mêlant, s'intriquant, qui le taraudent, il en est empêché, gourd, ne sachant quoi entreprendre... Jusqu'à ce qu'il l'aperçoive, en ombre chinoise, à l'angle de la boucherie, tête et coiffe dressés, scrutant le pick-up. La scène s'éternise une trentaine de secondes, puis l'animal fait demi-tour, François manœuvre le Ford, braque les phares dans sa direction, le cerf semble frémir, baigné dans le pinceau blanc, mais sa démarche ne varie pas, il s'évanouit lentement, traversant le mur liquide du périmètre lumineux. François contourne l'esplanade, se gare sous l'abri entre sa Volvo et la Lexus de location, sort, se faufile entre les véhicules, la cristallisation du manteau s'est encore épaissie avec le gel, le sol est lustré, à croire que la voie lactée s'y est répandue. Il se rend derrière les écuries, rapporte une pleine brassée de feuilles qu'il pose à l'angle de la remise, ses doigts brûlent, il se hâte vers le relais, frileux, suivant les traces de pas qu'ils ont ce matin imprimées dans la neige. Il règne dans la maison un silence de crypte, au point d'en éprouver une inhabituelle appréhension, confronté à sa seule présence. Il allume les lumières à la volée, gagne le grand salon, se verse un double Laphroaig PX, enclenche sur le lecteur le Stabat Mater de Pergolèse, prépare un feu machinalement. Il sent les larmes monter, s'interdit autant qu'il peut, la force du whisky ou celle du chant peut-être... Il s'assoit, les fesses au bord du sofa, le regard vissé dans les flammes qui dévorent l'âtre avec un ronflement animal, des crépitements, de sèches explosions. Il sursaute, le Samsung sonne dans sa poche, il se palpe, nerveux, quatre poches, ça va raccrocher, enfin il l'extirpe, c'est

Maria ! T'es où ?

Comment ça ?

M'enfin, je sors du carmel...

Pourquoi ?

Pourquoi ? Je suis venu te chercher, tiens ! T'es partie depuis deux jours !

Ah ? Désolée.

T'as l'air, oui. Tu veux me rendre...

Je suis chez maman et Alessia, il fait beau, tout va bien.

C'est insensé ! Je...

Ne crie pas.

Mais pourquoi tu m'as pas... ?

Je me réacclimate.

À la vie séculière, comme dit sœur Catherine ?

C'est ça...

Il croit entendre des sanglots dans sa voix

J'allais rentrer sur Lyon, là, j'espérais te trouver à la maison, chez des amis, je...

Tu es au relais ?

Oui, depuis vendredi.

Profite de ta montagne alors. Ici, tout va bien, je te dis, carino.

T'as des nouvelles de Mathilde ?

Comment j'aurais des nouv... ?

J'arrive pas à la joindre et...

Elle est en vadrouille, comme sa mère.

C'est pas une raison pour être injoignable.

Elle a un fiancé. C'est l'idylle…

Tu savais ?

Ben oui. De quoi tu t'inquiètes ? Tu nous persécutes avec ton angoisse, caro.

Tu rentres quand ?

Deux-trois jours, amour, je t'appelle.

Elle a raccroché trop vite, mais l'étau se desserre. Que Maria se repose dans sa maison familiale près d'Asti n'est peut-être pas la meilleure idée, tant sa sœur et sa mère fusionnées la tolèrent comme une étrangère. C'est du moins le signe d'un retour à l'ordre des choses, Mathilde de la même façon va lui répondre, là, de suite, maintenant… Mais, non, rien qu'une messagerie saturée, un jeu de l'oie avec retour à la case départ.

Il parcourt le journal régional sans rien apprendre sur la fusillade, l'essentiel de l'information tenait dans le titre et le sous-titre, il n'en était plus question dans les pages intérieures à l'exception d'une interview du préfet de région qui promettait un contrôle renforcé de la police et une guerre sans répit contre… etc. Il saisit son iPad, navigue sur le Net, n'y trouve rien de plus, juste une vidéo amateur tournée avec un smartphone, on y aperçoit confusément des silhouettes se glissant entre des voitures, on entend des bruits brefs, répétés, il pense à des amorces de pétard qu'enfant il faisait exploser, les coinçant dans le nez plombé d'une fusée grande comme la paume et qui éclatait l'amorce en touchant le sol. Certaines de ces silhouettes s'engouffrent dans des voitures, d'autres enfourchent des scooters, elles disparaissent dans la perspective du boulevard, mais la pixellisation est si importante qu'on distingue surtout des flaques de lumières et de couleurs coagulées qui bougent, s'étoilent, se contaminent bord à bord, se mélangent, ça dure une minute trente-six, on n'a rien vu.

Il rejoint la cuisine, coupe deux tranches de pain de seigle, dispose sur une assiette un pâté de sanglier, un morceau de beaufort, débouche une bouteille de faugères, lave une pomme et s'en retourne au salon. Il s'efforce, il se tient, son plateau est appétissant, il le pose sur la table basse entre le sofa et la cheminée. Il se rassoit, feuillette une revue médicale du mois dernier. Il est distrait, ne touche pas aux nourritures, boit trop de vin, mange un quartier de pomme, s'absorbe dans la lecture d'un roman américain, *Le Verger de marbre*, qu'un patient récemment opéré lui a offert, un miraculé, libraire de profession, qui pourrait devenir un ami. Les premières pages le saisissent, mais il ne parvient pas à se concentrer, comme un manque de volonté. Les bûches dans l'âtre sont à présent des ossements noircis et rougeoyants qu'il triture du bout du tisonnier, ils ont la légèreté du carbone. Il se redresse, s'approche d'une fenêtre, la neige s'est remise à tomber, de minuscules flocons, semblable à du grésil. Il éteint les lumières, rejoint sa chambre, demain sera demain. Il avale un cachet, se couche, il attend le sommeil.

*

Ils entrent dans la salle, Mathilde est à son bras, dans une robe de dentelle, le maire s'impatiente, mais dans la foule en liesse, il cherche Maria, court dans l'immeuble en travaux, les alentours sont encombrés de gravats, d'échafaudages, elle cogne à la fenêtre, l'appelle, il pianote sur le clavier du téléphone, ne se souvient plus du numéro, Mathilde lui mordille la main, elle a 3 ans. L'eau boueuse ruisselle, il voudrait pisser mais les invités sortent du chantier, il se réveille avec la verge en érection et une forte envie d'uriner, il se hâte vers la salle de bains, peste contre le mal-être poisseux qu'exhalent ces rêves du matin, le sexe se détend, il peut soulager sa vessie. Il désactive le mode avion du Samsung, ça mouline, il devrait installer une antenne relais plus puissante pour intensifier le signal, c'est trop long, surtout quand on est comme ce matin à… Non, rien, aucun appel, aucun sms. Il sent la colère l'envahir, comment Mathilde peut-elle à ce point être indifférente à l'anxiété de son père ? Il pourrait l'insulter à l'instant si elle… Il se glisse sous la douche, puis s'habille chaudement, se rend à la cuisine, découvre un ciel d'azur, un soleil ardent, une neige incandescente, le paysage qui éblouit. Se prépare un café, des toasts, ça embaume le pain grillé. Maria a peut-être raison, son angoisse les persécute. Alors il enfile sa canadienne, un bonnet, ses bottes fourrées, sort, traverse l'esplanade comme s'il plongeait dans une lumière si dense qu'il pourrait s'y allonger. Il met de l'ordre dans la boucherie, dispose mieux les morceaux de viande dans les congélateurs, classe les conserves et les bocaux par date, il désinfecte consciencieusement le plan de découpe qui a servi de table d'opération, balaye, chausse des gants, récupère une brouette qu'il pousse derrière les écuries, s'arrête au bord d'un tas de bois coupé, une vingtaine de stères déversés là, en vrac, depuis la benne de la camionnette, la neige recouvre l'ensemble avec des interstices de vide ou de bois nu, ce serait du sucre glace sur des biscuits. Il charge la brouette jusqu'à la gorge et s'en retourne vers l'appentis attenant au relais où il commence de ranger les quarts et les demies bûches le long du mur. Il fait le va-et-vient trois bonnes heures durant. Il est essoufflé, il a chaud, le choix des segments de bois, leur empilement au plus stable, au mieux emboîté, accapare son attention, il va dans son mouvement, il est dans ses gestes, la poitrine et le ventre dénoués. Il sait combien l'action sauve quand il est au-dessus du patient dans le bloc opératoire, que son métier l'excède alors qu'il taille dans la profondeur des tissus, emporté malgré lui dans une quête de l'excellence. C'est plus simple avec les bûches mais ça l'envahit suffisamment pour qu'il s'oublie, lui et ses attentes. Il décide d'une courte pause, assis dans la brouette remplie de bois. Le ciel est du même azur, il sort sa boîte de tabac, l'étiquette Fumer tue lui saute aux yeux bien avant Peterson de luxe mixture. Il a lu Vivre tue, ce qui lui semble une proposition plus intéressante. Il dévisse le couvercle en métal, déplie la collerette blanche, ôte la capsule papier, prend des pincées de black Cavendish mélangé à du Virginia qu'il émiette lentement dans le fourneau noir, qu'il tasse avec le pouce de la main gauche. Sa pipe à la bouche, il cherche des allumettes, ses mains courent de poche en poche, avec la désagréable sensation d'un regard posé sur sa nuque, une espèce de picotement de l'épiderme qui descend le long de l'échine, il guette un bruit de feuilles froissées, de neige foulée, puis se retourne, scrute l'orée de la forêt, l'endroit est résolument désert. Mais l'impression persiste. Il s'obstine, ses yeux fouillent, s'insinuent entre les troncs et les buissons jusqu'à l'étendue confuse, plus loin dans la semi-pénombre. L'intuition et le savoir du chasseur qui sait délier, démêler, distinguer les formes dans l'imbroglio des lignes et des couleurs, un peigne glissant dans une chevelure. C'est à droite d'un taillis qui pourrait être une remise, il est campé de face, il l'observe, c'est lui, ce seize cors, une coiffe princière, une forêt cosmique portée en triomphe, son poitrail d'une fourrure profonde, le front orné de boucles noires et blondes. Le cerf qui le fixe à une cinquantaine de mètres, dans un champ d'ondes où il reconnaît assurément son odeur, celle du chasseur, ambiguë et familière, avec lequel il a, pour le moins, traversé une durée trouble où s'agrègent de la terreur, de la souffrance, de la survie et du soulagement. Et qu'il s'attarde à respirer comme le chiffre d'une énigme. François se lève, lentement, se tourne vers lui, avance souplement, quelques pas, le souffle court, s'immobilise, fait face, l'animal, hiératique, n'a pas bougé, François admire la beauté dont il se sent dérisoirement responsable. Réparer ce qu'on a voulu détruire relève d'un étrange détour, et puis ce sentiment d'appropriation, non plus de la viande capturée, abattue, mais de la vie presque intacte, à l'orée de la forêt, puissante et vigoureuse. C'est l'époque du brame, la période des combats furieux, des joutes épiques, la métamorphose en guerrier fou sous la poussée des hormones, le cerf en cette période pourrait le briser, lui, François, une simple charge d'une poignée de secondes, ses bois en pleine poitrine. Ils s'éprouvent et se considèrent, deux univers intriqués, purement étrangers et inconciliables, deux vivants qui mesureraient en la contemplation hypnotique de l'autre leur force de vie qui attire, leur force de mort qui inquiète. Ils demeurent ainsi dans une distance polie. François brûle pourtant de s'avancer, au risque de déchaîner des forces démesurées. Tisser un lien, provoquer la destruction s'enroulent dans un même geste. Il hésite. Être déjà mort par peur de mourir, cette phrase le traverse à l'instant de... Se porter vers l'avant, donc, porter ses pas, un, deux... cinq. Il suspend à nouveau son... Il pense aux dix-huit postures d'alarme que les cerfs peuvent jouer comme autant de messages adressés au clan. Ce qui le bouleverse ici, c'est l'expression pensive, quasi de réflexion, qu'il croit lire sur cette tête dont il voudrait dessiner la courbure de la mâchoire, l'élégance du crâne, le museau sombre, la lumière diamantine des yeux saillants, noirs. François fait deux pas encore, bascule dans une exaltation rédemptrice dont la grâce animale serait l'incarnation, la possibilité. Il songe aux Grecs qui disaient en ces rencontres avoir croisé un dieu. Un pas encore, celui de trop, le cerf a un imperceptible piétinement des pattes antérieures, il tourne sa tête couronnée, fait demi-tour, s'éloigne, lui jetant un dernier regard… Il n'allume pas sa pipe, la fourre dans sa poche, renfile ses gants et part ranger ses bûches.

Il arrête vers 14 h, vaguement fourbu. Le mur de l'appentis est occupé jusqu'au toit, pas moins de huit stères sont à l'abri. Il explore les environs, lisant sur la neige des traces de renard, de chevreuil, d'oiseaux nocturnes, celles du cerf qui, seul, va et vient jusqu'aux dépendances. Il remplit la bassine d'eau claire, dépose de nouvelles brassées de feuilles, de fin branchage, d'écorces récupérées près du tas de bûches, de quoi tenir plusieurs jours puisque ce soir il rentre sur Lyon. Mathieu a raison, le nourrir l'affaiblit, mais il l'a déporté sur un territoire déjà occupé par plusieurs hardes sourcilleuses de leur géographie, de leurs remises, de leurs passages, de leur hiérarchie, dans une période de brame où l'affrontement des chefs, presque deux mois durant, fait retentir la forêt de galops, de poursuites, de fracas de branches brisées, d'entrechoquements de coiffes, de têtes, de poitrails, consacrant le retour de l'immémorial combat des titans anciens. Il existe bien, à la périphérie de ces hardes, des cerfs solitaires et orgueilleux, son seize cors y trouvera sans doute sa place, sinon qu'en ces temps de chasse ouverte et de guerre tellurique pour des biches conquises, perdues, reprises, il introduit un étranger blessé. Il aurait fallu le relâcher sur son propre territoire, il aurait pu y penser. Mais il était tard, son fils s'était invité à dîner, l'idée de recharger le cerf endormi dans le pick-up pour aller le déposer sur son versant, parmi ses congénères, dans une remise abritée, tapissée de feuilles d'automne, ne l'avait pas même effleuré. Il était comme le médecin qu'il est, satisfait d'observer la résurrection des gisants, il guettait le réveil de l'animal, espérait la réussite d'un acte chirurgical pour lequel il n'avait pas la compétence. C'est dans cette impatience-là qu'il s'était égaré, se taillant à peu de frais une conscience apaisée. Il se dirige vers la maison, tape ses bottes sur la pierre du seuil, ouvre, se déchausse, gagne la cuisine, la faim au ventre, s'installe à table devant les nourritures qu'il n'a pas touchées la veille, finit la bouteille de faugères, il dévore, avec l'appétit d'un travailleur qui ce matin croisa un dieu. Il débarrasse la table, enclenche le lave-vaisselle, fait un café, allume sa pipe, cherche cinq minutes durant son Samsung, râle, le retrouve sur la table du petit salon, plusieurs messages, aucun de Mathilde. Bizarrement, son inquiétude s'érode, la pleine conscience du jour sans doute, le ciel d'azur imperturbable, le rangement du bois, la rencontre de l'animal, aucun signe qui traîne, annonciateur de désastre. Il ouvre la vieille armoire vitrée où sont rangés fusils et carabines, neuf en tout avec le fusil hypodermique. Il en sort la Merkel Helix avec laquelle il a chassé avant-hier, s'en retourne à la cuisine, la pose sur la grande table, s'assoit sur le banc. Il a enlevé le chargeur, le garde-main sous le canon, il actionne à 90° un court levier devant le pontet, il ôte alors canon et culasse, il lui a fallu quelques secondes, il pourrait la démonter les yeux bandés comme les agents spéciaux des films américains. Il nettoie la culasse au chiffon doux, passe en vrillant l'écouvillon dans le canon rainuré, enduit la brosse d'un lubrifiant et graisse l'âme dudit canon, prend une clé Allen de 5, dévisse le sabot puis la crosse couverts de boue, chasse les deux goupilles, extrait le bloc détente qu'il dépoussière et graisse également, rince crosse et sabot sous l'eau, les essuie, remonte le tout, l'arme est prête à l'emploi. Il affectionne particulièrement cette Merkel, même s'il en alterne l'usage avec son habituelle Tikka T3 x Vermint ou sa Blaser R88, selon le gibier qu'il traque et les munitions qu'il choisit. Il regagne le petit salon, la range dans le râtelier, examine l'ensemble des armes disposées horizontalement dans l'ancienne vitrine d'armurier, dont certains fusils ouvragés ayant appartenu à son père et son grand-père, le très beau Benelli Raffaello ou encore les Verney-Carron, notamment le Sagittaire grand bécassier, avec leurs contre-platines gravées or et argent. Il fréquente ces objets depuis l'enfance, la très haute précision de leur usinage, l'extrême qualité artisanale des éléments en bois et des platines dégagent une singulière beauté, intense et interdite. Comme s'il fallait parer des plus beaux atours l'outil qui donne la mort, conférant au pouvoir de tuer une élégance et un raffinement. Reconnaissant malgré tout que ses carabines favorites, les plus récentes, n'expriment plutôt qu'une froide compétence à tuer. Il verrouille l'armoire, Maria oubliait souvent la clé dans la serrure. Les enfants allaient et venaient dans la longue enfilade des pièces du rez-de-chaussée comme sur un terrain de jeu, se plantaient parfois devant la vitrine à examiner les fusils, Mathieu racontait à

Mathilde la force invraisemblable et magique de certains d'entre eux qui pouvaient paralyser ou même pulvériser les dragons dont elle se prétendait l'amie et parfois la fiancée, les explications du grand frère la conduisant au bord des larmes et de l'asphyxie. Maria donc oubliait trop souvent la clé dans la serrure, et François soupçonnait qu'elle pût être maladivement attirée par le surgissement d'une tragédie, comme aimantée par sa possibilité dont il fallait s'approcher au plus près. Quand bien même, indignée, prétendait-elle le contraire. Elle aimait de fait, avec une espèce d'exaltation et d'extase, marcher sur le fil du drame. Démineuse au Moyen-Orient, ce serait une vocation, ma chérie, lui avait-il suggéré un soir de profonde irritation dont il avait oublié le motif exact, elle avait fait mine… de ne pas comprendre. Puis un autre après-midi, rentrant de la chasse, il était tombé en arrêt sur le seuil du petit salon, découvrant Mathieu qui pointait le canon du Browning Hunter Premium sur Mathilde, laquelle tenait ses mains minuscules en l'air et répétait à mi-voix Je me rends, Butch, je me rends, avec un sourire étrange de pure délectation sur sa frimousse enfantine. François avait arraché l'arme des mains de Mathieu, lui avait retourné deux gifles retentissantes, lui rappelant l'interdiction maintes fois répétée. Les enfants restaient prostrés, n'osant plus regarder leur père, il sentait une fureur noire croître et l'envahir, certain qu'il était d'avoir rangé cette foutue clé dans le tiroir de la console, tôt le matin, avant de partir à la chasse, d'autant que Maria l'y accompagnait, les enfants demeurant au relais en compagnie de Cassandra qui s'activait en cuisine. De voir la vitrine d'armurier béante le consternait, avait-il pensé ranger cette clé en l'oubliant sur la porte ? Mathieu était incapable de répondre à cette question ni à quoi que ce fût, terrifié par son père qu'une colère enragée emportait trop loin. En la circonstance, ce n'était pas tant le risque encouru que l'image du risque qui le sortait de ses gonds, les armes étant toujours déchargées avant d'être remisées sur le râtelier, les boîtes de balles et de cartouches étant discrètement rangées dans le haut du vaisselier. C'était donc bien l'image du risque qui le ravageait, cette espèce d'insoutenable tableau vivant où sa fille se trouvait menacée, avec quel ravissement, par son frère qui pointait sur elle ce lourd fusil. Essayant de découvrir si oui ou non il avait omis d'enlever cette putain de clé de la serrure, il enquêta auprès de Cassandra puis de Maria

Heureusement que le fusil n'était pas chargé !

Tu sais bien qu'ils sont vides quand on les…

On sait jamais, une distraction, comme la clé ce matin… Le Browning, c'est un sacré calibre ! Tu imagines l'horreur ?

C'est bon, Maria, on a compris !

*

Le soleil est encore haut sur l'horizon, l'incandescence neigeuse s'adoucit maintenant d'un voile doré dans les sanguines d'automne. François se couvre et décide de rejoindre la lèvre du plateau, empruntant un chemin au sud de la maison qui traverse la frange forestière étroite d'un court kilomètre en cet endroit. Il déchire un tapis neigeux quasi vierge, repère de légères traces d'animaux, essentiellement des oiseaux et le long d'un buisson celles d'un lièvre pressé. Il tourne la tête, cherche un instant son Bruno du Jura pour l'encourager à la traque… L'énergie du chien inlassablement à l'affût stimulait, exacerbait sa perception de la nature environnante. Sa compagnie lui manque. Il devrait finalement s'y résoudre, renouer avec la présence d'un compagnon, l'animal à ses côtés s'évanouissant soudain dans l'épaisseur des bois, accourant dès son appel ou surgissant spontanément d'un fourré pour de nouveau se caler dans ses pas, devenu en somme l'image de son esprit vagabondant. François est convaincu que les détours, les flottements de ses pensées étaient en phase avec les circonvolutions de son Bruno, une sorte d'hypostasie, comme si l'animal suivait ses propres méandres cérébraux, en incarnait l'imprévisible alchimie. Quand bien même il n'irait plus à la chasse, un chien durant ses marches serait un salutaire dédoublement. Lorsqu'il sort de la forêt, c'est un lever de rideau sur l'étendue du synclinal qui se creuse en courbes douces à ses pieds. Il longe sur la droite le front de cuesta, gravit la légère pente de la cluse, dominant ainsi du regard tout le glissement progressif du plateau, et même au-delà de la remontée de l'anticlinal, le grand vide qui marque la dépression jusqu'au fond de la vallée fluviale. Puis il contemple la chaîne montagneuse de l'Iseran, d'un jaune orangé rougi jusqu'à l'or au dernier soleil qui vient s'y cogner avant de sombrer, exsangue, derrière le massif de la Vanoise. François ne bouge plus, sa respiration est fluide, il observe l'embrasement qui s'épuise sur les cols déchiquetés, il aime contourner la cluse et dévaler dans l'alpage d'herbe grasse, mais la neige est trop profonde, il va tremper ses bottes. Il attend que le ciel vire au bleu, s'épaississe en un large contour marine le long des crêtes, avec une coupole encore ciel et cristal, à la verticale de sa position. Dans moins d'un quart d'heure, la nappe marine aura tout submergé, la montagne exhalera une sauvagerie nocturne aux effluves de pierre. François est pénétré d'un paysage qu'il sait dans ses moindres détails, trouvant enfin une espèce d'apaisement.

Il rebrousse chemin, quitte bientôt la cuesta pour rejoindre le couvert forestier… C'est alors qu'il entendit, loin, assourdi, au point de soupçonner une hallucination auditive, ce qui ressemble malgré tout à une fusillade. À une furieuse série de coups de feu. Il regarde sa montre, la chasse est officiellement fermée depuis 17 h à partir du 29 octobre pour des raisons évidentes d'absence de visibilité, continuer de tirer à presque 18 h… Il connaît tous les chasseurs de la société communale, il n'en voit qu'un capable de s'asseoir à ce point sur la législation, mais il a entendu trop de détonations rapprochées pour un seul homme. Il pense au final d'une battue aux sangliers. Ou alors à des chasseurs glorieux et avinés, fêtant leur prise, qui déchargeraient leur fusil vers le ciel. Il s'enfonce dans la forêt à présent ténébreuse, devine encore la silhouette des arbres d'un noir poudré,

proche de la matité du fusain. La neige qui réflé-
chit les dernières particules de lumière lui ouvre
au sol une allée du roi, fluorescente, qui crépite
sous ses pas. Il aperçoit bientôt la masse sombre
des écuries, puis l'esplanade, une nappe piquée de
poussière cristalline. La beauté l'assaille mais aussi
le silence. La prochaine fois qu'il séjourne au relais,
il viendra accompagné d'un jeune chien. La race?
Il n'y a pas songé. Il s'avance, projetant une ombre
lunaire, un spectre pâle qui va monter les marches.
Il entre, ôte bottes et manteau, allume les pièces
sur son passage, se rend dans sa chambre, ramasse
ses affaires de toilette, des dossiers, un magazine de
médecine auquel il est abonné, passe dans la cuisine,
fourre quelques bocaux de gibier cuisiné et de pâtés
dans un sac à commissions, son bagage est prêt.
Il retourne dans le grand salon, choisit un CD de
Mingus qu'il glisse dans le lecteur, s'assoit dans un
fauteuil avec l'iPad sur les genoux, il doit répondre
à plusieurs mails avant de prendre la route, il lui faut
trois heures pour arriver sur Lyon. La contrebasse
l'étreint comme si elle architecturait la vaste pièce,
diluant l'angoisse qu'il a combattue tout le jour et
qui l'infuse à nouveau. Il patiente, la connexion
est lente à s'établir, il accède à sa messagerie, commence à pianoter sur son clavier, avec l'impression
vague du bruit d'un moteur qui s'emballe lorsque
les roues patinent et s'enlisent. C'est un détail dans
son décor sonore, il n'y prête pas attention, trop
concentré sur l'expertise médicale qu'il rédige pour
un confrère, trop porté aussi par la musique qui
oriente le sentiment, détermine la volonté. C'est

quand il entend deux, trois, quatre coups de feu, là, sur l'esplanade, qu'il s'arrête, interdit. Il pose la tablette sur le sofa, se lève, s'approche d'une des hautes fenêtres, le corps crispé, les jambes lentes. Il distingue au loin, à l'entrée du chemin, des phares allumés dont le faisceau se répand en une flaque halogène qui éblouit sur la neige, il croit deviner une masse confuse, gisant sur la gauche, à la lisière de la zone éclairée, non loin de la boucherie. Il tressaille, des coups de poings martèlent la porte d'entrée, ça résonne dans le vaste hall Nom de nom, c'est quoi ce… ?

Il traverse grand et petit salon, les coups redoublent contre l'épais battant, les pênes tintent dans les gâches, il atteint le hall

Oh ! c'est quoi ? c'est qui ?

Ouvre, papa ! ouvre !

Quoi ? c'est verrouillé ? jamais je…

Il fait jouer la serrure, la poussée est violente, la porte lui jaillit à la figure

Mathilde ! Mathilde, tu… ?

*

Sa fille est livide, les cheveux en bataille, des mèches collées par la boue, des cernes qui creusent jusqu'au milieu des joues, elle lui jette un regard de détresse, elle est le visage de sa vision, le buste vrillé, ses bras levés haut vers le ciel pour se protéger du malheur, la voiture qui évite le cerf, elle est courbée parce que l'homme dont elle tient la main, le bras, est quasi vautré sur elle tant ses jambes ne le portent qu'à peine, dont l'une qui pisse le sang sur le seuil, l'homme dont il n'a pas encore vu les traits, juste le dessus du crâne, ses cheveux bruns, longs, bouclés, avec une queue de cheval courte, à moitié défaite, la veste maculée, la poche déchirée, la cravate qui pend en ficelle chiffonnée, l'homme qui a le visage niché dans le creux d'épaule de Mathilde, qui redresse enfin la tête, une peau grise et cendreuse, des pommettes saillantes, des yeux noirs, brillants M'enfin qu'est-ce que... ? L'homme en appui donc, le bras gauche passé autour des épaules de Mathilde, les mains de sa fille et la main gauche de l'homme nouées ensemble, une Rolex or à son épais poignet et deux chevalières anglaises, à l'annulaire et à l'index, piquées d'un diamant sans doute, qui fixe François, trois secondes, qui replie son bras droit, qui pointe son pistolet chromé à la bouche noircie Pouvez aider ? C'est un coassement, et François qui regarde Mathilde, abasourdi, qui attend une explication, une phrase, trois mots. Et l'autre qui bredouille à nouveau

Vais tomber, là...

C'est vous, les coups de feu ?

Et l'autre qui est au bout de son souffle et de sa douleur, qui murmure Ça bougeait sur la droite... Ses yeux fiévreux semblent adjurer François, qu'il s'écarte, qu'il le laisse passer, il opère un mouvement horizontal du bout de son calibre, 10 cm de gauche à droite, avec le poignet cassé, n'ayant plus la force de tenir quoi que ce soit, son arme pas plus qu'une cuillère à dessert, et François qui s'efface, qui laisse entrer, et l'homme, porté, tenu par Mathilde, qui vient s'affaler sur le vaste coffre Henri IV au bois sombre. François referme la porte

Soif! de l'eau!

Normal quand on perd son sang. J'arrive.

Soif…

François hausse les épaules, il gagne la cuisine, revient avec un plateau, deux verres, une bouteille d'eau. L'homme saisit la bouteille, boit au goulot

Doucement! Si vous avez une hémorragie interne, vous n'êtes pas censé boire. La flotte dilate le volume sanguin, pas bon, ça!

Papa, soigne-le!

Les blessures par balle, sûr, ma fille, c'est ma spécialité.

Mathilde déglutit, les yeux embués

On va l'installer dans la chambre du rez-de-chaussée… Allez.

Ils le prennent chacun sous une aisselle, le blessé gémit, serre les dents, veut taire sa douleur, ils le portent, quasi, pour traverser les deux salons Mathilde! la salle de bains, d'abord…

Ils l'assoient sur le rebord de la baignoire, les corps exhalent dans l'espace confiné une odeur aigre de sueur, de stress, de foutre, de sang, d'entrejambe tiède, de cordite Pouvez le poser, peut-être? Moi, à part les fusils et les carabines… L'homme pose son Beretta dans le lavabo, un bruit d'acier lourd cogné contre la faïence, ils lui enlèvent sa veste, la cravate, Mathilde ôte la chemise trempée, poisseuse, dénoue les lacets, lui retire chaussures et chaussettes, défait la ceinture, déboutonne la braguette, ils le soulèvent à nouveau, les fils de l'étoffe, à l'endroit de l'impact, pénètrent la chair, il faut décoller le tissu de la cuisse sanglante, ils tirent ensuite sur le pantalon, très lentement, le font glisser jusqu'aux chevilles, il lève les pieds, le pantalon est jeté dans un coin avec le reste des vêtements. François découvre le trou ovale et les lèvres turgescentes sur la face externe de la cuisse gauche, qui suinte et bave. Par chance, l'artère fémorale n'est pas dans la trajectoire, la balle est ressortie à l'arrière par les grands ischio-jambiers, la plaie est ici logiquement déchiquetée, l'os est sans doute touché, il repère de minuscules esquilles autour de la plaie. Ici aussi, ça suinte et bave, mais le sang n'a pas la même couleur

Pas beau tout ça.

Je sais, toubib.

François saisit le tabouret à côté du radiateur, l'installe dans la baignoire

On vous assoit, là, reculez le fessier, doucement, on vous guide… bien.

François le tient par les épaules, le fait pivoter sur son séant, pose sa jambe blessée sur le rebord de la baignoire

Celle-là, on la maintient relevée, vous perdez trop de sang… Tu laves tout le corps, Mathilde. À la Bétadine, t'entends ? Plutôt deux fois qu'une. Tu rinces à l'eau très chaude, il est en état de choc, là. C'est pas le moment qu'il prenne froid. Flacon mauve, pas le jaune. Sauf la cuisse, tu touches pas ! Je reviens. Vais voir ce que j'ai comme matériel, pas grand-chose, je crains.

Il se presse, les deux salons, le hall, la salle à manger, ouvre son bureau, fouille dans ses tiroirs, certains sont réservés à de la pharmacie d'urgence bénigne, un foutoir de boîtes, d'échantillons offerts par les représentants des labos, des surplus de la clinique, les deux tiers des produits sont périmés, il creuse, bouscule, retourne, finit par trouver des injections jetables d'antiseptique, deux sont encore utilisables avant péremption, il repère une boîte d'amoxicilline 500, pas très adapté mais bon, une boîte d'antidouleur, de la Lamaline fortement dosée, des paquets de compresses, de l'eau oxygénée, une paire de ciseaux, du sparadrap large hypoallergénique, il met le tout dans une cuve inox, ajoute un flacon de dakin, puis repart vers la chambre où Mathieu a dormi pas plus tard qu'avant hier. Il y a toujours le CD de Mingus qui pulse dans les salons, il l'entend à peine, se hâte vers la salle de bains, Mathilde finit de rincer le corps et la tête de l'homme, la vapeur chaude monte dans la pièce Tiens, sèche-le bien. Elle saisit la serviette éponge qu'il lui tend, l'essuie. François prépare ses injections Tu me rapportes ce que tu trouves là-haut, dans vos chambres. Plutôt celle de Mathieu. T-shirt, bonnet, écharpe, pull, peignoir, faut le couvrir, il grelotte. L'homme ne dit rien, il semble fixer, visage baissé, le fond de la baignoire. François prend des compresses qu'il imbibe de Bétadine, nettoie délicatement autour de la plaie Je vous fais des piqûres d'antiseptique dans la blessure, j'essaie au plus profond, mordez la serviette, ça va chatouiller. Il enfonce l'aiguille dans les tissus en charpie, injecte la moitié de la seringue, recommence 2 cm plus loin dans la cavité, l'homme transpire de douleur et rugit, les dents plantées dans le tissu éponge

C'est intenable !

C'est bon, l'autre côté.

François évite son regard, s'assoit à califourchon sur le rebord faïencé de la baignoire, soulève la jambe, la plie, pose le pied de l'homme sur son épaule

Durer longtemps… la… torture ?

Il a préparé une autre seringue jetable d'antiseptique, il recommence la même opération, ne sachant, dans ces ruines tissulaires, où injecter le produit, piquant au plus profond, où ça lui semble utile. Le paysage des ischio-jambiers n'est plus identifiable, la blessure par balle relève d'une autre thérapie qu'il n'a jamais pratiquée, sinon avant-hier sur le cuissot du cerf dont la masse musculaire en cet endroit pouvait autrement supporter la traversée d'un projectile, de surcroît sans avoir brisé l'os C'est fait. François pulvérise abondamment les plaies avec le spray d'eau oxygénée, en imbibe le tulle stérile, constitue un épais pansement qu'il veut partiellement compressif pour stopper les saignements, à l'avant et à l'arrière des muscles. Il maintient les deux pansements avec le sparadrap large qu'il enroule autour de la cuisse, il serre, à peine, redoute un effet de garrot. Il n'a pas échangé un regard avec le blessé, il repose sa jambe sur le rebord de la baignoire, l'homme ne mord plus la serviette, la douleur durant les soins l'a rendu hagard. Mathilde lui a enfilé T-shirt, peignoir et bonnet, François décapsule de l'emballage aluminium deux cachets d'amoxicilline, il réitère avec la Lamaline et l'ibuprofène Pas d'allergie à la codéine ?... Bien, tenez... Il lui tend les cachets, un verre d'eau, l'homme a la bouche sèche, avale péniblement Maintenant, on vous couche. Ne faut plus perdre de sang. Drapé dans la serviette éponge depuis la taille, il se tourne, les pieds sur le carrelage, ils le soulèvent une dernière fois, il est de plus en plus engourdi, tremblant, la rage et la force l'ont provisoirement quitté, ils le portent jusqu'au lit, l'allongent, relèvent la jambe à l'aide d'un oreiller, installent sous la cuisse une autre serviette en cas de saignements Reposez-vous. Essayez de dormir. Avec les cachets, ça devrait aller mieux...

Mathilde s'attarde au bord du lit, lui caresse le front, lui tient la main, tourne le dos à son père qui sort de la chambre, le CD s'est arrêté, le silence est de plomb, lourde sa fatigue. Il regarde sa montre, trois quarts d'heure écoulés depuis les coups de poing sur la porte. Il s'approche des fenêtres, les phares de la voiture continuent d'inonder l'esplanade.

*

Il faut cacher l'auto, papa ! Il se retourne, le visage de Mathilde est dans l'encoignure de la porte, il la reconnaît à peine

T'as les clés ?

On l'a laissée en plan, moteur allumé, je crois bien.

104

Elle referme la porte, il regagne le hall, se regarde enfiler bottes et canadienne, ce n'est pas tout à fait un cauchemar parce que sa fille est indemne. Il sort dans le jour électrique des pinceaux halogènes, la température a chuté, il foule du verre pilé, traverse les 100 m d'une blancheur d'azote fumant, il suit leurs traces désordonnées, ponctuées d'éclaboussures de sang. Jusqu'au long coupé Mercedes, portières grandes ouvertes, enlisé à mi-roues dans la neige et la boue du chemin Il a combien de bagnoles, ce gus ? Il referme les portes, fait le tour du véhicule pour mieux évaluer comment le dégager des ornières qui durcissent avec le gel. Les roues arrière, propulsives, sont enfoncées jusqu'à la caisse qui touche le sol, une baleine échouée, une truie dans sa souille, le pot d'échappement fume dans la neige qui fond, piquée de taches noires sur un mètre carré. Le moteur tourne sans bruit, une horloge, sinon que ça empeste les hydrocarbures jusqu'à la maison. Il rejoint le Ford garé dans l'écurie, démarre et va le ranger face au coupé, à quelques mètres. Il défait le crochet, déroule le câble du treuil scellé devant sa calandre, le tire jusqu'à la Mercedes, se met à genoux, creuse la neige cristallisée en s'aidant du crochet, il cherche l'encoche dans la jupe avant par où sort l'anneau de remorquage. Il a les mains qui brûlent, mordues par ces gravillons de glace agglutinés en une masse abrasive. L'anneau est décentré sur la gauche, il le dégage, y verrouille le crochet du câble, retourne à son treuil qu'il enclenche, le câble s'enroule, se tend, ça geint, la membrure de la voiture craque, mais les roues ne bougent pas. Il laisse le câble tendu, remonte dans le pick-up, enclenche le crabot, la marche arrière, ses roues patinent, c'est bientôt quatre geysers de neige et de terre qui maculent ailes et portières, il tourne le volant du pick-up pour varier les tractions du câble, le V6 dégage une telle puissance qu'il craint de tout arracher, enfin les roues gravissent le creux des ornières, la Mercedes se hisse, s'arrache à sa bauge, il continue de reculer jusqu'aux écuries, le coupé suit, oscillant sur la neige gelée du chemin. Il sort du pick-up, se penche sous le pare-chocs du coupé, dégage le crochet de l'anneau, s'approche du treuil, rembobine le câble...

Les quatre phares de la Mercedes éclairent à présent dépendances et alentours, ça lui saute aux yeux tout autant qu'à la gorge, il distingue au centre de la nappe lumineuse la forme imposante qui gisait là, indécise et anodine, qu'il avait cru deviner depuis la fenêtre du salon alors qu'il scrutait la nuit, les phares qui l'aveuglaient, s'inquiétant des coups de feu qui l'avaient arraché de son fauteuil, se précipitant vers la porte qu'on martelait de coups de poing. Pour ne plus y penser, trop assailli par l'a... Mon Dieu, c'est pas... Il ne bouge plus, pétrifié par la vision, au-delà de la boucherie. Il finit par lâcher câble et crochet avant que la peau des doigts n'y reste collée, s'approche lentement, chacun de ses pas le déporte vers cette chose qu'il redoute. Il met un genou à terre, puis l'autre, la main posée sur l'encolure encore tiède du cerf à seize cors, c'est bien lui, l'empaumure à quatre épois parfaitement équilibrée, la symétrie, l'amplitude des andouillers, le front qui abonde en boucles noires et blondes, les profonds larmiers qui confèrent à la face l'expressivité d'un visage, la fourrure du poitrail, enfin la plaie recousue au cuissot. Les yeux noirs et saillants sont éteints, il repère deux impacts de balle dans le poitrail et une mare de sang qui se fige en un socle goudronneux sur la neige. Ainsi couchée, la bête garde dans son abandon une imposante majesté. Il pense à ces chasseurs, s'approchant joyeux de leur proie abattue, soudain embarrassés par le volume du corps gisant, se demandant bientôt comment s'en débarrasser, ne sachant comment s'y prendre pour en faire de la viande, en faire autre chose qu'un cadavre pourrissant qu'on abandonnerait volontiers aux vautours, furtivement. Penauds. Confus. Misérables. Le corps de l'animal qui encombre, si pesant, inerte, vaste, alors qu'ils jubilaient, en héros bientôt consacrés, à l'idée de coucher le gibier d'un imperceptible mouvement de l'index sur la détente. François s'est redressé, il suit des yeux les traces des sabots qui partent du tas de feuilles et d'écorces qu'il a déposées quelques heures plus tôt, le cerf avait 50 m à franchir pour être à couvert. Il gagne la boucherie, ouvre, allume les néons, cherche dans les outils, récupère un bistouri dont la lame est presque neuve, un couteau de chasse, une petite scie circulaire, une rallonge électrique qu'il branche au tableau près des congélateurs, deux paires de gants en latex, un crayon de pastel gras, un mètre ruban, puis s'en retourne près de l'animal. Il chausse ses gants, déroule le mètre sur la fourrure à partir du pivot de l'andouiller de massacre jusqu'au bas de l'encolure, il trace deux marques au pastel à 10 cm d'intervalle, qu'il relie d'un trait sur toute l'épaisseur de l'encolure. Saisit le bistouri, pratique une incise sous le garrot dans la fourrure et la peau, là où la chair est tendre, y insère maintenant la lame du couteau et commence de trancher les tissus selon le tracé. Les muscles s'ouvrent comme des mangues sous le fil affûté, la trachée artère et l'œsophage résistent un peu, il appuie plus fort et cisaille, ça cède, la lame vient alors buter et crisser contre la colonne vertébrale, il branche la scie circulaire, tranche les vertèbres, la moelle épinière se répand en une lymphe jaunâtre, peu de sang coule encore des jugulaires, une odeur d'os et de viande se répand dans l'air froid, il reprend le couteau et achève la coupe, veillant à ne pas déchirer la fourrure. C'est fait, la tête, son éloge des forêts et sa belle encolure sont détachés du corps, il les tire sur la neige vierge, dans la lumière qui éblouit et les dernières volutes de chaleur qui s'échappent de la viande découpée. François demeure, le couteau sanglant dans la main, qui dégoutte, immobile, à observer il ne saurait dire au juste quoi, debout devant cette tête splendide, devenue trophée, dont il rêvait depuis deux ans, et ce corps décapité, c'est peut-être la nuit profonde, la voie lactée précise et scintillante, le froid qui enserre, la blancheur électrique des phares qui engorge la neige, ce serait le rituel nocturne d'un sacrifice, d'une offrande à… Tu fais quoi ? Il sursaute, ne l'a pas entendue s'approcher, ce n'est pas faute du vacarme de ses pas fracturant la neige, un bruit de biscottes écrasées quand on prépare une chapelure

Tu vois pas ?

Je comprends pas… tu devais ranger la…

La cacher ?

Oui. Tu laisses tout en plan… exposé, phares allumés. Tu… tu découpes un cerf ?!

Le cerf. Celui que vous venez d'abattre. Il me reste une demi-heure pour conditionner la viande. Après elle sera gâtée.

Mais ?… ça va pas ? On s'en fout !

Toi et ton cow-boy, oui. Moi, je préserve sa tête, et je mange sa viande…

Tu ne vois…

Je le laisse pas pourrir comme un détritus dans un coin !

T'as pas compris la sit…

Crois-tu ?

Des cerfs, t'en as tué toute ta vie, putain !… Je peux la mettre où, l'auto ?

Avec les autres, à côté de la Volvo.

Mais, c'est ouvert !

J'ai pas posé des portes entre-temps.

Faut pas qu'on la voie !

François lui répond de la mettre entre la sienne et la Lexus, de déplier une couverture, une bâche, ce qu'elle trouve, sur le pavillon et les portières, enfin, qu'elle soit dissimulée au mieux. C'est là qu'il range le Ford, il n'y a pas d'autre place, et s'il gare le pick-up devant, à la perpendiculaire des autres véhicules, il faudrait s'approcher à pied, rentrer sous l'abri pour distinguer les modèles, les marques et les plaques. Elle baisse la tête, enfouit ses mains dans les poches du cardigan, se hâte nerveusement, des gestes mécaniques, désarticulés, une silhouette rétrécie, une inconnue. Elle s'installe au volant et manœuvre la voiture. François s'approche du corps, saisit les pattes arrière et le tire sur la neige jusqu'au seuil de la boucherie. Mathilde le rejoint

Une couverture, une bâche, je prends ça où ?

Là, je t'ai dit, sur l'étagère.

Il s'est muni d'un bout de corde qu'il entortille autour d'un jarret postérieur, fait une boucle qu'il arrime au crochet de la chaîne, use alors de la poulie double, soulevant la bête jusqu'à ce qu'elle pende du plafond par une patte. Il installe une poubelle sous l'encolure qui goutte abondamment, plante le couteau de chasse dans l'orifice de l'anus puis ouvre le ventre et le torse jusqu'au garrot, suivant la ligne médiane que dessine la fourrure. Le flot des viscères roses, blancs, grisâtres, tapissés de ridules, de vaisseaux bleutés se déverse avec ce bruit d'éclaboussures que font les parties molles, élastiques, denses et presque aqueuses à la fois, d'une consistance flasque qui ne ressemble à rien d'autre. Viscères, le mot sonne juste

Dis, il va s'en sortir ?

Rapporte-moi les outils qui traînent près de la tête, s'il te plaît.

François l'observe qui marche, son dos, sa chevelure, une jeune femme prise au piège, le malheur sur ses pas, le cerf en est une preuve. Au-delà de l'humiliation et de la tristesse mêlées qui l'assaillent, et dont lui seul pourrait invoquer les raisons, il est saisi d'une espèce de stupéfaction indignée. Que Mathilde, qui n'est plus venue dans ce haut lieu de son enfance depuis tant d'années, puisse ainsi paraître, accompagnée par la mort et le meurtre... Elle s'est penchée, a ramassé les outils, empreinte d'une telle lassitude, elle revient vers lui, tenant à pleins bras le câble électrique, la scie circulaire, le mètre ruban, le scalpel... il reconnaît son visage aimé, son corps tendu, c'est la peur qui le submerge alors d'imaginer Mathilde damnée et condamnée

Pose tout sur l'établi.

T'as pas répondu.

Quoi ?

Il va s'en sortir ?

Il s'entend chuchoter pour lui-même Et toi, ma fille, tu vas t'en sortir ? Il se mord la langue, s'abstient, la seule question qui vaille...

Il est mal en point. Il faut l'emmener à l'hôpital.

Mais tu l'as soigné !

Écoute, Mathilde, tu es en troisième année de médecine, tu mesures les choses, non ?

L'hôpital, c'est impossible !

Il a perdu trop de sang...

Transfuse le mien, il est universel !

François achève l'éviscération du ventre et l'évidement du thorax, il prend une lame courte et s'attache à séparer la peau de la viande au niveau du cuissot, le couteau glisse entre les surfaces, sans effort, découvrant la gaine des loges, mate et blanche qui enveloppe les muscles. Il sait qu'il faudrait pratiquer échographies et IRM, repérer et extraire, si possible, les éclats d'os et de balle qui sont autant d'éventuels foyers infectieux, évaluer l'effet cinétique du projectile dans les tissus, l'état de l'artère fémorale, des tendons, il faudrait un bloc opératoire, intervenir d'urgence, réaligner le fémur, poser des broches, recoudre les muscles, il s'agit de travailler sur des ruines où tout s'est mélangé, il ne sait quoi dire à sa fille

Tu me réponds ?

Quoi ?

Faut l'opérer ?

Oui.

Fais-le.

J'ai pas le matériel. Tu sais les risques ?

Il ira pas à l'hôpital.

Qui vous traque ? La police ?

Non.

C'est pire alors.

Mathilde hausse les épaules

Je les connais pas.

Les coups de feu vers 18 h, c'était vous ?

On était loin.

Le soir en montagne, ça porte. Les coups de feu, j'ai l'oreille… C'est lui, ton fiancé ? Le client de ton frère ? Un type hyper sympa ?

Ah ! peut pas fermer sa bouche, celui-là !

La fourrure pend, torsadée, elle tient encore par la patte suspendue à la chaîne. Il finit de la détacher du jarret, au-dessus du genou, la suspend sur une corde à linge C'est si secret ? Il choisit une lame plus effilée, plus longue, plus rigide et commence par découper les épaules, après avoir scié les membres au-dessus du coude

112

Tu devrais prendre un bain, te reposer. Tu... tu ressembles à rien, on dirait une...

Ça fait trois jours qu'ils nous traquent.

Vas-y. Laisse-moi réfléchir.

Quand il la regarde de nouveau s'éloigner, traverser la grande nappe blanche dans la transparence du ciel étoilé, la surface ouatée à présent tailladée de traces de pas et de bousculades, maculée à 20 m de lui d'une large flaque de sang d'où semble s'être extirpée, deux pas plus loin, la tête d'un cerf décapité, lorsqu'il la regarde dans ce décor souillé parcourir l'esplanade, parce qu'il ne peut en l'instant poser ses yeux ailleurs, ce dos frêle vaguement arrondi, les mains à nouveau dans les poches, la tête invisible sous le capuchon rabattu, c'est presque une sidération, tant il s'éprouve incapable d'ouvrir un chemin pour Mathilde. Il ne peut plus la précéder ni même la suivre, elle, seule, il la pense seule, comme s'il était mort. Il s'ébroue, finit de dégraisser les épaules qu'il dispose sur le plan de travail. Il s'occupe à présent du cuissot et du quasi, des pièces de choix. Il n'hésite pas, sa lame de couteau file, s'insinue entre les tissus, les tendons, les articulations, elle disjoint, décolle, sépare, sectionne, sans abîmer les pièces, sans accrocher les os. Il s'attelle à la découpe du carré et des filets, empoigne sa grande scie jaune, les petites dents accrochent sans effort dans la matière friable des os, il scie le sternum, la cage thoracique, l'écartant ensuite à pleines mains, il faut y mettre la force des bras, ça craque, ça cède, c'est béant, il peut cette fois de l'intérieur longer la colonne vertébrale et scier sur toute la hauteur du buste côtes et côtelettes. Il pose les morceaux sur la longue table, les trie, les range, prend du papier de boucherie, de larges feuilles avec lesquelles il enveloppe chaque pièce. Il inscrit la date et le nom du morceau au feutre rouge sur les emballages puis les range dans le congélateur. Ne reste suspendu à la chaîne du treuil que le cuissot blessé, les chairs abîmées n'étant pas comestibles. Il observe attentivement le travail opéré sur la blessure, ses coutures renforcées avaient tenu, notamment grâce au vernis, le cerf ne s'était ni mordillé ni trop frotté contre les arbres pour calmer la probable démangeaison, la cicatrisation suivait son cours, l'animal aurait guéri. Il décroche le cuissot de la chaîne et le jette dans le sac poubelle avec les abats et les viscères. Il nettoie le plan de travail, les outils, éteint la lumière et ferme la boucherie. Il récupère de vieilles couvertures qu'il installe en plusieurs épaisseurs sur le plateau du Ford, s'en va ramasser la tête du cerf, la fourrure commençait à coller sur la neige, il la porte par l'encolure et les bois, il titube jusqu'au pick-up, l'y dépose sur les couvertures, l'arrime avec précaution, reprend son souffle, épuisé soudain. Il sort le smartphone de sa poche, il est presque 21 h sur l'écran, il arpente l'esplanade, cherchant la connexion, compose le numéro d'Antoine qui habite à moins d'un kilomètre, il saura la…

Excuse-moi, j'appelle un peu tard…

Dis-moi.

J'ai un cerf, la tête avec des bois superbes, les congélos sont pleins, je sais pas quoi faire.

Apporte.

Merci, Antoine. J'arrive.

À l'instant de raccrocher, l'ami lui demande si c'est une bête cueillie à la nuit, il a entendu une salve de détonations, non loin de chez lui et...

Non... François ne chasse pas au-delà des heures d'ouverture. Il songe que ce sont probablement les échanges de tir alors qu'il rentrait de sa promenade, il situe mieux l'endroit de l'affrontement, beaucoup trop près du relais de chasse. Il raccroche, commence à se ronger entre les incisives l'ongle du pouce, il est tenté de repasser par la maison pour s'avaler un alcool fort tant son corps s'alourdit, c'est lui le soldat de plomb. Finalement, il fait demi-tour, s'installe au volant, rejoint la communale, le bitume est salement verglacé, il scrute la nuit, les bas-côtés, les entrées de chemin, ne croise aucun véhicule, l'anxiété lui dévore l'estomac, il aurait englouti une bouteille de vinaigre, ce serait... Il jette fréquemment un regard par la vitre arrière, ne distingue que les gouttières des bois accrochant une lumière livide dans l'air pur et glacé, enfin la béance sombre et sanglante de l'encolure.

DEUX

« Que serait-ce quand il faut dans un
livre, dans du livre mettre de la réalité.
Qu'arrive-t-il toujours ? (...) Il me faut
une journée pour faire l'histoire d'une
seconde. Il me faut une année pour faire
l'histoire d'une minute. Il me faut une vie
pour faire l'histoire d'un jour. »

Clio, Péguy

… il pratique une ténodèse pour consolider le tendon arraché, nettoie l'os, les tissus, retire l'écarteur, referme la plaie en deux plans successifs avec un surjet au fil résorbable sur la peau, et un drain aspiratif. L'infirmier applique des pansements gras. Ils enlèvent le garrot pneumatique, immobilisant le bras par une attelle postérieure, il tire le rideau qui dissimulait la tête du patient vaguement comateux. François a baissé son masque, lui sourit Alors, monsieur Chouraqui, tout va bien ? Pas de douleur ? Normal que vous flottiez, on vous a un peu shooté. Comptez une heure avant de redescendre. Aucune inquiétude, le lierre est bien sur le mur… Le lierre ?… L'extrémité du tendon, si vous préférez. Le temps qu'il repousse, s'accroche sur l'os, trois à quatre mois… L'attache du biceps sera comme neuve. On vous donnera du « jeune homme » en découvrant votre bras. Le patient sourit, ânonne des remerciements d'une voix pâteuse.

On se retrouve chez Édith en fin de matinée pour le bilan opératoire, les soins, le planning des rendez-vous. Reprenez des forces.

Le brancardier redresse les abattants, déverrouille les roues de la civière, emporte l'opéré dans la salle de réveil. François remercie l'équipe, arrache masque et calot puis sort du bloc, les traits creusés. Il manque de souffle, avec la pénible sensation d'un évidement de la poitrine. Il s'inquiète du bon déroulement de ses deux prochaines opérations, se remémore les protocoles d'intervention qu'il s'est définis, mais la fatigue le mine, il ne peut plus s'accorder la moindre nuit blanche une veille de bloc, il n'a plus 40 ans, il en va de sa concentration et de la précision de ses gestes. Il est dans la pièce de repos, devant le distributeur, il commande un expresso double sans sucre, le gobelet se positionne, il entend la mouture du grain, la secrétaire accourue de son bureau est derrière lui, elle lui saisit le coude

Quoi ?… Pardon ?

Votre femme a téléphoné…

Maria ?

Oui, votre femme.

Elle sait pas que je suis au bloc le jeudi, depuis à peu près la nuit des temps ?

Il se reprend devant le visage consterné d'Édith, il s'oblige tardivement à baisser…

Et ?

Elle rappellera… ça paraissait urgent.

Elle a laissé un numéro de téléphone ?

Non.

Si elle rappelle quand je suis au bloc, dites-lui… non, rien. Je…

Il regarde l'horloge murale et rejoint son bureau. Il boit une gorgée de café, pose le gobelet à côté de l'ordinateur, allume son smartphone, remarque deux appels, l'un de son ami Gérard et l'autre, anonyme, un numéro protégé... Maria ? Sans aucun message ? Juste un silence de treize secondes, le bruit d'une respiration à peine audible, ça raccroche.

Il ne se souvient plus exactement quand sont survenues les premières fugues, les premières désertions du foyer conjugal. Sans doute lorsque Mathieu a lâché médecine pour entamer ses études de droit financier et qu'il a quitté la maison. Elle s'était mise à pratiquer des séjours réguliers, assez courts, dans des lieux de silence, disait-elle, lui précisant chaque fois dans quelle abbaye, quel couvent elle demeurait, il était d'ailleurs venu la chercher à plusieurs reprises quand elle le lui demandait. Puis elle commença de disparaître deux, trois jours sans explication. Il se rassurait en pensant qu'elle voyait toujours leur fils, n'avait-elle pas répliqué un soir: Mathieu va très bien, ses études le passionnent. Lorsqu'il s'enquérait de savoir où elle avait dormi ces deux dernières nuits, elle haussait les épaules, répondait invariablement: chez Mathieu... chez une amie. C'était selon. Il ne soupçonnait aucunement Maria d'avoir une liaison, sans doute parce que leur attirance réciproque demeurait si vive. Quand il lui demandait où elle avait dormi, c'est qu'il s'en inquiétait réellement, il la supposait dans ses errances nocturnes capable de dormir sur un banc du métro, d'une église, dans le fond d'un bar aux remugles de bière rancie et de mégots froids. Les pompiers ne l'avaient-ils pas ramenée une nuit à l'appartement après l'avoir ramassée sur la rocade, hagarde, elle avait causé un carambolage entre plusieurs voitures, le conducteur de tête avait vu surgir dans le halo de ses phares cette silhouette immobile, hiératique, une apparition tellement soudaine et incongrue qu'il en avait écrasé son frein sous un pied de fonte, se faisant emboutir aussitôt par trois ou quatre voitures qui s'emboîtèrent méthodiquement les unes dans les autres, sans qu'il y ait de blessés. Lorsque leur fils était réapparu à la maison et qu'une espèce de confiance s'était restaurée entre eux, il lui avait confirmé avoir vu fréquemment sa mère pour déjeuner ou pour dîner, non, elle n'avait jamais dormi dans son studio d'étudiant, à l'exception d'une unique occasion, la toute première où il fut pris de court. Sa mère lui avait parlé des heures durant de sa foi, des valeurs chrétiennes, de leur universalité inscrite dans l'étymologie même du mot *katholikós*, Mathieu avait le sentiment qu'elle récitait des phrases creuses apprises par cœur. Elle était assise au bord de son lit, elle disait croire en lui de toutes ses forces, plus encore depuis son projet de travailler dans la finance… Il avait eu à cet instant une espèce d'arrêt dans la pensée, comme de venir buter du pied contre un trottoir. L'argent n'était-il pas aussi une valeur universelle, une énergie qui emportait le monde, qui le soulevait, l'argent comme la religion reliait les êtres entre eux dans un œcuménique échange ! Plus ou moins, avait-il osé murmurer. Elle poursuivait : Dieu et le dollar, ils ont si bien mesuré que c'est la même chose ! L'argent, c'est la présence réalisée de Dieu sur Terre, la grâce qu'on reçoit. Il était 3 h du matin, Mathieu sombrait dans la torpeur, bercé par cette voix maternelle qui lui débitait des salmigondis dont il ne comprenait ni le pourquoi ni le comment. Elle l'avait couvé d'une expression de folle adoration sans qu'il puisse cette nuit-là se soustraire à son attention. Il s'était alors bien gardé de lui offrir encore l'hospitalité malgré l'insistance qu'elle y mettait, allant jusqu'à prétendre n'avoir aucun toit où passer la nuit. Il rétorquait qu'il lui fallait tout simplement rentrer chez elle Dans ce lieu de perdition ? Souillé par des êtres impurs ? Comment pouvait-il prendre une mine si effarée ? Il savait très bien de qui elle parlait, de François et de Mathilde

Oui, ton père et ta sœur !

Pourquoi tu dis ça ?

Ils sont si charnels…

Charnels ?… c'est le mot qu'elle a…

Oui, charnels.

Il est vrai que les liens qui unissaient Maria et François étaient pour le moins physiques, leur désir s'était peu altéré, ils s'embrasaient naturellement au contact de l'autre. Maria, pour son plus grand plaisir, s'était épanouie dans une théâtralité masochiste toujours plus sophistiquée, elle était avec lui d'une soumission inspirée. Et à l'autre extrémité du spectre, une mère possessive et obsessionnelle, exclusivement avec leur fils. Quant à Mathilde, son existence même affolait le nuancier de ses émotions, il suffisait à Maria d'être simplement confrontée à la présence de leur fille pour qu'elle vrille parfois au point de faire éclore sur son visage les signes eczémateux d'une psyché maléfique, François veillait à ne pas les laisser seules très longtemps

Tu penses à quoi ?

Le métier d'électricien ou d'informaticien aurait aussi bien convenu à ta mère, non ?... les ondes, les flux universels.

Qu'est-ce que tu racontes ?

Rien, rien.

Son bipper sonne, c'est maintenant. Il vide son gobelet de café, le jette dans la corbeille, éteint son portable, sort dans le couloir, rejoint la salle de réveil, salue des infirmières, ajuste une nouvelle combinaison, se lave les mains, coudes vers le bas que l'eau de rinçage ne vienne pas s'égoutter au bout des doigts, y déposant microbes et bactéries. Une habitude si ancienne qu'elle opère aussi quand il est à la maison. Pourquoi lui apparaît-elle comme une étrangeté ce matin, comme s'il n'était pas à sa place ? François jure, se ressaisit, la superstition le guette avant chaque opération, les signes l'envahissent, il s'en défend, s'essuie les mains, enfile gants, masque et calot neufs, se faufile entre les brancards qui encombrent. Une patiente en réveil post-opératoire râle, se plaint de douleurs abdominales, un homme âgé vaguement endormi souhaiterait regagner sa chambre, il ne comprend pas la lenteur du protocole, il veut parler à son chirurgien, le brancardier lui décrit le ciel ensoleillé, deux autres attendent en silence d'être opérés. Il croise un collègue anesthésiste qui lui offre de l'accompagner au concert unique des Rolling Stones

Oh, l'Égypte ancienne, les momies, c'est pas mon truc...

Va te faire foutre, mal-entendant !

124

Il ouvre la porte du bloc C, entre. Jérôme, l'infirmier avec qui il opère depuis une douzaine d'années, lui tend le dossier de celle qui somnole sous la lumière du plan opératoire. Il le parcourt, distrait, il s'efforce, relit trois fois, il connaît parfaitement la pathologie de cette main sur laquelle il intervient. Amputation du majeur et translocation de l'index. Il salue sa patiente qui ouvre les yeux, lui adresse un sourire

Vous êtes sûr, docteur ? l'anesthésie locale, ça... ?

Mais oui ! on décide pas une générale pour ça.

Docteur, je suis entre vos mains !

C'est le cas de le dire, madame Abbescat. On s'y met, vous allez vous découvrir une main nouvelle génération.

Une main de Mickey ?

De Minnie, oui ! Ce sera très beau, équilibré, vous n'allez pas regretter. Et puis, vous allez retrouver toute la fonctionnalité des doigts, la souplesse.

Merci, docteur.

Détendez-vous, laissez-vous sombrer, on vous a administré un décontractant.

Elle sourit, ferme les yeux, sa tête s'abandonne sur le côté gauche, il contourne la table, un rideau est tiré par-dessus l'épaule de sa patiente, courant le long de sa tête et de son corps, François n'a sous les yeux, à angle droit du buste, que le bras inerte badigeonné de Bétadine ocre, le garrot pneumatique qui bloque le flux sanguin dans l'artère brachiale, et la main fine, ouverte, paume vers le ciel, dont il va ôter le majeur, raidi, en pince, le tendon fléchisseur entravé par la fibrose, un bout de bois fiché

125

tel un corps étranger, à terme les autres doigts vont s'enraidir, la main perdre son usage. Il prend son bistouri, commence d'entailler la saillie interdigitale entre l'index et le majeur, la lame s'enfonce dans le peloton adipeux, il sait combien la fluidité de ses gestes est essentielle, aucune hésitation, aucun remords, le dessin qui s'accomplit sans aucun tremblé dans la coupe des saillies, le contournement et l'extraction du majeur, certains chirurgiens hésitent, s'y reprennent dans leur tracé, ça zigzague, c'est haché, ça manque le fil du derme, les tissus durcissent durant la cicatrisation, le résultat est médiocre, c'est définitif. Lui non, il danse avec les yeux, ses mains, ses bras, son corps tout entier, il épouse les méandres, le mouvement alluvionnaire des chairs profondes, il nage dans les flux cellulaires jusqu'à s'y fondre, ses lames s'insinuent, furtives, dans les couches sédimentaires, aucune ligne brisée, juste la cohérence du courant anatomique. Qui justifie sa réputation. La femme s'est assoupie, il perçoit son souffle, paisible, régulier. La scie circulaire a sectionné le métacarpe, l'infirmier nettoie la poussière d'os qui subsiste, François jette le majeur dans un sac que lui tend l'infirmière, il entame la translocation de l'index, il n'éprouve plus aucune fatigue, il est tout entier absorbé dans sa maîtrise, il est un, il est souverain, tendu vers la perfection de l'acte, il est au centre de sa vie et de sa compétence, il est dans la plénitude du temps présent. Quelque chose comme de la joie. Il a maintenant sectionné le métacarpe de l'index pour le faire migrer sur la base du majeur, la broche et les vis sont fixées, la béance ouverte par l'amputation du majeur est résorbée, les doigts s'alignent dans l'unité retrouvée d'une main à quatre doigts. On lui présente l'aiguille, il recoud les plans profonds, puis une nouvelle aiguille avec un autre type de fil, le sens de la couture est inversé, il noue vite, pose un drain, recoud les plans de surface, ses assistants n'ont cessé de badigeonner fils et coutures d'antiseptique. François dépose ses outils dans le bac inox, Jérôme et les deux autres infirmières s'affairent sur les pansements, il les remercie comme il en a l'habitude, observe le visage de l'endormie puis quitte le bloc.

*

Il marche dans le couloir, fait demi-tour, entre dans le bureau de sa secrétaire

Alors, Édith ?

Dans vingt-cinq minutes, le maçon, fracture ouverte, bras droit.

... ?

Euh... oui, pardon. Non, Maria n'a pas... mais l'abbaye, oui. Une sœur Catherine, qui souhaite que vous la rappeliez aujourd'hui. Voici le numéro.

Il a récupéré son portable, fait quelques pas dans l'allée sinueuse du parc qui cerne la clinique, un goudron coloré vieux rose plus dédié aux loisirs, moins triste que le noir, ils en avaient décidé ainsi avec l'architecte au moment de la construction. Il aime ce bosquet de bouleaux à l'écart sur la pelouse où il s'arrête, l'épaule contre l'écorce blanche, il attend que ça décroche, le numéro était déjà dans ses contacts, la permanence de l'abbaye. Une voix de femme le prie de patienter, on lui passe sœur Catherine, une voix grave, chuintante, un débit monocorde et calme, avec un usage soutenu du mode indicatif

Nous en avons conclu avec votre épouse qu'elle devait quitter notre institution sans tarder. Il faut venir la chercher, telle est sa demande. Nous avons fixé sa sortie à la semaine prochaine, disons lundi.

Je... j'aimerais lui parler ?

Ce n'est pas possible, monsieur Rey.

Elle m'a téléphoné ce matin...

C'est très regrettable qu'elle ait enfreint les règles du carmel.

Bon, je...

Nous vous attendons, à partir de 14 h.

Oui, si elle...

Bonne fin de semaine, monsieur Rey.

Elle raccroche, il demeure de longues minutes appuyé contre l'arbre, le regard indécis posé sur la façade verre et béton. L'un de ses patients, les mains crispées sur son déambulateur, passait dans l'allée à quelques mètres, qui le salua d'un large sourire, François lui répondit à peine, il ne le reconnaissait pas. Il repartit d'un pas lent vers le hall, deux infirmières en sortaient, hilares, presque essoufflées, l'une d'elles montrait l'écran de son portable à l'autre qui extirpait une cigarette de son paquet, elles s'esclaffaient, François faillit les bousculer, les yeux rivés sur un vaste buisson de dahlias en feu, aux ligules tordues, tentaculaires, des chevelures de gorgone. Il sursauta

Eh bien, professeur, les fleurs vous hypnotisent ?

Les dernières avant l'hiver, Julie. Voyez ces couleurs enflammées du…

On voit, on voit.

Elles poursuivirent leur chemin, allègres, vers le fond du parc, du côté des rocailles.

La journée au bloc lui parut finalement harassante. Lorsqu'il ouvre la porte de son appartement, Cassandra est devant la glace du hall à boutonner son manteau et ajuster son foulard

Votre dîner est dans le four, monsieur François, y a plus qu'à réchauffer.

Merci, Cassandra. Vous partez bien tard ce soir.

J'avais vos chemises à repasser, j'ai pris de l'avance.

Je vous appelle un taxi ?

Merci, Étienne me cueille en bas de la rue. On dîne chez les enfants… Ça n'a pas l'air d'aller, monsieur François ?

Fatigué, fatigué… Bonne soirée alors.

Cassandra est entrée au service de Paul, elle n'avait pas 25 ans. François a toujours soupçonné une liaison entre elle et son père. Elle s'est occupée de François enfant et de Pierre le frère aîné, elle seule connaît aujourd'hui toute l'histoire familiale, ce qui lui confère une espèce d'autorité maternelle qui va de soi. Bien qu'à la retraite, Cassandra travaille encore ici trois jours par semaine, prépare à l'avance les dîners, fait le ménage, s'occupe du linge. Il se surprend à inspecter l'appartement comme s'il arrivait d'un long voyage, à moins qu'il en soit à vérifier la disposition des meubles et le bon ordre des pièces avant le retour de Maria dans un endroit où il vit sans elle depuis trois mois. Son épouse ne s'est jamais retirée si longtemps dans un couvent, elle a écumé tous ceux de la moitié sud de la France, elle n'y a jamais été accueillie plus de deux semaines, mais les liens qu'elle a tissés avec la mère supérieure du carmel doivent expliquer une telle tolérance de l'ordre religieux, un séjour si prolongé. Ses sporadiques absences depuis plusieurs années n'ont jamais été que de brèves parenthèses dans leur existence commune, elle revient, de ce qu'elle nomme avec grandiloquence « mes stages de silence et de recueillement », plutôt sereine, affichant parfois l'espèce de condescendance de celle qui a touché sinon à Dieu, pour le moins au mystère de la foi. Ce qui lui procure une assurance et une envie d'entreprendre qui rassérènent François, tant Maria lui paraît de plus en plus souvent abattue, travaillée par une tentation de la folie dont il ne parvient pas à cerner la nature. Assister consciencieusement à la noyade de leur fille constitue la toute première anomalie grave dans son comportement. Qui décida François de ne jamais plus laisser Mathilde seule avec sa mère. Cette scène originelle ouvrit bientôt à des périodes de contrition et de prières où il crut que sa femme, rongée de culpabilité, tâchait d'obtenir le pardon. Il s'aperçut bientôt qu'il n'en était rien, lesdites prières confinant à des états de prostration où elle disait entendre Dieu ou la Vierge lui confier des missions, essentiellement de guérison, qui confirmaient tout au contraire l'élection dont elle était l'objet. C'est à ce moment-là qu'elle quitte son poste de directrice commerciale du premier laboratoire pharmaceutique en France, filant la métaphore thérapeutique puisqu'elle ne vend plus de médicaments, mais guérit elle-même les patients, surveillant en son propre corps l'apparition de stigmates qui seraient la preuve de sa divine élévation. Cette période marque le commencement d'un défilé quotidien dans leur appartement : la boulangère, le pharmacien de quartier, des toxicos ramassés sur les marches de la colline de Fourvière, le fils d'une amie atteint du sida, le mari d'une ancienne collaboratrice d'un cancer des poumons, jusqu'à des directeurs de banque ou de société qui devaient sans doute appartenir à son ancien réseau professionnel. La rumeur de ses patients nourrissant l'arrivée de nouveaux malades. Elle les installe dans le grand salon, elle est Bonaparte visitant les lépreux de Jéricho, braquant sur eux, à certains endroits précis du corps, selon les douleurs et les pathologies avérées, sa paume de main ouverte, censée pilonner la zone malade d'ondes curatives, à la manière des rayonnements ionisants de la radiothérapie, qu'elle accompagne de prières très chrétiennes, éructées en murmure tendu. Les enfants, rentrés tôt de l'école, se réfugiaient aussitôt dans leur chambre sous l'œil vigilant de Cassandra qui cantonnait ses activités dans la cuisine ou la chambre d'ami pour la couture et le repassage, jaugeant ces sorcelleries d'un regard en coin peu amène. L'affluence des malades s'était assez vite tarie devant le peu d'effets de sa médecine. Et François profita de ce qu'un toxico d'origine jamaïcaine, plus sensible peut-être aux pratiques d'envoûtement, entre un jour en transe sous le flux d'ondes mirifiques de la belle chamane, ravageant la moitié de l'appartement et dérobant les bijoux qui traînaient ici et là, pour contraindre Maria à suspendre son sauvetage de l'humanité souffrante. C'est alors qu'elle recentra son activité sur un travail d'aide aux indigents dans le cadre mieux bordé de l'Association catholique de Notre-Dame-de-Fourvière. Elle usait de nouveau des compétences dont elle faisait preuve quand elle exerçait sa véritable activité professionnelle, multipliant les initiatives, imposant l'association dans les évènements les plus spectaculaires de la politique sociale du Grand Lyon, offrant au diocèse une visibilité de premier plan qu'il avait perdue depuis les années 60. La maisonnée s'en trouva considérablement pacifiée, même si Maria continuait de vouer une passion maladive pour Mathieu et une indifférence hostile à leur fille. Cassandra, étant informée de la dangerosité que Maria représentait pour Mathilde, veillait sur l'enfant comme sur sa propre fille chaque fois que François devait s'absenter, quitte à l'emmener chez elle quand il n'existait aucune alternative. Cassandra lui reprochait à mots couverts de ne pas rompre avec cette sorcière, Gérard lui en fit le reproche plus frontalement, les seules personnes qui savaient. En qui François avait toute confiance. Mais s'ils s'étaient séparés, Maria aurait sans doute obtenu une garde partagée durant laquelle Mathilde aurait été exposée aux pulsions morbides de sa mère, sans parler de la toxicité dans laquelle baignait Mathieu, découvrant en sa mère le bras armé de sa puissance sans limite. Et puis François aimait toujours cette femme et ne pouvait envisager leur séparation. Le travail donc qu'elle conduisait pour l'association et le diocèse l'accaparait suffisamment pour qu'elle recouvre une indéniable sérénité, François osait même invoquer le retour d'une vraie santé mentale qu'il assimilait à cette paix intérieure qu'elle incarnait à présent.

Mais lorsque Mathieu quitta si brutalement le domicile parental, elle perdit de nouveau l'équilibre, un mécanisme, un mouvement spiralé qui se brise. Elle commença dans leur propre maison par s'imposer des vœux de silence, des jeûnes, qui envahissaient leur quotidien avec une force d'imprégnation qui les paralysait, au point de rendre vains tout élan, toute entreprise ordinaire, comme de partager simplement un bon dîner. Mathilde, alors âgée de 12 ans, était assaillie d'asphyxiantes angoisses, elle manifestait des symptômes de dyslexie, adoptait des comportements d'anorexique, c'était pour Maria, indirectement, une façon d'anéantir leur fille. Au point que François dut appeler à l'aide son frère Pierre, le priant de bien vouloir héberger et scolariser Mathilde ses deux dernières années de collège à Paris. Ainsi Maria n'eut plus désormais que François comme seul témoin de ses frasques mystiques. Elle ne fit cependant jamais vœu d'abstinence, et il serrait dans ses bras une femme toujours aussi ardente, mais très amaigrie, et parfois tout à fait mutique et à jeun, alors même qu'ils s'engageaient dans des copulations furieuses où le goût tout catholique de Maria pour la chair et le stupre se trouvait hystérisé par le sentiment de la faute et du péché et de la perdition. Et c'est bien à ce moment-là, dans une maison désertée des enfants, qu'elle inaugura ses séjours en des lieux de retraite, couvents, chartreuses, abbayes… Elle aurait pu en rédiger un guide touristique presque exhaustif. C'est également en cette période qu'elle entama ses courtes fugues de deux ou trois jours, sachant ne jamais perdre, à la différence de François, le contact avec leur fils qu'elle voyait régulièrement.

Il sort sur la terrasse, contemple, au-delà des jardins qu'il surplombe, les fleuves et la cité qui s'étendent en contrebas, les façades et les eaux retenant les lueurs mourantes du couchant, il pense aux villes italiennes dont il croit ici retrouver les influences. Il sourit. N'est-ce pas à Sienne qu'il avait rencontré Maria ? À l'occasion d'un congrès médical où elle représentait un important laboratoire pharmaceutique ? Lors du cocktail de clôture de la première journée où il avait prononcé une conférence remarquée sur la structure et la reconstitution osseuse, elle était venue le féliciter alors qu'il piochait sur un plateau une bille de mozzarella enveloppée d'un lambeau de jambon de Parme, transpercée de part en part d'une aiguille de bois qui maintenait l'ensemble. Il n'avait pas achevé son geste, l'amuse-gueule, dit-on, qui n'amuse personne mais dont tous se remplissaient la panse tels des chacals affamés, la bille de mozzarella et son enveloppe de Parme donc, avec l'aiguille de bois entre le pouce et l'index, demeurant suspendues entre le plateau et sa bouche. Oubliant l'entame de son geste devant ce qui fut, bel et bien, comme une apparition. L'éclat des yeux tout d'abord, les traits du visage ensuite, la chevelure ample, la silhouette, une sensualité pour ne pas dire un précipité d'érotisme qu'il identifia comme une spécificité, une qualité même, latine et catholique. Elle parlait un français parfait avec un accent intelligemment entretenu, la voix était suave, ses mots une caresse. Le congrès durait trois jours, il ne fut bientôt plus question de cette nouvelle molécule pour la moelle osseuse que son labo désirait imposer sur le marché français, il s'agissait plutôt d'un coup de foudre qu'ils vécurent d'abord comme une concession ravie à la théâtralité du cliché amoureux, François éprouvant des émotions juvéniles propres au puceau transi, après la disparition douloureuse de sa première épouse, Manon, morte en couches, et après plus d'une année de célibat. Les allers-retours, à l'époque entre Sienne et Grenoble, ne durèrent que quelques mois, ce n'était plus un jeu, ils étaient bien innamorati, murmurait-elle. Finalement, Maria Alberti présenta François à sa future belle-famille, propriétaire d'un domaine viticole à Monferrato, dans la région d'Asti. Il rencontra sa sœur Alessia, une œnologue gérant l'exploitation d'une main de fer, et leur mère qui vivait sur place, une veuve glorieuse dont le deuil paraissait relever de la grandeur militaire et du sacrifice national. Sans la protection de son père, Maria, la benjamine, n'avait plus sa place au domaine, et elle s'orienta vers des études de pharmacie et de laborantine. Pour en choisir finalement le versant commercial et la conquête des marchés, prêchant dans les congrès et les cabinets médicaux pour les produits de son labo. Sa réputation la précédait dans ce secteur, elle fut accueillie sur un poste de directrice commerciale dans l'un des plus gros labos européens, situé dans la banlieue lyonnaise, François quitta Grenoble pour exercer au CHU de Lyon. L'influence italienne ? L'invasion, oui. Il est pieds nus sur les dalles céramiques, le froid monte le long des jambes et dans les reins, il a les coudes appuyés sur la rambarde inox, ses yeux s'attardent sur un pousseur et une longue barge remplie de sable qui remontent le Rhône, le portable sonne dans sa poche

Oui, Gérard.

Salut, François, je te dérange ?

Dis-moi.

Toujours d'accord pour notre chasse ?

Bien sûr.

Tu me chopes, début d'aprem ?

Faut mieux partir à deux voitures, je risque de rester plus longtemps.

OK. Ça va sinon ?

Et toi ?

Pleine forme. Le gibier va souffrir ! Tu passes quand même, et je te suis ?

On fait ça. À demain.

Il consulte le site météo pour la Savoie. La neige est annoncée dans les jours qui viennent. Un dernier regard sur la ville éclaboussée de lumières, la nuit blafarde, il frissonne, quitte la terrasse, rejoint le vaste salon double, s'installe à son bureau, répond à quelques mails, puis navigue sur le site du carmel. Il essaie en vain d'accéder à l'organigramme, voudrait comprendre qui est cette sœur Catherine avec laquelle il s'est entretenu ce matin, sœur Élisabeth serait-elle sur le départ, expliquant celui de Maria ? Trop portée à des liens affectifs avec les êtres pour se consacrer très longtemps à des figures aussi abstraites que celles de Dieu et du Saint-Esprit. Sa détermination à demeurer si longtemps au couvent était assurément motivée par la présence de cette sœur Élisabeth rencontrée un an auparavant dans la salle d'attente d'un cabinet dentaire, les médecins, depuis l'après-guerre, ne se déplaçant plus dans les couvents isolés pour soigner moines et moniales. L'adoration qu'elle manifestait à livre ouvert pour cette femme devait être réciproque, car s'il en croyait le site web du carmel du Reposoir, les séjours proposés en hôtellerie, seul ou en couple, afin d'y trouver le recueillement et une participation quotidienne aux prières, n'excédaient jamais une semaine. La possibilité d'y résider un mois relevait déjà de conditions très particulières. Le projet d'y rester un trimestre paraissait impossible, il avait sans doute fallu toute l'autorité de sœur Élisabeth, la mère supérieure, pour que Maria s'y éternise ainsi. L'arrivée de cette sœur Catherine, peu aimable au téléphone, devait avoir tout bousculé. Mais l'organigramme du carmel n'est pas accessible, il ferme la session, éteint l'ordinateur. Demain matin, il préside le conseil d'administration bisannuel de la clinique, puis il rejoint son vieil ami, ils seront au relais en fin de journée. Pourquoi ces jours ordinaires se dressent tel un mur qui le sépare du 1ᵉʳ novembre où il s'était juré d'aller fleurir la tombe de ses parents, plutôt que de monter cueillir Maria dans sa montagne ?

*

La lourde grille s'ouvre lentement au bruit du moteur actionnant les vérins. Il avance dans l'allée gravillonnée qui serpente dans le parc entre les noyers et les chênes. Il laisse le court de tennis sur sa droite, passe non loin de la piscine recouverte d'une bâche tendue, ralentit, s'arrête, baisse la vitre de sa portière. Il essaie de retrouver l'endroit exact où il se tenait sur la pelouse, avec Mathieu qui lisait une bande dessinée, allongé sur sa serviette. C'est bien là, de l'autre côté de la piscine, à l'ombre du bosquet de cèdres, quand on remonte la pente qui conduit à l'arrière de la propriété. Mathilde et Maria étaient de ce côté-ci, tournant le dos à l'allée. Il reconstitue donc la scène à l'envers, du moins s'impose-t-elle à lui depuis la Volvo arrêtée, comme s'il voyait le dos de Maria penchée au-dessus de l'eau turquoise, à observer et conseiller Mathilde censée traverser, à l'âge de 7 ans, la largeur du grand bain sans bouée. S'il s'était effectivement tenu de ce côté, il n'aurait pu distinguer leur fille dissimulée par le muret et les plots de départ, il aurait aperçu Maria juchée sur l'un d'entre eux, le n° 2, il en est certain, censée elle, à voix haute et distincte, corriger les gestes de l'enfant et encourager Mathilde à poursuivre sa traversée, rien dans son attitude ne trahissant la moindre anomalie. Il n'aurait donc pu soupçonner d'ici que sa fille coulait au même instant, d'autant que, pour finir, Maria était calmement descendue du plot, reculant d'un bon mètre, comme si Mathilde avait atteint l'échelle, alors même que Maria avait reculé d'un bon mètre pour échapper au champ visuel de leur fille, observant à présent, non plus en surplomb mais à l'oblique, son regard frôlant l'arête du muret, contemplant à présent les mouvements désordonnés et le visage aux deux tiers enfoui sous l'eau d'une enfant de 7 ans se noyant bel et bien. C'est le corps de sa petite Mathilde qu'il aurait alors découvert, recroquevillé sur le carrelage au fond de la piscine, ses cheveux flottant dans l'onde irisée de soleil. Il serait survenu trop tard, alerté peut-être par une Maria qui serait accourue vers lui, implorant son aide pour sortir Mathilde du bassin, lui débitant quel boniment pour expliquer le drame ? Non, pas de cette façon. Maria était une excellente nageuse, elle aurait plutôt plongé pour aller repêcher leur fille inconsciente, tentant de la ranimer sur la margelle en dalles de terre cuite. C'est alors seulement que François aurait compris le drame, qu'il serait seul accouru, Maria s'acharnant en vain à vouloir réveiller Mathilde. Et c'est à la suite de cette tentative de réanimation trop tardive pour réussir qu'elle lui aurait débité il se demande bien quel boniment

Mais... tu étais là, non ? Tu lui apprenais à nager !

Je... je m'étais absentée deux minutes, je cherchais mon iPhone pour la prendre en photo et...

Mais il se tenait de l'autre côté du bassin, à une soixantaine de mètres, sur le gazon, et il avait tout vu. C'était comme un dessillement, les attitudes et les remarques furtives de malveillance que Maria répétait avec constance à l'encontre de Mathilde, et qu'il n'avait jamais voulu considérer, lui sautaient maintenant à la figure, lui consumaient l'esprit. Il était sidéré par la scène dont Mathilde avait été la victime, dont Maria avait été l'agent, sidéré par son propre déni qui avait finalement permis qu'une telle tentative ait lieu, il se demandait comment la vie ensemble pourrait encore être possible.

Il redémarre lentement, se gare 100 m plus loin devant l'imposante maison des années 50, tout en lignes fuyantes, il sort de la voiture, Gérard est sur le seuil qui l'attend

Qu'est-ce que tu fabriques ?

Rien. J'admirais le parc avec les couleurs d'automne.

T'es tout blanc. Ça va ?

Il hoche la tête, Gérard s'efface, il pénètre dans le vaste hall

François, je suis désolé et vachement déçu d'ailleurs, comme tu peux l'imaginer...

Comment ça ?

Sandrine est couchée avec 40 de fièvre, hier soir elle était patraque, mais bon, j'ai cru que c'était un rhume, rien... et cette nuit, ça a flambé.

T'as fait venir le médecin ?

Il sort d'ici. C'est la grippe.

Bon, ça va.

Oui, mais je peux pas la...

Évidemment que tu la laisses pas !

Désolé, François. Tu... tu manges un morceau avant la route ?

140

Non, merci. Un café, je veux bien.

Ils sont assis dans le canapé d'angle, profond, qui épouse le foyer de la cheminée, central et circulaire, visible à 360°, où crépitent des bûches entrecroisées. Le conduit s'élève, une colonne de temple d'un noir luisant comme de l'onyx, et qui se perd dans le plafond, 7 m plus haut. Cette maison d'architecte est trop grande depuis que leurs cinq enfants, adultes, ont quitté les lieux

J'ai l'impression d'être le concierge d'un stade sans joueur ni public. Sandrine le vit pas bien…

Attends l'éclosion des petits-enfants. Ça va être Hannibal et ses troupes dévalant les plaines d'Italie.

Sur le mur ouest du salon sont accrochées deux têtes de cerf, un quatorze cors, exceptionnel de symétrie, et même un dix-sept cors qui n'a pour qualité que son grand nombre d'andouillers, François n'aurait pas eu l'idée de naturaliser cette tête tant les lignes sont disparates. Au-dessus, celle d'un sanglier au garrot si puissant, aux défenses si démesurées qu'il en paraît irréel, une figure mythologique

Je pensais construire la trinité, ce week-end. Trois cerfs, c'était parfait, non ?

Si…

Ça n'a pas l'air d'aller, François… T'es d'une pâleur.

Non, ça…

T'as croisé des fantômes ou quoi ? Oh, oh, François ?

Il lui avoua finalement qu'il sortait de son conseil d'administration assez perturbé, très perturbé

141

même, ayant appris du directeur de la banque privée qui gérait les fonds de la clinique que Mathilde, oui, Mathilde, avait vendu ses parts... Elle ne lui en avait aucunement parlé, n'y avait pas même fait allusion, un nouvel actionnaire entrait donc au capital... Non, on ne savait rien, on a juste trouvé une inscription au registre des entreprises, une société nouvellement créée, Bridgepoint Private Equity, il sortit de son portefeuille une carte de visite avec les trois mots qu'il venait de mal articuler, Gérard put lire dessous : investment, expertise, care, puis tout en bas de la carte d'un bristol ivoire, en minuscules caractères, l'adresse d'une boîte postale et d'un mail

M'enfin, t'as un numéro de société, une adresse, un nom de gérant ?

Tu vois bien, c'est l'adresse d'une boîte postale, pas de bilan de gestion, et pour cause, un capital de départ de quelques milliers d'euros, de quoi justifier la...

Un nom de gérant ?

Il ne se souvenait plus du nom, il l'avait noté dans son Samsung... Attends... J'y suis... Loïc Tromeur, t'en as entendu parler ?

C'est breton, ça. Pas très avenant comme nom.

Ils avaient cherché un profil, fouillé sur Google, Twitter, les réseaux sociaux, nada ! Ce qui blessait François, c'était le silence de Mathilde. Si elle avait eu besoin d'argent, il lui en aurait donné. N'avait-il pas toujours comblé ses fréquents découverts ? Elle disposait en outre d'un confortable trois-pièces dans le centre de Lyon, elle allait entamer une spécialité gynécologie, bref… Si vraiment elle avait eu besoin d'une si grosse somme, admettons, il aurait racheté ses parts. Le plus désastreux dans l'histoire est l'arrivée de cette société aucunement liée de près ou de loin au monde de la médecine. C'était juste un investisseur indifférent ayant glissé son pied dans la porte, en interdisant la fermeture. Gérard lui confirma qu'il n'avait jamais entendu ce nom dans le milieu de la pharmacologie ou des labos

Est-ce qu'elle joue ?

De quoi tu parles ?

Mathilde, elle joue ?

Comprends pas.

T'es bouché, aujourd'hui. Elle joue de l'argent ? Une dette de jeu. Obligée de…

Tu vois Mathilde en train de jouer ?

J'essaie de comprendre, François, te braque pas. Je connais ta fille, je n'imagine pas qu'elle puisse vouloir te…

Les conséquences de cette vente étaient dramatiques. François avait toujours représenté ses intérêts, mais aussi ceux de sa fille. S'il se trouvait privé des 10 % de Mathilde, il perdait sa majorité et son pouvoir de veto lors des votes d'orientation pour les investissements de la clinique, lui qui avait toujours défendu une médecine et une chirurgie de première nécessité, de qualité et chères donc, mais uniquement liées aux accidents et aux maladies. Il ne pourrait plus s'opposer à d'autres actionnaires, des confrères, des consœurs, la plupart, qui aspiraient à une rentabilité beaucoup plus importante, avec un établissement tourné vers les soins ophtalmologiques et la chirurgie esthétique, ce que François avait systématiquement refusé de valider, mais avec les parts de Mathilde, il pesait lourd alors, 42 % de l'actionnariat… C'est plié ! Il pouvait maintenant être mis en minorité par des jeux d'alliances

Ta fille savait ?

Quoi ?

Les conséquences de sa vente ?

Bien sûr, elle connaît la situation.

Excuse-moi d'y revenir, François, mais à part une dette de jeu à honorer en catastrophe, je vois pas ce que…

Sacrée putain de dette de jeu, alors !

Tu lui as parlé ?

Non, j'ai peur de savoir.

Pourquoi lui avoir confié 10 % aussi ?

En fait, Mathilde en avait 5, Mathieu idem. Il s'est mis à gagner tellement d'argent qu'il a cédé ses 5 % à sa sœur.

Beau geste.

Oui, quoique…

Et ils s'esclafflèrent nerveusement. François boit son café, croque dans un calisson d'Aix. Gérard lui fait remarquer que ce n'est sans doute pas le moment de monter au relais, qu'il va ruminer tout seul comme un ruminant

Et puis la neige qui va… Pourquoi tu resterais pas ici ce week-end ? On se ferait un tennis ? On…

François remercie son vieil ami, mais il avait, là-bas, des choses à régler, de l'entretien courant,

144

préparer la maison pour l'hiver, et puis se changer les idées

Tu sais bien qu'on emporte ses soucis.

Je sais…

Il se lève, enfile sa vareuse, gagne le hall, Gérard sur ses talons

Prends soin de Sandrine et embrasse-la pour moi. Je t'appelle quand je rentre.

Tu vas chasser ?

Oui.

Seul, sans chien, c'est pas…

J'ai repéré un cerf l'année dernière, une pure merveille. 6-7 ans, je crois. Si je l'attrape, il est pour toi. Ta trinité.

*

Il roule au pas, la pergola, le pavillon d'été, la piscine, le court de tennis, il a le regard vide, il dépasse, parvient à la grille ouverte, sort, tourne à droite pour récupérer l'A43 à dix minutes, trois heures de conduite si la circulation est fluide. Les quatre voies sont encombrées, c'est le départ pour un long week-end de Toussaint, il s'installe sur la file de gauche, ce qui ne change rien à la lenteur des flux. C'est à l'embranchement de la Tour du Pin, où une bonne moitié du torrent mécanique s'évacue dans l'A48 vers Grenoble, qu'il peut enfin accélérer, le moteur avale sans broncher les longues pentes des premiers contreforts alpins. Il a enclenché dans le lecteur la *Passion selon saint Matthieu*, il a toujours ce sentiment que Bach le construit. Sa musique sacrée ne le réconforte pas, elle le conforte, le solidifie, il s'en trouve plus résolu et présent à lui-même. Il augmente le son jusqu'à saturer l'habitacle, l'effet immédiat en est son pied sur l'accélérateur, la Volvo bondit sur ces interminables montées d'asphalte qui, somme toute, le rapprochent du ciel alors même que les chants et les lignes mélodiques travaillent inlassablement à provoquer en lui cette sorte d'élan ascensionnel. L'opéra est décidément d'une piètre intensité, un incessant bavardage… Il ne comprend pas comment Maria peut demeurer insensible à ces Passions, ces Requiem, ces Salve Regina, ces Stabat Mater, elle, si dédiée, si consacrée à l'élévation spirituelle. Quant à lui qui ne croit en rien, quel est ce sentiment qui le porte et le redresse, gonflant sa poitrine aux accords de la *Passion* ? Peut-il l'envisager comme une grâce laïque ? Une sensation du sublime en l'absence de Dieu ? Merde, 200 ! Il lève le pied, adopte une vitesse autorisée, débouche sur un plateau encaissé où l'A43 serpente entre de hauts massifs, traverse deux longs tunnels creusés dans la montagne… Il songe au mail du fils reçu lundi dernier, lui annonçant qu'il serait en France autour des fêtes de la Toussaint, François lui a aussitôt répondu qu'il espérait bien le voir à cette occasion, il écrivait avoir bon espoir de dîner avec lui et sa sœur, et Jennifer, bien sûr, si elle l'accompagnait, il suffisait qu'il lui précise quels jours. Il a volontairement usé du pluriel, quels jours Mathieu comptait-il être à Lyon, s'imaginant pouvoir multiplier les moments de retrouvailles. Mais, comme à l'habitude, aucun mail en retour ne lui permet d'anticiper un tant soit peu sa venue. Il séjourne sans doute déjà en France, capable de débouler à Lyon alors que François est au relais de chasse en plein massif de l'Iseran, et qu'ils ne se rencontreront finalement pas. Il enclenche le second CD du coffret, appréciant le tracé des courbes lentes où il s'insinue dans les plis des montagnes. Les vallées s'ouvrent et se creusent, les forêts se répandent sur les contreforts, les alpages trouent le relief en larges flaques d'herbe tendre, grise et jaunie en cette saison. Le lac d'Aiguebelette surgit un court instant sur la droite en contrebas, un miroir d'une laque verte et bleutée serti dans la masse sombre des épineux, 300 m d'autoroute avant que la vision ne s'efface, puis c'est l'ultime descente sur Chambéry où il s'arrête acheter quelques fruits et légumes dans l'ancienne halle, du fromage à la coopérative du centre-ville. Il fait le plein d'essence puis rejoint l'autoroute d'Albertville avant de bifurquer sur celle de Modane. La ville lui paraît sinistre. L'empreinte humaine et industrielle s'impose comme le parfait accomplissement d'un projet funeste, celui d'une souillure s'ajoutant à la topographie des fonds de vallée, suffocants et brumeux. Il ne s'attarde pas, s'engage sur la départementale, la route grimpe en virages dans un panorama grandiose, il aperçoit les murailles du fort Victor-Emmanuel, puis pénètre sous le couvert des sapins. Il atteint bientôt les premiers alpages, dépasse Lanslebourg et s'engage vingt minutes plus tard dans le chemin du relais. Deux chevreuils traversent précipitamment à 20 m des piliers ouvragés, ses roues s'enfoncent dans des flaques profondes, nappant les flancs de la carrosserie. Il rejoint l'esplanade dans une lumière voilée, plusieurs corbeaux s'envolent lourdement, il est presque 18 h, la nuit est proche. L'air froid est humide, l'herbe spongieuse gargouille sous ses semelles, il éprouve la sourde jubilation d'arriver, un rare moment où il emploie le verbe de manière strictement intransitive. Cette sensation ne tarit pas, comme s'il retrouvait un espace moulé sur son propre corps, l'enveloppement de l'enfance. Il se tient debout sur la pierre du seuil, à déverrouiller la porte, saisi d'entendre la voix de son père résonner dans le hall désert, alors qu'il rentrait satisfait de son harassante journée à visiter ses malades de la vallée haute. Lorsqu'il s'avançait dans les pièces sans un mot, c'est qu'il était frappé d'impuissance, pantelant face à la maladie ou la mort qu'il n'avait pu soumettre. François réprime ce qui tremble et monte dans la gorge, se concentre sur l'idée d'un dîner, devant un feu dans la cheminée du salon.

*

Deux jours qu'il le traque. Dans une circonscription de chasse dont il connaît la cartographie à l'acre près. Il a garé le pick-up non loin d'un départ de sentiers de randonnée. Il présume mieux ce matin dans quel périmètre circulent les biches en hardes, évaluant la zone approximative où les mâles vont s'affronter. Il a cru apercevoir son cerf hier à l'est du versant, il était à percer au fort, peu discret donc, François a levé la tête, un pur hasard, s'est arrêté net, a épaulé, l'animal avait disparu, il pense que c'était bien lui avec des bois si amples, une encolure si... Il foule une prairie d'alpage, cherche des traces, des piétinements, les cervidés s'y aventurent la nuit, à découvert, pour se nourrir d'herbe encore grasse. C'est presque à la lisière de la forêt qu'il trouve des fumées récentes, liquides, un cerf a dû longuement brouter alentour, la veille et cette nuit même. Il remarque bientôt la trouée par où l'animal s'est rembuché à couvert. Le sol est tassé, il décide de remonter la coulée qui sinue dans la forêt, traçant des brisures, des retours, des circonvolutions qu'il ne comprend pas, comme si l'animal avait déjà doublé ses voies pour tromper chiens et chasseurs. Il entend soudain un long brame, ce mélange insondable de bâillement, de complainte et de grondement triomphal auquel un autre répond avant qu'ils se croisent et se superposent. Il progresse par chance à contre-vent, la pente est plus faible, des rochers épars semblent tombés du ciel, une clairière s'ouvre, profonde, les deux cerfs qui brament se provoquent et s'intimident, il pense reconnaître le sien, celui de droite, il épaule précipitamment, l'animal est dans sa lunette, c'est bien lui, s'il le tue avant le combat, il évite le risque que les bois soient endommagés ou même brisés dès l'andouiller de massacre. Il ôte la sécurité, il arme, tout entier projeté dans sa lunette Zeiss, avec le sentiment de toucher l'encolure, puis la hampe qu'il va traverser d'une balle perforante. Trop tard, les mâles s'élancent, François dégage lentement sa joue du haut de la crosse, abaisse le canon, verrouille le cran de sûreté, s'accroupit, un genou à terre, la carabine à plat entre sa cuisse et son ventre, l'épaule contre un hêtre, tout entier accaparé par l'intensité de l'affrontement, les deux cerfs qui se jettent, tête au ras du sol, coiffe d'armes devant, arc-boutés l'un contre l'autre. Les bois claquent, cliquettent, s'entrechoquent, un fracas emplissant la forêt, dix épées furieuses qui croiseraient le fer sinon que les bois faits d'os ont un son mat de bâtons qui se cognent et vibrent, les muscles saillent, les pelages luisent, des jets de brume dans l'air glacé fusent des naseaux, les sabots déchirent le sol d'herbe, de feuilles et de branchages, l'énergie déployée n'est pas d'une vitesse, d'une décision, d'une force humaine, elle est surgie d'une autre physique, d'une autre puissance, assignable à des dieux qui joueraient d'incessantes métamorphoses. Les cervidés se cabrent, se haussent, debout, les sabots des antérieures labourant le poitrail de l'adversaire, puis les têtes s'abaissent, merrains et andouillers de nouveau s'entremêlent, se percutent, les mâles ruent et ahanent dans une extrême confusion des ramures, des cerfs au combat en sont morts de ne pouvoir démêler leur coiffe royale. Les quatre membres des combattants ont tous retrouvé la terre pour s'y planter, l'un d'eux opère brutalement un pas de côté, creusant un vide dans l'appui de l'autre qui s'y engouffre, qui bascule, qui roule sur le flanc, le dominant a pu dégager ses bois, il charge aussitôt tandis que l'autre se relève trop lentement, prend l'estocade, recule, vacille, il cherche ses appuis pour faire face, il hésite puis rompt pour s'enfuir sur le versant nord de la clairière. François demeure, devant ce duel épique, toujours interloqué de voir combien la sagesse de l'espèce veille au cœur du combat le plus acharné afin qu'il cesse en deçà d'une violence qui deviendrait mortelle. François a pu le mesurer à maintes reprises, l'affrontement se défait toujours avant, il ne s'agit pas de tuer, mais de ritualiser la domination, la prise du territoire pour une durée précaire et fragile où le pouvoir peut sans cesse s'inverser. Le cerf qu'il convoite s'est immobilisé dans une posture de défi, tête et coiffe dressées. Il braie une dernière fois, c'est le brame de marquage, l'ouverture de sa dynastie, plusieurs semaines durant, sur cette zone qui devient sienne et où vont se presser la vingtaine de biches qu'il convoite et qu'il faudra saillir, sachant qu'elles ne sont fertiles qu'un seul jour, sachant que d'autres prétendants à la lisière de son royaume vont peut-être le défier, qu'il n'aura guère le loisir de se nourrir ni de se reposer, trop affairé à maintenir son règne et assurer sa descendance, qu'il va s'affaiblir, perdre poids et force et peut-être se voir détrôné puis banni avant la fin des amours. L'animal qu'il désire, ce seize cors parfait, est de nouveau dans sa lunette de tir, il a instinctivement épaulé sa Merkel Helix, en bon chasseur, la pliure de l'index sur la queue de détente, c'est maintenant, dans cet instant de gloire et d'antique beauté, qu'il peut cueillir le cerf, en annuler la pose triomphale, l'équilibre parfait sur ses quatre membres, il va biffer la verticale silhouette, une pression d'un seul kilo de l'index, un délai d'un cinquième de seconde, il va coucher la bête sur le flanc, la mettre à terre, la précipiter dans le royaume des morts qui nous échoit en partage. C'est maintenant qu'il parvient à son but, qu'il réalise son projet. À l'extrémité du canon. Mais il est assailli d'une discordance qui le vrille, il n'est plus le témoin privilégié d'un combat des origines dont il garde en son corps des sensations musculaires. L'épaulement de la carabine, l'ajustement du tir le déportent dans un monde où chair et sang, force physique et instinct de l'espèce n'ont plus cours, un monde où règne une puissance autre, juste technique, mais d'une technique qui vaut celle des dieux, qui tue à distance, foudroyante, dont il n'est pas seulement l'agent et l'usager, une puissance qui l'excède très au-delà du pouvoir qu'elle lui accorde de coucher à quelque 80 m une telle force animale. Il n'est plus dans le même règne, dans le même temps, sa supériorité est dépourvue de sens, dérisoire en l'instant jusqu'à l'absurde. Il ôte l'index de la détente, il abaisse le canon, il se redresse, demain peut-être il va tirer, pas aujourd'hui. Alors François s'avance de trois pas, il entre dans le champ visuel du cerf, qui l'aperçoit, l'échine parcourue d'un frisson, qui opère un léger fléchissement des membres antérieurs, qui tourne la tête, qui bondit, disparaissant à couvert, à l'ouest de la clairière Oui, demain, il tire.

Il reprend sa marche, tout droit vers l'amont du versant. Les hêtres ont laissé place aux épineux, il a rejoint le chemin de grande randonnée qu'il suit presque une heure durant, débouche sur un plateau d'alpage, décide de rejoindre la ferme qu'il reconnaît 400 m plus haut. Il n'a croisé personne, pas même un chasseur, l'air est piquant, la pluie violente de la nuit a nettoyé le ciel, il arrive par le jardin potager laissé en jachère, la ferme, les étables, le refuge pour les marcheurs sont déserts en cette saison. Il a posé sa carabine et sa gibecière, s'assoit sur la terrasse, les jambes ballantes, près de la vasque creusée dans le rocher où coule une eau glacée dont il apprécie le goût indéfinissable, qu'il associe volontiers à la couleur bleue des chardons. Il sort le pain, le jambon sec, le beaufort, il mange avec appétit devant ce paysage qui lui appartient une heure durant, qui dévale en prairie et s'enveloppe en contreforts de granit avoisinant les 3 000. Il pense aux jardins ceints de murs des peintures gothiques, l'Éden préservé qui se déploie ici, étagé, infini, à l'échelle pourtant du regard quand on est assis là, sur le plancher grossièrement équarri de la terrasse, seul. Il a un geste de la main, comme s'il chassait une mouche, c'est une pensée qu'il voudrait chasser, son geste est d'impuissance, Mathilde s'impose sans cesse, brouille sa vacance, la pensée de sa fille et de ce qu'il considère comme une trahison, vendre sans prévenir des parts de la clinique à quelqu'un dont il ne sait rien, le mettre, lui, son père, en situation de fragilité face au conseil d'administration, c'est... et la crainte de l'appeler, de lui demander des explications alors qu'il éprouve une colère indignée qui le... Il n'a plus faim. Il range nourritures et couteau. Il boucle la gibecière, met le fusil en bandoulière et poursuit son chemin, empruntant derrière les bâtiments le sentier herbeux qui s'élève entre les rochers jusqu'à un étranglement avant de basculer vers la combe Rousse. Il prend alors un autre sentier qui mène après un petit bois de sapins sur l'étroite ligne de crête, un rude dénivelé de 800 m rejoignant la pointe de l'Arcalot puis le col de Chérel. L'impression est vive de cheminer sur un fil, la ferme, le plateau herbeux et sa déclivité douce à sa droite, un pierrier en dépression forte à sa gauche qui s'achève en une moraine chaotique au fond d'une gorge où... Il saisit ses jumelles, les pointe vers la moraine... un groupe de six bouquetins bondissent dans les lames de pierre du relief écorché, une démonstration de gymnastes allègres, un contrôle absolu des figures les plus acrobatiques pour s'arrêter, désinvoltes, à brouter une touffe d'herbe qui sourd d'une déflagration minérale. Il repart sur un sentier qui s'étroitise encore, des versants qui se verticalisent, la ferme et le plateau d'alpage ont disparu dans le creux du relief, le vent souffle à l'approche des sommets, plus aucune herbe ne pousse, quelques névés grisâtres entravent sa progression, il enfile gants et bonnet de laine, le dénivelé s'aplanit lentement, une quarantaine de minutes d'une foulée régulière ont suffi, l'horizon s'ouvre sur un ciel sans obstacle, il avance jusqu'à l'amoncellement de rochers qui marque le pic de l'Arcalot, le vide soudain devant, l'abîme qui l'accueille, un saut de 1 600 m, un seul pas y suffirait, il découvre l'ensemble des trois lacs où l'azur est tombé, puis, au-delà des prairies hautes, le Moncenisio, les Alpes italiennes, enfin la descente vers Rivoli. Le vent glacé qui le cingle et le déséquilibre le contraint à se tenir jambes écartées, veste de chasse fermée jusqu'au col. Il veut embrasser cette éclatante beauté, son dessin, le feuilleté, les strates, la pulpe des bruns, des jaunes, des rouges, des feux que conjuguent herbes, arbres et buissons, ces gammes d'automne qui rutilent doucement sous l'azur. Il voudrait étreindre, s'y oublier, s'y perdre, mais le vent glacé peut-être... ça s'éloigne, ça devient une image, un fond vide, hors d'atteinte. Et voilà que ça remonte, cette saloperie de subjectivité, ce trop-plein de sujet qui l'isole, ces pensées en chapelets, ces mots empoisonnés, la félonie de Mathilde, et puis Maria, la fantasque ou la folle, c'est selon, qu'il ira cueillir dans moins de trois jours, enfin Mathieu qui annonce être en France et qui ne donne aucun signe de vie. Ça déborde en lui, ça l'envahit à la faveur de cette impuissance à embrasser le paysage, ce sont les harpies dont parlent les Grecs, qui harcèlent l'aveugle et lui volent ses fruits. Les êtres les plus chers sèment en lui des amertumes qui le ligotent et le confinent dans un recoin de lui-même, le moins glorieux, le plus rétréci, le plus mesquin, incapable qu'il est dans l'instant d'embrasser, oui, à ses pieds, la splendeur qui se déploie.

Il lui faut deux bonnes heures pour redescendre, il rejoint la départementale qui traverse la forêt dans la semi-pénombre d'un jour d'octobre déclinant. Quelques centaines de mètres plus loin, il distingue l'éclaircie du ciel, à l'extrémité du couvert des frondaisons, c'est là qu'il a garé le Ford. Il marche sur le bas-côté, évitant les flaques boueuses, l'air humide

155

annonce la neige, il la sent dans ses os, la météo a sans doute dit vrai. Il aperçoit le pick-up, une tache blanche, l'unique véhicule sur l'aire de stationnement. C'est alors qu'il entend le vrombissement sourd d'un moteur qu'il n'identifie pas, il tourne la tête, le contour d'un deux-roues, dans le halo aveuglant de son phare, approche à moyenne allure, ils sont deux, en longue parka noire à capuche bordée d'un liseré de fourrure, jean et baskets, casques intégraux à visière fumée, des silhouettes de chevaliers qui chevauchent un gros Aprilia, ils tournent la tête, un regard appuyé en sa direction quand ils sont à sa hauteur, le pilote accélère, ils s'estompent déjà dans la première courbe, l'image d'un engin urbain bizarrement décalé en pleine montagne. Il poursuit, ouvre le pick-up, dépose gibecière et fusil côté passager, s'installe derrière le volant et démarre. La route le berce, il sent la fatigue l'envahir, ses bras engourdis, ses jambes lourdes, il aime ce moment où le corps s'alanguit, qui dilate son impatience d'être au relais, vautré dans le sofa, devant un feu et un whisky tourbé, il songe qu'il doit lui rester du Laphroaig PX Cask... Il est à mi-chemin, il roule depuis plus d'un quart d'heure quand son rétroviseur l'éblouit, un phare en plein milieu, celui du même scooter avec un bruit d'échappement rauque. Il s'étonne de l'avoir dépassé sans le remarquer garé sur le bas-côté, ce foutu engin qui pourrait aisément le doubler mais qui se borne à le suivre. François s'en agace au bout de cinq minutes, se garant soudain sur le talus herbeux. Le scooter déboîte, accélère, c'est bien lui, les deux corps trop semblables avec une visière sombre sur leur heaume. Il coupe le moteur, ôte la clé de contact qu'il fourre dans sa poche, sort du côté passager, en profite pour uriner, le dos contre la portière, ne quittant pas des yeux la route à nouveau déserte. Il prend son temps, tourne autour du Ford, vérifie le gonflage des pneus, sort la Merkel Helix de son étui, contrôle le chargement, la pose à portée sur le siège passager, s'installe au volant, le crépuscule inonde les prairies et les bois, il enclenche la première, nerveux, il sent son cœur, rapide et qui cogne, il a le pied plus lourd sur l'accélérateur, le 3,7 litres bondit, le bitume devient luisant, baigné d'un invisible crachin. Il parcourt trois ou quatre kilomètres, s'apaise, évoque pour lui-même une incongruité de registre ville-montagne, amorce un virage et puis tressaille, le scooter est devant lui, plus exactement il a rebroussé chemin, ils se croisent, les chevaliers roulant cette fois à grande vitesse, François lève les yeux sur son rétroviseur, ils se sont évaporés dans le tournant. Il regarde sa montre, moins de dix minutes encore, il sera chez lui, à bon port.

*

Ce dîner improvisé, finalement ?
Le sanglier de Cassandra, je dois dire…
François débarrasse la table, range les assiettes et le faitout dans le lave-vaisselle, prend l'éponge pour nettoyer la table. Mathieu casse des noix entre ses paumes, qu'il accompagne de pain grillé et de confiture de mûres
Mets ça dans la poubelle que je…

157

Oui, pardon.

Un vieux rhum ou un whisky devant la cheminée ?

Ah, volontiers !

Tu repars quand ?

Demain midi.

Ça fait court.

Suis arrivé ce matin, tu étais à la chasse.

En cette saison, c'est probable, non ? Tu préviens pas. Tu débarques à l'improviste. Comme d'hab…

Je t'ai envoyé un sms à 7 h du mat !

Ça capte pas. Et puis j'étais en forêt… Je prends une douche, j'arrive. Tu nous fais un feu ?

Je peux essayer.

T'as oublié… Depuis le temps.

Il lui tape sur l'épaule, ils sortent de la cuisine, Mathieu poursuit vers le grand salon Pense à la trappe, c'est fermé ! Et François file vers sa chambre. Les genoux et les jambes du pantalon sont boueux, ses vêtements puent la sueur et le gibier. Il se déshabille, se glisse sous la douche brûlante, le jet sur la nuque et les trapèzes, qui le masse, l'eau qui noie le visage et dégoutte le long de l'arête du nez… Cette soirée au relais avec Mathieu, il s'en réjouit, même s'il en apprécie peu l'improvisation, toujours ce soupçon de boucher un trou dans l'agenda du fils… qu'il n'a pas trouvé très en forme, d'ailleurs, ce froncement continu du front, le peu de mobilité de ses traits. Il demeure plusieurs minutes sous la pression du jet, la pièce baigne dans une vapeur chaude qui dilue les couleurs, un brouillard dense, parfumé de savon aux agrumes. Il s'essuie dans une serviette épaisse, entrouvre la fenêtre, un souffle d'air froid le suffoque, la brume qui l'enveloppait se déchire, aspirée vers le dehors en voiles épars, laissant apparaître un paysage étincelant. La neige tombe dru, en larges flocons d'hosties déchiquetées, plusieurs centimètres déjà recouvrent le sol, les buissons, les frondaisons. Jamais ne s'altère en lui l'enfance devant le miracle de la neige, une étoffe de silence et de blancheur intacte qui transfigure tout ce qu'il connaît. Il referme la fenêtre, s'habille, un pantalon de velours, une chemise de laine confortable, et rejoint Mathieu dans le salon, accroupi devant le foyer, illuminé par l'embrasement des bûches

T'y vas pas de main morte.

Tu m'as demandé un grand feu !

C'est vrai.

Il s'approche d'un meuble de la Sécession viennoise, ouvre la double porte, enclenche un CD, le Requiem de Pergolèse

Rhum arrangé ou whisky ?

Pitié, père ! Pas une messe, s'il te plaît !

D'accord, d'accord. Rhum ou whisky ?

Il arrête le requiem, met un CD de jazz, *You must believe in spring*, prend deux verres, y verse le liquide ambré, pose celui de Mathieu sur la table basse et s'assoit dans un Chesterfield sur le côté de l'âtre. Le fils entrecroise les bûches qui ont roulé entre les chenets sur l'effondrement des fagots consumés

C'est ta sœur, tu m'as dit, qui t'a averti ?

Qui veux-tu ? C'est pas maman du fond de son abbaye, entre deux prières.

Je la vois peu en ce moment, ta sœur.

Elle savait pourtant que tu étais ici.

J'ai dû en parler, oui. Tu l'as eue au téléphone ?

Non. Elle est venue nous voir au lac d'Annecy, ça faisait un bail depuis New York, Jennifer était ravie.

C'était quel jour ?

Mercredi. Une journée d'été, vraiment. On a fait du bateau… Ça va, papa ?

Très bien.

Je sais pas. T'es pâle, d'un coup.

La fatigue de la chasse, peut-être…

Pour pas tirer le gibier en plus. Pour le soigner, même ! Qu'est-ce qui t'arrive ?

François essaie de se ressaisir, il sent qu'il se transforme en pierre, son fils lui raconte Mathilde qu'il croise de loin en loin, un météore traversant la galaxie, autocentrée, parfaitement inaccessible, ce qu'il attribue volontiers à son âge… et qui, de manière tout à fait incompréhensible et inacceptable, vend ses actions sans le…

Tu disais ?

Non, rien. Tu l'as trouvée comment ?

Resplendissante. Venue avec son Jules. Elle voulait nous faire la surprise.

Ah bon ?

Tu le connais ?

Pas cet honneur, non.

Elle est discrète.

Ça, oui. Et ?

Et quoi ?

Lui. C'est qui, c'est quoi ?

Ah, Loïc ?

Pardon ?

Mathieu explique qu'ils sont descendus au Yoann Conte, Jennifer voulait évidemment une suite, c'est à peu près le seul établissement convenable. Ils attendaient Mathilde sur leur terrasse, devant un petit déjeuner qui couvrait la table, elle devait arriver vers 10 h. La réception l'a prévenu que sa sœur était en bas, trois minutes plus tard, ça toquait à la porte, il ouvre, Mathilde qui lui saute au cou, radieuse, et planté derrière, soulevant sa casquette de base-ball aux initiales de New York brodées or, tout aussi souriant, également amusé, son jules, sinon que c'était Loïc Non, mais ? Tu fais quoi, là ? Et Mathilde qui éclate de rire On est ensemble, gros bêta ! Jennifer qui accourt Entrez, entrez ! Tous à se réjouir d'être ainsi en connivence, même si Jennifer ne connaît pas toujours les clients de Mathieu qui sont parfois des amis, en la circonstance elle n'avait jamais croisé Loïc Le beau gosse ! Elle a bon goût ta sœur, lui avait-elle glissé à l'oreille. C'est un de mes clients, ma chérie. Mathieu avait commandé deux autres petit déjeuners, ils s'étaient installés face au lac, dans le soleil, la douceur de l'automne, la montagne aux couleurs fauves qui enflammaient leur regard, l'endroit exact d'où l'on avait une pleine jouissance du panorama

Loïc comment ?

Tromeur, Loïc Tromeur.

Un client à toi, tu dis ?

J'en ai peu en France. Je l'ai connu par ma filière suisse. Trois ans que je place son argent. Il est plutôt content.

La médecine, ça l'intéresse ?

La médecine ?

La médecine en général. La recherche, les nouvelles technologies, les fondations…

Franchement, j'en sais rien. Pourquoi tu me poses… ?

C'est un bon secteur pour investir, non ?

Les labos, c'est sûr. Tu lui en parleras.

Pardon ?

Quand Mathilde te le présentera. Ça ne devrait plus tarder.

Tu le connais bien ?

C'est un client. Mais c'est vraiment un type cool, sympa, petite trentaine. Beaucoup d'argent, beaucoup…

C'est tout ?

Comment ça ? Les placements financiers, c'est confidentiel, je…

François s'est redressé dans son fauteuil, servi un autre double qu'il ne prend pas le temps de déguster, sa vieille hernie discale réveillée vendredi en voiture fouaille de nouveau son nerf sciatique, il en éprouve une douleur sourde du haut de la fesse jusqu'à la cheville, il cherche une position plus favorable

Je te parle de l'homme au bras duquel ta sœur, apparemment, resplendit.

Il ne put s'empêcher d'ajouter qu'il concevait bien que la hauteur des revenus disait l'essentiel de l'individu, il s'en mordit les lèvres, mais c'était lâché, il n'avait pu se contenir. Son fils souriait

T'as raison, papa. Dis-moi combien tu gagnes, je te dirai qui tu es, c'est bien comme ça que tu me…

Désolé, Mathieu, je te ressers ?

Je veux bien, mais toi, tu bois vite, j'arrive pas à suivre.

Tu peux comprendre que ça me préoccupe, c'est ma fille...

Et c'est ma sœur. Que veux-tu que je te raconte ? Je couche pas avec Loïc, j'en sais pas plus.

Mathilde et Jennifer devaient bien s'entendre, elles pépiaient sur la terrasse comme deux gamines, se chuchotaient des mots en gloussant, Jennifer en savait assurément plus que Mathieu sur leur couple. Et quand bien même sa sœur lui aurait fait des confidences, ce n'était pas à lui de... Il pensait juste que Loïc était un bon parti.

Ils avaient quoi comme voiture ?

Là, tu me poses une colle... Mais, c'est quoi ta question ?

Pour savoir. Alors ?

T'es franchement bizarre, papa. C'était un cabriolet, je crois. Mustang ou Datsun... j'ai pas... Mais, on s'en fout, non ?

Ils se sont rencontrés comment ?

Arrête un peu ! Tu devrais te réjouir, Mathilde est heureuse.

Tu sais que la médecine, ça compte dans la famille...

Ça ! Oui, suis bien placé pour le savoir.

Mathilde entame sa troisième année, elle prévoit de faire une spécialité...

Gynéco, oui, tu m'as dit.

J'ai pas envie qu'elle abandonne sous prétexte qu'elle a rencontré le...

Quel rapport ? Elle aura tout son temps, elle vivra dans le luxe.

C'est déjà le cas, non ? Et si elle tombe en…

Enfin, il va pas l'engrosser demain ! La faire accoucher d'une portée de chiots… Et puis, ça la regarde, merde !

Il fallait toujours que son père invente des problèmes là où il n'existait que des solutions. C'était invraisemblable. François vidait consciencieusement son verre, l'alcool commençait à dénouer les nœuds, son corps se relâchait, ça produisait en lui un éloignement quasi géographique des soucis qui le hantaient, une vue d'avion quittant le sol, les lieux, les situations s'en trouvaient moins dessinés, plus flous, pour devenir des points quasi invisibles. Son fils, à presque 30 ans, affichait une morgue et une assurance toutes fondées sur la puissance de son capital. Son rapport aux choses en était dépourvu d'aspérités, lissé, parce que plus rien d'affectif, encore moins de social, ne traversait ses relations. Il était au-delà, entretenant des liens de pure convenance et de politesse creuse, sans incidence sur sa vie propre, posé qu'il était sous un invisible dôme de verre qui assourdissait tout bruit, décolorait toute couleur, affadissait chaque goût, chaque parfum. Toutes les expériences étant à sa portée, duplicables à l'infini, l'argent faisait de lui un immortel hors du temps et de l'histoire, l'emprisonnant dans une atonie qui devenait sa solitude et sa prison. Dont il semblait pourtant se repaître avec un véritable contentement de soi. Ne lui avait-il pas précisé un jour que les très gros contrats se négociaient dans le ciel, à bord d'un jet privé qui tournait en rond au-dessus du Maine ou de la Floride ? C'est avec indifférence qu'il évoqua son déménagement dans un appartement de Manhattan, un étage complet, quasi au sommet d'une tour nouvelle, non loin du Mémorial du 11 Septembre, une vue, à dire vrai, à 360° sur East et West River, Brooklyn, New Jersey, Ellis Island, bref, avec cette prégnance du ciel et de la mer qu'on oublie trop souvent alors même que New York est bien un port ouvert sur l'océan. François n'était aucunement dupe des effets que l'enrichissement brutal et colossal opérait sur son fils. Mais ce qu'il observait surtout, en écoutant Mathieu, c'était la métamorphose osseuse et musculaire d'un être cher qu'il n'avait pas vu depuis presque deux ans. L'épaississement du cou, le renforcement des maxillaires, plus carrés et carnassiers, l'affermissement du menton, l'ouverture du front, enfin l'élargissement des épaules, le développement du torse... Celui qui fut ce nourrisson qu'il berçait, cet enfant qu'il portait en triomphe était à présent un homme qui gardait en sa forme accomplie, ses expressions et sa gestuelle, quelque chose d'insaisissable, d'inconcevable, un corps et un visage d'adulte qui surgissent ex nihilo, qu'aucune espèce d'évocation du passé, la plus circonstanciée soit-elle, ne peut expliquer ni circonvenir. Comme si la vie se réinventait, s'inventait par phase à partir d'elle-même, sans qu'on puisse jamais en préméditer la courbure. C'était cette contemplation de la métamorphose du fils qui l'occupait, faisant mine de s'intéresser à ce déménagement de Central Park ouest à Manhattan

Sans indiscrétion, l'appartement t'a coûté bonbon, j'imagine ?

Comment ça ?

Au prix du m².

C'est ma filiale qui l'a acheté.

Ta fil… ?

J'ai créé une société d'investissement, avec des filiales emboîtées, certaines gravement déficitaires, dont celle qui achète l'appart, d'autres bénéficiaires, ça permet un vrai lissage fiscal, ce serait trop long à te…

T'es pas salarié dans ta banque ?

C'est pas contradictoire.

François perçut clairement le ton condescendant. Son fils commençait à lui expliquer qu'être riche aujourd'hui consistait avant tout à ne rien posséder nominalement. Il fallait en outre que l'argent demeure impalpable et circule à la vitesse des flux financiers internationaux Non ! pas seulement les paradis fiscaux, mais des investissements dans des compagnies avec une croissance à deux chiffres, ou encore dans des États en faillite dont on se sert comme leviers pour acquérir des monopoles, des terres, des zones côtières, sans parler des spéculations sur les stocks, les matières premières, bref, une mobilité constante de ton argent sans aucun ancrage géographique et qui échappe en grande partie à toute législation fiscale

Tes appartements, ton relais de chasse, tes parts dans la clinique, c'est totalement dépassé, papa.

Enfin, Mathieu, il faut bien que tes tours, là, dans Manhattan, quelqu'un les construise, les possède, non ?

Mais ce ne sont pas des individus, papa, ce sont des sociétés qui possèdent, ce sont des enseignes. Si je te dis Coca-Cola, Monsanto... oui, Bauer si tu préfères, Exxon Mobil, tu peux me citer des noms de propriétaires ? Non, fini, ça. Il y a juste des actionnaires, puissants ! Et la législation des entreprises, c'est un labyrinthe, un écheveau, c'est le furet ! passé par ici, repassera par là... Et surtout, surtout, ça dissout les responsabilités. Si, par un extrême hasard, l'État ou le fisc parvient à épingler une société, ce sont les gérants, les directeurs généraux qu'on a nommés pour faire rentrer le cash qui écopent des peines, pas les actionnaires, aussi volatils qu'invisibles, eux. Tu comprends ?

Oui, la puissance endogène de l'argent rendu à l'état gazeux.

C'est ça. Ce qui compte, c'est d'avoir l'usage de l'argent et d'en augmenter le volume, tu vends-t'achètes-tu vends-t'achètes. On doit contrôler les richesses, avoir la jouissance des biens mais éviter de posséder en propre.

Je suis bien actionnaire de la clinique, non ?

Mais c'est toi qui l'as fait construire ! Et t'en es le directeur, l'un des chirurgiens. En cas de problème, juridiquement, t'es mort ! Beaucoup trop impliqué personnellement.

Vous êtes les nouveaux nomades, en somme...

Mais nous, on chevauche pas des dromadaires, juste des flux financiers à la vitesse du Net. Faut que tu comprennes un truc, papa, tu ne gagnes ton argent qu'avec ton travail…

Oui. Je suis un manuel, du squelette.

Il brandit ses mains, agite ses doigts comme des objets précieux

Elles sont assurées, ces mains-là. À prix d'or, même.

C'est bien ça le problème…

Quel problème ? De travailler avec mes mains, et ma tête, tant qu'à faire ?

Aujourd'hui, on ne gagne plus d'argent avec son métier, avec son travail. On le gagne avec de l'argent.

C'est de l'endogamie dégénérative, ton casino. Comment tu… ?

Sans compter qu'avec la robotique et l'I.A., la chirurgie bientôt… c'est plus tes mains qui vont travailler. Suis désolé, papa, mais ton monde est obsolète.

Mais… pour quoi faire, nom de Dieu ! À quoi ça sert d'amasser des sommes que dix générations n'arriveront pas à dépenser ? Ça sert à quoi ?

À se payer la planète comme on s'achèterait une paire de pompes.

Ça veut rien dire ! C'est pas à l'échelle.

À l'échelle ?

Laisse tomber. On change de sujet.

Te fâche pas, j'essaie de t'expliquer…

Mais j'ai compris, Mathieu.

François se hisse, s'extirpe du fauteuil profond avec difficulté, se déplie, un peu vacillant, s'approche de la haute fenêtre, scrute la nuit phosphorescente

Tu verrais la neige !

Mathieu se lève, rejoint son père

Oh, là ! Mais comment je vais rouler demain ?

T'as des pneus neige ?

Je l'ai louée à l'aéroport de Lyon, ça m'étonnerait.

François lui propose de prolonger son séjour au relais, que Jennifer le rejoigne par le train. Il ne se rend pas compte, Jennifer souhaitait passer des vacances en Floride, au Mexique, soleil et mer. Mathieu l'a convaincue de l'accompagner en Europe, le lac d'Annecy, c'était vraiment un pis-aller…

Tu la vois s'enterrer ici ? Non, tu vois pas.

Je t'emmènerai à la gare demain avec le Ford.

Et la voiture de loc ?

On téléphonera à l'agence qu'ils viennent la chercher avec une remorqueuse.

Et moi, je suis piéton. Quelle merde !

Tu récupéreras une autre voiture à la gare d'Annecy. On règle ça demain matin par téléphone.

Suis fatigué, papa, bonne nuit.

Il fixe Mathieu qui traverse le salon, ouvre la porte et disparaît dans sa chambre. Puis scrute de nouveau par la fenêtre. Combien de fois s'est-il senti aimanté par ce silence blanc et poudreux au point de s'y jeter physiquement, enfant et adolescent, y plongeant mentalement à l'âge adulte. Ce soir, cette splendeur lui est douloureuse, il est interdit, congédié de son propre sentiment. Jennifer, Mathieu, Loïc, Mathilde, le manège des noms est une roue de torture qui lui charcute l'esprit.

*

169

Il progresse trop lentement dans la lueur des phares, il porte Maria, ses jambes sont de plomb, sa fille le malmène, il est trop gourd pour franchir le muret, le sol est spongieux, Mathilde lui répète qu'il est trop mort, trop mort, papa! La voiture repart, deux cerfs s'affrontent, alors il ferme la porte, l'appartement est exigu. Où est le bloc opératoire? Mathilde ricane, sa blouse est tachée de sang, les phares l'aveuglent, il cherche la salle de réveil, ouvre les yeux, le soleil inonde la chambre, il n'a pas fermé les volets hier au soir. Il se lève, passe sous la douche, un étau lui serre le crâne, il a trop bu au dîner, il sort d'une espèce d'engourdissement moite et nauséeux, se sèche, enfile un peignoir et rejoint son fils dans la cuisine, ça sent le pain grillé et le café, Mathieu tartine un toast, la cuillère de confiture de mûres touche le beurre à moitié fondu sur le pain, ça le dégoûte, il s'agace, prie son fils d'utiliser une autre cuillère pour prendre dans le pot la...

T'as fait une mauvaise nuit?

Tu sais bien, le beurre, ça me...

Au fait, t'as laissé le hall allumé, la porte était pas verrouillée.

C'est pour le passant perdu dans la montagne. T'as oublié? Ton grand-père y tenait, et son père avant lui...

T'as jamais eu à abriter qui que ce soit.

Du temps de ton grand-père, on venait le chercher en pleine nuit pour une urgence, à dos d'âne, en charrette, parfois en tracteur quand il y avait trop de neige, qu'il ne pouvait prendre sa voiture.

La lumière, ça rassurait, on savait qu'on pouvait toquer à n'importe quelle heure...

Et alors ? Jadis, jadis. Verrouille au moins quand tes enfants sont là. Je veux pas me réveiller avec la gorge tranchée.

Très drôle.

D'ailleurs, pourquoi tu reprends pas un bon chien de chasse ?

Peut-être. À la retraite. Si j'y arrive.

T'as vraiment passé une mauvaise nuit, toi.

C'est l'intuition des fins subites.

François se verse un bol de café, celui de son père, Paul, avec une ligne bleue qui trace des croisillons sur la faïence blanche, ébréchée sur un bord. Il patiente, la main au-dessus du grille-pain, la chaleur électrique qui monte dans la paume, enfin le toast fumant qui hoquette dans un cliquetis métallique

En parlant de chien, on en a mis un de Jeff Koons dans l'entrée du siège.

Le siège ?

De la banque, sur Manhattan. 4 m de haut, on a pris la version inox.

C'est comme un vertige, Mathieu n'a probablement plus le moindre souvenir de cette conversation chez son oncle six ans plus tôt quand il évoquait avec un enthousiasme dévot ce chien orange digne d'un dessin de Disney. Il quittait Londres pour New York, appelé, que dis-je, sifflé, par sa banque Le machin à 60 millions de dollars ?

49, ce modèle. Très beau dans le hall marbre gris et verre.

Ah ?

171

Et ça défiscalise sérieusement.

Ah bon, vous payez des impôts ?

Quand même.

Sur 10 % du résultat ?

3, c'est déjà beaucoup.

Ben voilà, mon chien de chasse ! Je paierai plus d'impôts.

Parles-en à ton fiscaliste.

Pour la clinique ?

Oui.

Tu me conseillerais ? Pour le choix ?

Du Koons, du Damien Hirst, les cours sont soutenus par les plus riches collectionneurs. Eux-mêmes financiers, ça ne fait qu'augmenter.

Les chiens en inox, les vaches et les requins tronçonnés ?

Par exemple.

T'as joint l'agence pour la voiture ?

Pas encore.

François a étalé la confiture, il mord dans sa tartine, debout devant la fenêtre contemplant l'esplanade et les bois alentour recouverts d'une neige épaisse dans une lumière de cristal

C'est beau !

Sauf qu'on peut plus bouger.

Je t'emmène à la gare. Regarde les horaires et commande une autre voiture.

Il voulut malgré tout lui proposer de venir voir sa mère, trois heures de détour tout au plus. Cela faisait si longtemps. Quand Mathieu était passé à Paris, deux ans auparavant, au pas de course, lors d'un séjour qui ressemblait malgré tout à un voyage de noces, il avait abondamment présenté sa jeune épouse à d'importants clients devenus des amis, mais aussi à son père, son oncle et sa tante, lors de ce fameux dîner au Shangri-la hôtel où ils s'étaient attablés dans cette suite, découvrant celle dont ils savaient par Mathieu qu'elle occupait les couvertures de papier glacé. Son fils, à plusieurs reprises, mû par quelle puérile fierté assez touchante, avait envoyé par mail ou WhatsApp, indifféremment à Pierre et à François, des photos de ces publications qu'ils avaient ensuite remarquées, au hasard de leurs déplacements, dans des versions italienne, anglaise ou française de ces magazines de mode. Lorsqu'ils s'étaient retrouvés pour cette soirée dans le palace qu'elle ne quittait guère, ils avaient pu comparer les images à l'original, laquelle Jennifer, sans bénéficier des mêmes retouches que sur les photos, n'avait pas déçu quant à sa beauté, avouant en revanche une présence vacillante, l'énergie se dégageant des couvertures vernissées devenue l'exact contrepoint d'une fragilité physique et mentale très déconcertante qu'on notait à la faveur d'un mouvement dans la pièce au bord du déséquilibre, d'un regard furtivement terrorisé, d'une phrase convenue où sa voix se voilait d'émotion. Cela ne se manifestait que de fugaces secondes, on avait alors la curieuse sensation que Jennifer se noyait en elle-même. Quelque chose comme un courant électrique intermittent. François avait découvert chez son fils, ce soir-là, un homme résolument marié, mais il comprit à cette occasion que le mariage, qui ne fut évoqué que par allusions, de la manière la plus elliptique, s'était déroulé dans une hacienda, au Mexique, où seuls les amis et la famille de Jennifer avaient été conviés. Il n'avait émis aucun commentaire sur ce qui lui semblait une désagréable éviction, comme s'il ne fallait pas mélanger les torchons et les serviettes… Seule Rachel, la tante de Mathieu, s'était permis de s'étonner de n'en avoir rien su On aurait bien aimé être de la fête, Mexico, La Prenza! On se serait volontiers déplacés, n'est-ce pas, Pierre? Qui avait acquiescé d'un mouvement de tête, pris d'une gêne à la gorge qui le fit tousser à bon escient, Mathieu devint alors fuyant, et François crut bon d'enchaîner sur la joie d'être tous réunis ce soir. Tous, ce qui était abusif en l'absence de Mathilde et Maria. Sa fille était retenue à Lyon, croyait-il se souvenir, par les journées d'examen du baccalauréat, et Maria devait présider une de ces foutues réceptions à but caritatif à moins que ce ne soit une remise des clés de logements sociaux à des familles à la rue en présence de la hiérarchie du diocèse et de la mairie de Lyon, sous les projecteurs serviles de la télé régionale. Ne voyant pas quand ni comment Mathieu, depuis son déménagement à New York, aurait pu croiser sa mère, il jugeait sa proposition plus que légitime, ils iraient la chercher ensemble au carmel qu'elle quittait cet après-midi même. Deux grands corbeaux se sont posés sur la neige encore vierge, à l'extrémité de l'esplanade. Selon l'orientation des silhouettes dans le soleil, le plumage diffracte d'insaisissables reflets d'un bleu nuit presque argenté, aussitôt noyé dans l'encre calligraphique des corps sur le blanc du papier. L'un d'eux picore une espèce de mulot, le secoue, le dépèce furieusement, l'autre s'approche, ils se disputent la proie d'un brun fauve dans de violents déploiements d'ailes. François est arrêté devant ce noir incandescent et le lien chromatique qu'il opère avec la blancheur poudrée

Tu penses à quoi ?

À rien. Je mange.

Il mâche la dernière bouchée de sa tartine, le regard prisonnier du dehors

Tu m'as pas répondu.

Comment ça ?

Voir ta mère.

Tu m'as pas demandé.

Je croyais.

Quand veux-tu ?

Aujourd'hui.

Et je rentre quand à Annecy ?

Ce soir, je te mets dans le train.

T'es têtu, putain. Jennifer m'attend pour le dîner avec des amis libanais qui viennent exprès de Lausanne.

On part maintenant. Comme ça…

Nan, papa. Pousser jusqu'à ce trou de l'enfer pour attraper le bourdon. T'es bien gentil mais…

C'est ta mère ! Ça fait combien d'années que tu…

Je l'ai vue cet hiver !

Comment ça ?

J'étais sur Lyon et…

Tu m'as rien dit ?

Je suis vraiment passé en coup de vent, j'ai vu maman, elle m'a annoncé son projet d'une nouvelle retraite dans un nouveau couvent, l'ordre, je me sou…

175

Les Carmélites ?

Peut-être… On s'en fout. Elle m'a montré des photos, ce coin paumé, juste bon pour se pendre. À me raconter comment elle était visitée durant ses prières… la mère supérieure qui était une sainte, blabla bla bla bla…

C'est pas nouveau, Mathieu, et…

D'ailleurs, c'est confirmé !

Conf… ?

Elle me l'a dit et redit : Jésus, c'est moi ! Et j'ai embrayé à tort : nan, maman, désolé, moi, c'est Mathieu !

Et ta mère, conséquemment, c'est la Sainte Vierge ? Ce serait une bonne nouvelle.

Ben tiens ! Je suis donc le Messie. Les masses d'argent que je fais fructifier, c'est l'énergie divine qui circule entre les êtres. La vérité de Dieu enfin révélée. L'argent, c'est la Grâce, qui nous cimente ensemble.

Si la Grâce est à proportion de l'argent gagné…

Oui, et j'ai répondu : Maman, l'argent, c'est la guerre tous les jours !

Comme les Croisés, mon fils, mais Jésus est revenu, tu es là ! Elle est vraiment cinglée.

François songe à la peinture du Caravage, la *Vocation de saint Matthieu*, collecteur d'impôts, désigné comme apôtre puis évangéliste. Qui abandonne sur l'instant statut et privilèges pour se joindre à Jésus, dans la pauvreté et le dénuement. Comment peut-elle… ? Elle serait évangéliste et américaine, ce n'en serait pas moins un embrouillamini délirant, mais il lui trouverait des circonstances… C'est inutile d'informer Mathieu qu'elle quitte le carmel aujourd'hui même, qu'il va la chercher, son fils a clairement d'autres chats à fouetter. En revanche, que Mathieu soit passé à Lyon cet hiver sans l'en avertir, et Maria qui n'en a dit mot...

Il s'assoit, boit son café dans le grand bol qui lui chauffe les paumes. Puis sort le pain du toaster, étale la confiture, Mathieu est absorbé par sa tablette à consulter les horaires de train, la connexion est lente, il fulmine, François l'invite à s'installer au salon, la box est dans cette pièce. Certes, les chutes de neige n'arrangent rien, mais le temps... D'accord, d'accord. François vide son bol, débarrasse la table et retourne dans sa chambre. Devant l'armoire ouverte où sont rangés ses vêtements, où il ne sait que se mettre sur le dos, il est assailli d'une sorte de désaffection puissante et intrusive. Non pas qu'il soit indifférent, c'est bien pire, il n'est plus affecté à une tâche, une mission quelconque comme on le dit d'un diplomate, d'un homme d'Église, d'un militaire, il est renvoyé à la vacuité de l'arrière, sorti de la zone du sens, du champ de forces, il n'est plus acteur sur le terrain où la vie prend forme, invente et propose, il ne sait donc quel pantalon ni quel pull-over enfiler... De toute façon, il s'en fout, il est vain et vaguement hagard. Le furtif séjour du fils l'a réjoui autant qu'il l'accable. En outre, il doit téléphoner à Mathilde, qu'elle s'explique. Fourguer les actions de la clinique à son mec dans le dos de son père, c'est insensé... Il est assis sur le bord du lit, penché, les coudes sur ses cuisses nues, fixant ses jambes maigres, ses chaussons vénitiens tout à fait ridicules. Il attrape son portable dans la poche du peignoir, compose le numéro de Mathilde, préparant à l'avance le choix des mots, leur place dans la phrase, ça s'effiloche, il songe au bourgeois gentilhomme composant des vers tandis que le smartphone mouline pour trouver celui de Mathilde, il patiente, échoue sur la messagerie, c'est la cinquième fois qu'il l'appelle, ça ne lui ressemble pas, il balance le Samsung sur le lit, choisit un cachemire gris à col roulé, un chino noir et s'habille, le regard enfui par la fenêtre. Il rejoint son fils au salon qui travaille sur sa tablette, assis dans le Chesterfield

Alors ?

Quoi ?

Le train ?

Peu. Si on prend le 12 h 26, c'est bon pour moi.

Et la voiture ?

J'en ai une à la gare. Celle-ci, ils passent la chercher demain ou après-demain avec une dépanneuse à plateau. Tu seras là ?

Je sais pas.

Sinon, tu laisses les clés dans la Lexus, le garage est ouvert, on la sort éventuellement, après ils se débrouillent.

12 h 26 ? On part maintenant.

Mathieu récupère son sac, ils enfilent chaussures et manteau, ils sortent, surpris par la température négative, éblouis par la lumière, un saisissement de joie traverse François, fugace.

*

Ils débouchent sur le quai avec plusieurs minutes d'avance. Un vent froid s'insinue dans les reins, ils vont et viennent, frissonnants, dans un intervalle vide, ne sachant quoi se dire

Au fait, quand on parle du loup.

Le loup ?

Loïc Tromeur. Il m'a téléphoné.

Ce matin ? Mais je…

Pendant que tu te préparais.

Et alors ?

Le train entre en gare, ils se reculent de la bordure du quai, sont contraints de parler fort, les freins sur les roues d'acier fouissent les tympans, faudrait hurler pour…

Alors quoi ?

Tu lui as demandé des nouvelles de ta sœur ?

C'était professionnel, papa !

M'enfin, c'était pas compliqué de…

Écoute ! Il était très pressé. Il voulait de grosses liquidités d'ici demain. On a choisi ce qu'on vendait, ça a pris trente secondes, point.

C'est son fiancé, non ? Tu pouvais…

Justement ! Si je t'en parle, c'est pour te rassurer. Avec ta vision, là, qui t'obsède, dans cette bagnole, devant ton cerf sacré ! T'es comme maman, t'as des visions, maintenant ?

Je sais ce que j'ai vu. Ce n'était pas une…

Bref, s'il m'a appelé ce matin, c'est qu'il va bien, idem pour Mathilde, non ? Et si je veux des nouvelles de ma sœur, je l'appelle directement.

Justement, on peut pas la joindre !

Laisse-la respirer. Elle vit sa vie. Tout est OK. Allez, salut papa, à bientôt.

Le train s'ébranle, le profil du fils s'efface derrière les autres sièges, les feux rouges du convoi s'estompent dans la grisaille humide, c'est comme une séparation des mondes, celui du père lourdement appuyé sur un passé qui le conduit, celui du fils amplement ouvert sur un devenir qui l'indétermine et probablement l'exalte. François doute qu'ils puissent encore coexister dans la même histoire. Il descend les marches du quai, emprunte le passage souterrain balayé de courants d'air, grimpe l'escalier de l'autre côté des quais, traverse la gare glacée dans une lumière livide, rejoint le Ford. Il est plaqué au sol, rabattu tel du gibier, le plafond nuageux écrase la ville sous un couvercle suffocant, le bleu du ciel n'est qu'un souvenir d'aveugle, il démarre, se dirige vers la D96 qui le conduit à l'abbaye. Maria l'attend.

La route s'étire en lentes courbes parmi des prairies jaunes et des bois nus, la neige sans doute n'a jamais atteint le sol, une pluie épaisse et gluante détrempe le paysage. Il enclenche un CD, une messe puisqu'il est seul, la *Passion selon saint Matthieu* tant qu'à faire, qui l'apaise. Il se redresse, il accélère. Les contreforts se rapprochent, la vallée s'encaisse, la rivière resserrée au fond de la gorge enfle, gronde et se précipite, la départementale se glisse sous d'amples voûtes de roche noire, François coupe la messe, ouvre à demi la vitre, entend la rumeur des flots, furieuse, d'une paisible rivière devenue torrent. Il franchit le pont étroit, prend la communale qui s'élève le long du massif, les épingles à cheveux se succèdent, il pénètre la forêt de sapins, l'asphalte est troué, encombré de cailloux, tapissé d'épines rouillées, ça ruisselle des hauteurs, il navigue dans une sourde pénombre qui exhale un parfum mouillé de conifères. Lorsqu'il s'arrache enfin au couvert forestier, la lumière demeure exsangue, hantée de lambeaux de brouillard. Le relief à 1 600 m est déjà enseveli sous un manteau neigeux, Il dépasse le hameau des cinq fermes où les bêtes des alpages séjournent l'hiver, il roule lentement sur la neige à peine foulée par de rares véhicules, il a réenclenché la *Passion* de Bach, il écoute le récitatif où Jésus se sent seul sur la montagne, la nuit qui précède son arrestation. Ses plus proches apôtres dorment, aucun, pas même Pierre, n'a su demeurer éveillé, à ses côtés, en dépit de sa pressante demande. Alors il implore Dieu, un signe de Dieu, mais la solitude et le doute l'étreignent. Ce devait être un ciel bas comme ici, où l'existence même des couleurs n'est qu'une hypothèse. François se surprend à invoquer les puissances de la musique et du chant, qu'ils déchirent la couverture des nuages pour atteindre l'azur de la recollection… Les sommets demeurent invisibles mais la messe produit en lui une espèce d'éclaircie. Il accède au plateau supérieur, aperçoit l'épaulement déchiqueté de la montagne qui estompe la route et dissimule les bâtiments du carmel. L'impatience souffle en lui, il désire la silhouette de Maria, mince, presque fragile, serrant le col de son imperméable trop léger pour la saison, la nuque et le bas du visage emmitouflés dans une écharpe, sa valise d'enfant à la main, tant il est vrai qu'elle n'a pris que quelques livres et vêtements à l'instant de partir, au milieu de l'été, à croire qu'elle partait en Italie chez sa mère pour deux semaines tout au plus. Elle sera là, adossée à l'enceinte, près du haut portail voûté, une jupe courte et plissée sur ses cuisses entrouvertes qu'il devine sous l'imperméable... Si l'image trahit bien son désir, son incongruité l'étonne, elle ne s'est jamais imposée les quelques fois où il eut le courage de pousser, de se pousser jusqu'à cet endroit aujourd'hui perdu dans les gris de l'automne. Il passait toutes les quinzaines, elle était vêtue d'une sorte de robe caftan, noire ou bleu marine qu'il n'avait jamais remarquée auparavant, mais le troisième mois, elle portait une robe brune descendant sous le genou, une coiffe blanche enserrant ses beaux cheveux, un vêtement de religieuse, s'enorgueillissait-elle, accompagné du titre de sœur auquel elle avait droit à présent. François s'étonnait d'une telle complaisance de l'institution moniale, elle était mariée, mère de famille, certes protégée par sœur Élisabeth... Il ne voyait pas comment elle pourrait ne serait-ce qu'accomplir le noviciat. Toujours est-il que cette robe brune de serge râpeuse lui allait à ravir, rendant le contour du buste et des seins plus évanescents, mettant étonnamment en valeur ses jambes fines et dessinées, ses pieds menus pourtant lourdement chaussés de solides Paraboots à semelle de crêpe tout à fait adaptés à une retraite en haute montagne. Il prenait à l'instant conscience de la singulière sensualité qui se dégageait de ces carmélites, des visages

182

souvent jeunes, un teint lisse, la plupart vêtues de la tenue des vœux temporaires ou perpétuels, à savoir une robe, un scapulaire, la coiffette sous la toque et le manteau en forme de cape. Mais la robe tout comme la cape avaient un joli drapé, un tombé parfait, d'une élégance féminine et troublante. Était-ce l'érotisme latent qu'il avait intuitivement perçu lors de ces entrevues qui nourrissait en lui le désir soudain de la retrouver, Maria, dos au mur, près du grand portail ?

Les visites, durant ces trois mois, avaient été pour certaines fort éprouvantes. Il se souvenait de ce dernier lundi de septembre, elle venait de revêtir quatre jours auparavant sa robe brune de postulante, elle était effectivement belle mais rayonnait surtout d'un sentiment de puissance qui la rendait inaccessible, ses yeux enfiévrés traversaient François, les murs pourtant épais du carmel, il devait l'appeler sœur Maria comme tout le monde, tandis qu'elle fixait au loin quel horizon ? Jusqu'à l'éclosion tardive d'un sourire radieux cloué sur ses traits, la grimace d'une béatitude vide. De s'imaginer aimée par Dieu l'emportait sans doute vers une espèce d'émerveillement qui ne portait que sur elle-même, objet unique, hystérisé, de son adoration. Lorsqu'elle achevait de se contempler comme une vérité révélée de nature divine, le retour sur terre était fracassant, à s'en briser les os de se trouver face aux autres, incapable les premiers jours de se mêler à eux, de marcher à leur côté, de leur parler, surprenant dans leur regard au mieux de la commisération, au pire de l'indifférence. Elle, si efficiente lorsqu'elle dirigeait tout un service du premier labo de France, le quatrième à l'international, ou même quand elle présidait l'association caritative la plus influente du Grand Lyon. C'est ainsi qu'à la visite suivante, l'avant-dernière, elle n'avait pas articulé un son, une espèce de prostration, le côté du visage oublié contre la fenêtre, la joue écrasée sur la vitre, sa coiffe ôtée, les cheveux sales, en bataille, la bouche entrouverte, des yeux perdus, aucun mouvement de ses traits qui pût l'assurer que les mots parvenaient à son esprit, il ne savait plus quoi dire après avoir évoqué tout et rien. Des nouvelles de Mathilde dont elle se foutait, des nouvelles périmées de Mathieu, vieilles de six semaines, qu'il rabâchait, ses opérations à la clinique qui ne l'intéressaient plus guère, il s'était tu, l'avait quittée à reculons, sans parvenir à lui arracher le moindre regard. Elle pouvait ainsi, au cœur même de la vie monastique, endurer de telles périodes d'abattement...

Il s'engage sur le chemin qui serpente entre les terrasses, se gare sur le parking désert, rajuste son écharpe, sort du pick-up, saisi par les bourrasques glacées, le plafond nuageux qui arase les toits, l'hostilité minérale. Il évite comme il peut les flaques boueuses, s'approche du portail, tire sur la poignée rouillée qui pend de la potence, croit entendre la cloche tinter, loin dans l'enceinte, il attend, perclus de froid, piétinant sur les pavés du seuil. Il s'impatiente, perçoit des pas, le lourd loquet de la porte basse. Le visage de sœur Thérèse apparaît, qui n'a pas aujourd'hui son charmant sourire, c'est plutôt une incompréhension presque panique qui flambe dans ses yeux verts

Monsieur Rey ?

Bonjour, on avait dit cet après-midi à partir de 14 h… avec sœur Catherine, c'est bien ça ?

Une rougeur envahit ses joues, une hydrographie sanguine de l'inquiétude et de l'embarras qui fraye sur sa peau de pêche, son teint virginal

Je dois avertir notre… Un moment, je vous prie.

Il fait froid, ma sœur, je peux… ?

Deux minutes, s'il vous plaît.

Elle a refermé la porte, François se frictionne les bras, commence de claquer des dents C'est quoi ce bordel ? Je pensais l'enfer brûlant, en fait, c'est un frigo. Il ne cesse de regarder sa montre, il oublie à mesure l'emplacement des aiguilles, c'est une gestuelle de l'agacement qui le déborde. Enfin des pas, la porte s'ouvre à demi, sœur Thérèse s'efface, il enjambe le seuil, se penche, se faufile, vu l'étroitesse du cadre, la sœur verrouille derrière lui Tout va bien, ma sœur ? Elle baisse la tête, s'agit-il d'un assentiment ou d'une esquive, elle marche, il la suit, elle va les bras croisés, les mains sur le ventre noyées dans l'étoffe de ses manches, ils longent les différents ateliers, il aperçoit par les fenêtres des silhouettes au travail, ils traversent le cloître, obliquent dans un long couloir de pierre après la salle capitulaire, sœur Thérèse se hâte, ne desserre pas les dents, ils cheminent ensemble dans un malaise qui les englue, arrivent devant une porte massive, la moniale toque, sa main est de porcelaine, l'épaisseur du bois absorbe la vibration de l'index replié, elle tourne difficilement la poignée, ouvre en s'aidant de l'épaule, s'efface de nouveau, François s'avance, elle se retire, lente, silencieuse, refermant derrière lui. Il reconnaît le bureau de la mère supérieure, la salle blanchie à la chaux, le crucifix sur le mur nu, le peu de lumière cendreuse par l'étroite ouverture au nord. Celle qui le reçoit est assise, un livre ouvert sur sa droite, elle écrit, pose son stylo sur ses feuilles

Je vous en prie, monsieur Rey.

Merci.

Que puis-je pour vous ?

Comment ça ?… Je… je viens chercher ma femme. Comme convenu.

Elle a quitté…

Pardon ?

Samedi, en fin d'après-midi. Un taxi est…

Seule ?

Elle m'a affirmé que vous ne pouviez venir, que vous l'attendiez à la gare de…

Mais, comment je l'aurais jointe ?

Vous m'avez bien dit qu'elle vous avait appelé jeudi ? J'en ai déduit qu'une fois de plus elle s'était débrouillée pour enfreindre le règlement et qu'elle…

Elle est souffrante et vous la laissez…

Elle est en parfaite santé.

Elle est fragile. Mentalement. Sœur Élisabeth avait…

Sœur Élisabeth n'est plus ici. Je la remplace. Votre épouse n'aurait pas dû séjourner si long-temps parmi nous. Ce n'est pas prévu au-delà d'une semaine… Dans aucun ordre religieux. Sans vouloir le moins du monde blâmer celle que je remplace, c'était fatalement une source de désordre pour la communauté. Des plaintes sont remontées dans la hiérarchie de notre congrégation, concernant le comportement de Mme Rey Alberti, jugée tour à tour hérétique, parjure, possédée, plusieurs moniales se sont étonnées qu'elle puisse jouir d'une telle protection, la mère supérieure invoquant certes le devoir chrétien d'hospitalité.

Lui avoir fait revêtir la robe de postulante l'a beaucoup perturbée et…

Une goutte d'eau dans l'océan des errements qui ont secoué notre communauté. Passons.

François avait la jambe droite qui tressautait nerveusement, ses doigts faisaient des nœuds, il se demandait où Maria avait pu dormir ces derniers jours, sans doute chez eux à Lyon alors qu'il s'installait au relais. La mère supérieure contourna son bureau, se proposant de le raccompagner. Elle marche en silence, la nuque et le dos droits, il remarque à l'extrémité de sa foulée ses pieds nus dans des sandales en cuir, leurs pas sur le gravier sont proprement assourdissants, ils longent les ateliers dans l'autre sens, dépassent la maison des converses. Elle finit par lui déclarer sur un ton presque péremptoire qu'une telle institution n'était pas un refuge hors du monde pour les désespérés incapables de trouver leur place, c'était tout au contraire un lieu pour des personnes fortes, d'une inflexible volonté, d'une foi et d'un amour indéfectibles, particulièrement chez les carmélites pour la Vierge Marie

Votre épouse ne…

Je sais.

Je prierai pour vous, monsieur Rey, qu'on éclaire votre chemin.

Elle avait ouvert la porte, se tenait immobile, les mains également croisées sur le ventre, elle devait être transie de froid, n'en laissant rien paraître. Elle le salua d'un mouvement appuyé de la tête et du buste, il enjambe, se faufile, entend la clenche ferrailler puis le lourd loquet jouer dans son dos, il jette un dernier regard, muraille de pierre, portail lisse et clos, ce n'était pas même un congédiement. Maria avait dû éprouver quelque chose de semblable à l'instant de quitter. Le taxi à 30 m qui l'attendait, des volutes d'hydrocarbures brûlés s'élevant à l'arrière du pare-chocs, la radio qui égrenait des slogans, le chauffeur tassé sur son siège qui patientait, indifférent. Sinon qu'il n'y avait pas cette neige liquide, le vent qui mord, le froid qui enserre en tenailles, la blancheur agonisante d'un ciel d'étoupe, la nature livide qui n'était plus même le paysage d'une désolation, juste le tableau exact d'une impossibilité d'être. Il n'y avait plus qu'à baisser les yeux pour éviter les flaques, atteindre le pick-up et partir à son tour.

Quand il parvient au relais, les phares découpent déjà dans l'air brumeux de larges pans de lumière fumante. Il gare le Ford à l'abri, s'approche du tas de feuilles amassées près de la boucherie, le cerf est passé, il repère des traces fraîches, certaines sont moins dessinées, il soupçonne la présence d'un cerf plus jeune et de biches. Feuilles et brindilles sont éparses ou mangées, il faudrait qu'il ajoute des pommes de l'été qui sèchent au grenier avec les noix. Les réserves de nourriture s'accumulent dérisoirement dans une bâtisse où il n'y a plus d'enfants, plus de chasseurs ni de chiens, où il n'y a plus d'épousée ni de parents. L'édifice est somptueux mais le royaume est en ruine, seuls les êtres qui l'habitaient en consacraient la magnificence, il voit le *Saint Jérôme* de Ribera, assis, tenant un crâne, à moitié nu dans sa toge rouge sur son corps amaigri... François se tient dans une église vide, c'est le vent qui souffle entre ses os. Il baisse la tête, enfouit ses mains dans les poches, se dirige vers la maison, la neige geint sous ses semelles, les trois marches du seuil, il pousse la porte, la lumière du hall veille.

*

Le ciel est bleu, l'esplanade, les bois et les prés sont poudrés d'éclats diamantins, ce jour vacant serait pétri d'une joie sonnante si Maria s'était trouvée à ses côtés. Quelle idée saugrenue l'a poussée à partir se réacclimater, comme elle dit, dans la maison familiale de Vignale Monferrato ? Certes, son appel hier l'a amplement rassuré, mais il n'aurait pas dépensé cette soirée seul devant son feu, tel un vieux chien. Ils ont ensemble vécu d'heureux moments au relais, dans l'acmé des quatre saisons. Pas seulement en famille avec une ribambelle d'enfants dont ceux d'Ingrid et d'Antoine, de Marc, de Sandrine et Gérard, tous réunis au cœur de l'été quand la montagne sent l'herbe et les fleurs. Mais aussi lors de ces banquets d'automne, ils étaient vingt à table, François invitait ses amis de la société de chasse, paysans, bûcherons, bergers, maçons, un tenancier de bistrot, un gendarme, un notaire, le maire de Lanslebourg. Ils festoyaient dans la grande salle à manger, dans un brouhaha de voix graves, d'exclamations rauques, d'éclats de rire tonitruants, les avant-bras épais qui se croisaient, qui ferraillaient au-dessus de la table pour tailler, engloutir, se servir encore du gibier en sauce, s'emparer de bouteilles que les verres ne soient jamais vides, avec les coudes sortis, laissant fuser des claques féroces dans le dos ou sur l'épaule du voisin. À la surface des odeurs de cuisine surnageait celle de la sueur quasi musquée des corps qui avaient traqué la bête huit heures durant, mêlée aux effluves de chien mouillé, de gibier abattu et de sous-bois d'automne qu'exhalaient les lourds vêtements de chasse.

Maria affectionnait ces moments de ripaille, elle se penchait, ses lèvres effleurant l'oreille de François : ça sent l'homme, caro. J'aime ça! Elle était bien la reine, triomphante, qu'ils regardaient furtivement, timides soudain, n'osant soutenir le feu de ses yeux, la remerciant sans faillir, pour un oui pour un non, ils n'osaient l'appeler Maria, ils disaient Madame, ou Mme Rey ou encore Mme Maria Oh! non sono la ruffiana del casino! Faut arrêter, Virgile! Alors il prononçait à voix basse, comme s'il avait un miel d'acacia en bouche, l'or de ces trois syllabes : Maria.

Il sort de la douche, s'habille, avale son café, il est pressé, une sorte de fébrilité qui le tient, il enfile canadienne, gants et bonnet, sort dans le froid sec, un autre milieu, puissant, comme s'il changeait de corps, porté par l'élan qu'il puise dans l'éclatante lumière. Il fracture le cristal de l'esplanade, se rend à la boucherie, nettoie le plan de travail, balaye le sol, puis rejoint l'atelier, prend le coin, la masse qu'il pose dans la brouette, et s'achemine vers le tas de bûches à fendre, en vrac, collées ensemble par le gel. Deux heures durant, il dispose ses billes sur le billot, plante le coin dans le cœur du bois, puis l'enfonce à coups de masse, faisant jaillir et choir des quarts et demi-bûches. Chaque levée de l'outil au-dessus de la tête engageant ses bras, sa poitrine, son dos, il en éprouve une fatigue douloureuse dans les intercostaux, des courbatures et un épuisement de tout le torse jusqu'aux mains qui brûlent, mais il se sent vivant, au centre encore de son mouvement et de sa force. Son crâne sue sous le bonnet, il a ouvert sa canadienne, son buste fume dans le froid, le tas a presque triplé de volume, il remplit la brouette et commence ses allers-retours jusqu'à l'appentis accolé au pignon sud. Il a remarqué, dans l'angle de son champ visuel, le cerf altier qui l'observe à une centaine de mètres, dans l'interstice des arbres du bois des Cendres, que ses yeux de chasseur ont repéré en dépit de son immobilité de pierre, François sait qu'il ne doit s'arrêter ni le fixer s'il veut jouir de la compagnie du seize cors à la fourrure fauve, efflorescente sur l'encolure. C'est la sauvagerie accomplie qui le regarde, la nature au mieux incarnée T'es qui, pauvre pomme, pour te croire observé ? Pourquoi pas considéré ? Tu es vu. Comme une menace qu'il faut apercevoir. Il ne peut s'empêcher de contempler, et, la fatigue aidant, il laisse la brouette débordant de bûches, s'assoit sur le rebord, une jambe de chaque côté de la roue. Il a sorti sa pipe, sa boîte de Peterson Sunset Breeze qu'il dévisse, il ouvre la collerette de papier blanc, ôte la capsule cartonnée, prend des pincées de tabac qu'il émiette dans le fourneau, qu'il tasse légèrement de l'index, il fouille ses poches, cherche des allumettes, il a la tête baissée mais il ne lâche pas l'animal, il pense à celui de Courbet, non pas *Le Cerf forcé* ni *L'Hallali*, mais celui courant dans la neige. Il l'abandonne quelques secondes afin d'orienter la flamme de l'allumette, les brins de tabac s'embrasent, la fumée l'envahit, le cervidé non plus ne le quitte pas des yeux Oh! Me regarde pas comme ça, je t'ai réparé, non? L'animal incline la tête, flaire le sol, se redresse, c'est chaque fois la frondaison d'une forêt qui se meut, il se retourne avec une lenteur qui hésite entre l'exacte retenue d'une chorégraphie et la grâce immanente du geste, un délié parfait des membres et des muscles, la bête se tourne donc, lui tourne le dos, lui jette un dernier regard puis s'éloigne, assurée de sa force, une puissance physique que François pourrait anéantir en une micro-seconde s'il épaule l'arme par laquelle humains et bêtes meurent si aisément. L'extrême fragilité animale monte en lui comme une inquiétude des fins, des extinctions. Il fume et s'attarde, accompagne le cerf jusqu'à son évanouissement vers le fond brouillé des arbres. Et puis c'est dans son champ visuel, surgie de quelle profondeur, si dessinée, la silhouette à deux têtes et huit membres qui filait hier au soir sur la départementale, passant à moins d'un mètre de son pick-up arrêté. Les

192

chevaliers soudés qui chevauchent la nuit, la visière de leur heaume le fixant dans un même mouvement comme on épingle un papillon, imprimant en lui le sceau d'une menace, cette vision des siamois qui le traverse, une lame d'ombre qui faucherait le jour. Il s'arrache, se remet au travail, deux heures encore, pour achever de remiser le bois sous l'appentis. Il rentre fourbu, satisfait de la tâche accomplie, la faim au ventre. À la cuisine, il sort les nourritures inentamées de la veille, se sert un verre de pic-saint-loup et dévore avec l'appétit d'un travailleur de force. Enfin s'installe au salon, il est 15 h passé, le Stabat mater de Pergolèse emplit la pièce, il prépare un feu, s'interrompt, le Samsung miaule, c'est la sonnerie des enfants, il est convaincu que Mathilde enfin, daigne... C'est le prénom de Mathieu qui apparaît sur l'écran. Il décroche sur le ton enjoué du père à qui son fils, exceptionnellement, téléphone. Politesses d'usage Comment vas-tu ? Tes vacances au lac ? Mais le fils semble tendu, agacé, et François comprend vite qu'il y a un motif précis à son appel, ce n'est pas pour prendre des nouvelles ni échanger des pensées complices

Ta mère ? Elle... elle est avec toi ? Mais... elle m'a téléphoné d'Italie hier soir.

N'importe quoi ! Elle nous a même affirmé que c'était toi qui lui avais suggéré de venir nous voir.

Parce que la veille, quand Mathieu est reparti en train pour rejoindre Annecy, quand il est arrivé à l'hôtel, sa mère était déjà là depuis midi. Attablée sur la terrasse, à prendre un thé avec Jennifer, admirant les lueurs du couchant sur la surface laquée du lac… François était bien censé lui rendre visite hier dans ce fichu carmel du Reposoir après qu'ils se furent quittés à la gare ? Finalement, elle était à l'hôtel avec Jennifer… C'est quoi ce bordel ?

François explique qu'il devait aller la chercher, il était entendu qu'elle quittait l'institution, mais elle était déjà partie quand il… Mathieu change de ton, comprend que son père n'est pour rien dans ce traquenard maternel

D'autant qu'on avait nos amis libanais à dîner, très gros client ! Avec maman qui faisait la maline, séduction 300 %, c'est moi, la Reine de Saba.

Et ?

Tombés dans le panneau, recta !… Extraordinaire, ta maman, et tatati et tatata… Ils l'ont invitée chez eux.

Ah bon ?

Oui, près de Beyrouth, en bord de mer, les terrasses d'orangers. Au printemps… Prépare les valises.

Comment ta mère a su ?

A su quoi ?

Que vous êtes en France, elle était injoignable à l'abbaye. Elle t'a téléphoné quand ?

Je sais plus, mais j'ai pas répondu. C'est Jennifer qui tient pas sa langue.

Comment ça ?

Au téléphone. Et comme elles s'entendent bizarrement bien, les deux, Jennifer l'a invitée à passer…

Ta mère a le numéro de Jennifer ?

Ben oui, évidemment.

Elles se connaissent ?

T'es drôle toi. Quand maman est venue au mariage...

Ton mariage ?

Pas celui de la voisine.

Il a parfois l'impression que son fils veut l'abattre à coups de hache, innocemment. Incidemment. Maria, seule, était donc invitée au Mexique en toute discrétion, elle avait dû invoquer une retraite dans un couvent ou une visite dans sa famille près d'Asti. Il ne cherche pas à retrouver la date exacte, encore moins le prétexte justifiant cette absence d'une bonne semaine, il imagine. Il demeure vaguement stupéfait devant de telles intrigues dont il ne saisit pas le motif. Mais ce qui domine dans ce paysage familial compartimenté, c'est un sentiment d'exclusion dont il peut se plaindre auprès des arbres, du ciel, des oiseaux, c'est à peu près tout. Parce que cette espèce, non pas de complot, mais disons d'entente, mieux, de complicité exclusive entre Maria et Mathieu est une réalité qui ne se justifie pas. S'il en demandait les raisons, ce serait comme voir l'abîme, son corps qui tombe, et dans l'intervalle des quelques secondes qui lui restent à vivre, la rancœur au bord des lèvres, exiger de comprendre pourquoi il tombe. Il se mord la lèvre donc, ne relève pas auprès de Mathieu, qui s'en fout, qui ne semble pas même se souvenir que ni son père ni son oncle ne furent invités à son mariage... Il se racle la gorge, demande des nouvelles, si tout se passe bien... Mathieu tousse, se racle la gorge à son tour, expose le véritable motif de son appel, que François accoure, qu'il vienne récupérer sa chère et

195

tendre, Mathieu ne peut ni ne veut garder sa mère plus longtemps à l'hôtel. Ils prendront l'apéro tous les quatre ce soir, au Yoann Conte, cool, sympa, et François repart avec elle, fissa !... leur pourrir la... se taper l'incruste... malheureuses heures de vacances... etc.

Tu pars maintenant ? Je compte sur toi ?

Je ferme le relais et j'arrive. T'as pas de nouvelles de ta sœur, je présume ?

Tu présumes bien. L'amour est égoïste. Réjouis-toi, papa !

Le fils a raccroché. S'il était retors, François laisserait Maria, Mathieu et Jennifer se débrouiller entre eux le temps de leur séjour au lac. Il exècre ce sentiment d'amertume qui l'envahit, il allume une pipe, s'habille chaudement, regarde sa montre, presque 16 h, il part se promener, emprunte le chemin qui traverse le bois des Cendres, avec l'idée de trouver l'apaisement, ralliant le front de Cuesta, montant la cluse pour contempler le grand vide et l'Iseran, aux lumières mauves et dorées du jour qui s'éteint.

*

L'encolure sanglante colle à plusieurs endroits sur la tôle du pick-up dans le froid ardent qui étrécit l'air. Antoine apporte une pleine casserole d'eau chaude qu'ils versent sur les points d'adhérence, ils peuvent ainsi soulever la tête et les bois sans endommager la fourrure. François est juché sur le plateau, Antoine réceptionne le trophée et se hâte

196

vers l'atelier, vacillant sous la charge. François saute du Ford et le suit, se lave longuement les mains dans le grand évier maculé de taches de peinture

Ça va, François ?

Je déboule tard avec mon cerf… Merci, Antoine, vraiment.

Tu bois quelque chose ?

Non, je file. Je te raconterai, mais là, j'ai deux bonnes heures de route. Mathieu m'attend.

Bien. Ça glisse, fais attention.

Il ne s'est pas suffisamment lavé les mains qui poissent sur le volant, comme si le sang, la sueur, le musc avaient infusé sous la peau. Il roule trop vite dans la montagne, le pick-up chasse dangereusement à deux reprises dans une sortie de virage où subsistent des plaques de neige damée. Les quatre roues motrices lui sauvent la mise, il arrive dans la vallée, traverse la ville, rejoint l'entrée de l'autoroute, règle le régulateur de vitesse sur 140, et vogue le navire sur cet axe neuf, parsemé de longs tunnels éclairés tels des palais de cristal le jour de Noël. La pluie redouble, épaisse, mais l'axe est désert à l'exception de quelques semi-remorques qui remontent d'Italie, traînant un nuage de vapeur d'eau en queue de comète. Il tente la *Messe en si mineur*, voulant couvrir le bruit des pneus qui chuintent sur la chaussée mouillée, mais il n'a pas la foi ce soir que cette musique exalte en lui. Il choisit alors un CD de Suzanne Abbuehl, *The Gift*, tant elle emprunte des chemins mélodiques et ouvre un univers de la voix qui le détournent de ses ruminations et de son crépuscule. La pluie cesse aux abords de La Ravoire, il dépasse la zone des méga-stores, puis le lac du Bourget enduisant soudain la nuit d'une laque noire. Le Samsung sonne souvent. Il concède un sms tardif : « Suis là pour 23 h. » Le mobile sonne à nouveau, il ne répond toujours pas, l'information concernant son heure d'arrivée lui paraît suffire alors qu'il roule vite sur une autoroute à nouveau balayée par des bourrasques de pluie. Vingt minutes plus tard, il emprunte la sortie sud, contourne Annecy et rejoint la rive est du lac par la départementale. Le ventilo dégage une odeur de plastique chaud presque nauséeuse. Peut-être roule-t-il trop vite, est-ce la visibilité réduite, les angles du pare-brise embués, son inattention, son impatience, il ne l'a pas vu cheminer sur la chaussée le long du bas-côté, c'est au dernier moment qu'il devine sa présence, qu'il donne un violent coup de volant, qu'il écrase le frein. Il a ressenti jusque dans sa jambe l'impact du corps, il en est sûr, il l'a touché. Il déclenche les feux de détresse, jette le manteau sur ses épaules, sort sous des trombes d'eau en cet endroit boisé du lac, loin de toute habitation, contourne le capot, c'est son pelage sombre, dans une zone sans réverbère, il était invisible... Le chien convulse devant lui, un griffon au poil frisé, il ne distingue aucune trace de sang ni de blessure ouverte dans le halo des phares, il tente de le masser au niveau du poitrail, des pattes, il tâte ses cuissots, son bassin, sa tête, ne palpe aucun os brisé, les impacts traumatiques sont indécelables au toucher, il a soulevé le chien entre ses bras, le cœur bat, l'animal respire, il le porte sur le talus, la pluie ruisselle sur son crâne et le long de sa nuque, il faudrait prévenir le propriétaire Qu'est-ce que tu fous là, le chien, sous ce déluge de fin du monde ? Il ne trouvera aucun vétérinaire à cette heure qui... Il l'a déposé dans l'herbe sur le flanc À moins qu'il l'embarque dans le pick-up pour... Il cherche la plaque d'identité dans la lumière des phares, y sont gravés un nom de chien et un numéro de téléphone, le griffon soudain grogne, se débat, il lâche le collier, l'animal est sur ses pattes, il s'enfuit vers la rive du lac, avec un fort boitement de la patte arrière gauche. François s'est redressé, il l'accompagne du regard, voudrait lui caresser l'échine, le chien se tourne à deux reprises, aboie, puis s'évanouit dans la déclivité de la rive. Il l'aurait emmené avec lui, le miraculé, s'il eût été sans collier, il l'aurait soigné... Il ne bouge pas, les yeux fixés sur l'endroit de sa disparition, se passe la main sur le crâne pour chasser l'eau dans ses cheveux, il quitte à reculons, remonte en voiture, la pluie dégoutte dans son cou, il prend l'écharpe, s'essuie visage et nuque puis redémarre, hochant la tête, cette soudaine résurrection alors que les convulsions laissaient présager le pire. Il songe à son Bruno du Jura, ensanglanté, expirant dans ses bras. Il roule 500 m encore, c'est là, un sentier gravillonné qui serpente dans le parc, enfin le parking et la façade bleue de l'hôtel Yoann Conte Qu'est-ce tu fabriques, papa ? On t'attend pour l'apéro, t'arrives après le... 23 h 10 ! La porte de la suite n° 4 est grande ouverte, Mathieu est dans l'encadrement, costume gris et chemise blanche, col ouvert, un verre à cognac presque vide et un cigare dans la main gauche, glorieux. François entend fuser les rires des femmes qu'il découvre en entrant, elles se dandinent et tanguent au rythme linéaire d'une musique électro, le même battement binaire compulsif qui fait hoqueter les corps, seuls, sans emboîtement possible. Il ôte son manteau, se retire dans la salle de bains, se lave les mains longuement, se rince le visage, s'enfouit la tête dans la serviette éponge, respire profondément, cherche le calme. Lorsqu'il revient dans le grand salon, le volume du son est au minimum, la musique en fond à peine audible, les femmes se sont assises dans les fauteuils, Maria se lève, vive et réjouie, elle enlace François, l'embrasse à pleine bouche. La dernière fois qu'il l'a croisée, c'était il y a trois semaines, il avait patienté dans la salle capitulaire de l'abbaye, on était allé la chercher dans sa cellule, elle était dans sa robe brune de jeune postulante, il avait retenu la leçon, il l'appelait sœur Maria... Or elle est ce soir la femme qu'il aime, vivace, envahissante dans son élan vers les autres qu'elle séduit irrésistiblement. Jusqu'à Jennifer qu'il connaît si pâle et d'humeur maladive, qu'il surprend ici rieuse, excitée, le rouge aux joues d'avoir bu et dansé, plus belle encore que sur les photos glacées, qui bondit de son fauteuil et embrasse François avec une familiarité et une effusion presque déconcertantes, celles d'une fille envers son père, lui qui ne l'a rencontrée qu'une seule fois... Elle marchait alors sur un fil au-dessus de son propre vide, Pierre, Rachel et lui-même en avaient le souffle court, à l'accompagner mentalement dans chacun de ses pas et chacune de ses phrases, voulant la préserver de quel effondrement...

Non, François n'a pas dîné, il n'a pas faim, il pioche parmi des restes sur la table, il tente simplement de reprendre des forces, la route était pénible. Les deux femmes se sont rassises dans le sofa, elles remplissent et vident leur coupe de champagne, elles trinquent continûment, Maria propose à Jennifer de lui servir de guide à Paris, dans quelques jours, après leur détour par Genève, Mathieu s'est resservi un cognac, il a les yeux rivés sur sa tablette, à lire sans doute des mails de la plus haute importance, François mange du pain aux noix avec un morceau de beaufort, il mâche, absent, concentré, se lève, s'approche de la baie vitrée, les lumières ponctuent les terrasses jusqu'aux hors-bords et aux voiliers dont les coques blanches jettent de pâles reflets sur le lac agité, une masse d'encre, invisible au-delà des bateaux. Il se rassoit, choisit une part de tarte aux myrtilles, la pâte sablée se marie mal avec les fruits rouges, deux consistances trop distinctes, ce n'est jamais convaincant. Maria s'exclame devant des photos, dans un *Vogue* qu'elles feuillettent ensemble, elles chuchotent, se sourient, puis se lèvent, remontent le son de la hi-fi, recommencent à danser. Elles chantonnent, s'esclaffent, François en profite pour empoigner une chaise, il vient s'asseoir tout près de Mathieu, au corps abandonné dans un œuf de Jacobsen, lequel pivote sur l'axe pour écouter son père penché vers lui, dont les traits sont figés, le front soucieux, un visage que son fils redoute. François n'est-il pas complaisamment venu à sa demande, même si Mathieu espérait dîner seul avec Jennifer, une fois l'apéritif expédié avec les parents

Excuse, papa, je t'ai mal reçu.

François a un vague frémissement de l'échine

Dis-donc, Mathieu, tu vas cracher le morceau ?

Quoi ? De quoi tu… ?

C'est qui, nom de Dieu, ton Loïc ? Ton client, le mec de Mathilde ?

Putain, mais c'est une obsession ! T'es toujours en boucle depuis hier… J'aurais jamais dû t'en…

Il est au relais avec ta sœur.

Ah ! Elle te l'a présenté alors. Elle y tenait, tu vois, parce que le relais, l'hiver, elle déteste.

Le problème, Mathieu, c'est qu'il a une balle de gros calibre dans la cuisse, qu'il se balade avec un gun, que Mathilde est terrorisée et que ton gus ne veut pas que je l'emmène à l'hôpital. Est-ce que tu saisis ?

Le visage de Mathieu devient plus flou, les traits sont moins dessinés, presque affaissés, l'éclairage est tamisé, mais François suppose qu'il est plus pâle, plus proche du col immaculé de sa chemise. Son silence est éloquent, son regard aussi, qu'il a immédiatement porté sur Maria et Jennifer, sans doute pour vérifier qu'elles n'ont rien entendu

Pourquoi tu me racontes ça ?

Pardon ?

Qu'est-ce que tu veux que je… ?

Fils, tu veux ma main dans la figure ?

Calme-toi, papa.

Ce que j'exige, c'est que tu m'évacues ton client. Demain, il est plus chez moi. Capisci ?

Et Mathilde ? Tu crois qu'elle va… Elle est folle dingue de lui, je…

J'ai vu, c'est mon affaire. Alors ? C'est qui ce type dont on n'a trace nulle part ? Réseaux sociaux, Twitter, Google, niente ! Nada.

L'est discret, c'est tout. Je sais rien sur lui, je…

Si, qu'il a beaucoup d'argent. Tu l'as connu comment, nom de Dieu ?

Des amis suisses, de gros investisseurs qui…

T'as que ça à la bouche, mon pauvre Mathieu. Bref, tu les appelles, tes Suisses, ils le dégagent de chez moi. Demain. N'oublie pas de leur préciser l'urgence médicale, j'ai pas pu sortir la balle, il risque la gangrène, leur ami.

Eh ! De quoi vous parlez ? Venez danser, les papys !

Maria a surgi tel un chat, les fait sursauter, une main posée sur l'épaule du père, une autre sur celle du fils, des mains fines qui savent caresser, elle insiste

Venez danser, les hommes !

Vas-y, toi.

Après. Je dois téléphoner.

Alors, viens, caro, nous laisse pas seules.

François traîne des pieds, grimace un sourire à l'attention de Jennifer, il déteste ces pulsations électroniques qui n'invitent pas à la danse mais à une espèce de convulsion solitaire, lui qui excelle à conduire Maria sur des rythmes de salsa. Il a observé Mathieu qui s'est éclipsé dans la salle de bains trois bonnes minutes, qui est réapparu avec son portable en main, qui est sorti sur la terrasse, refermant la baie vitrée derrière lui, qui arpente la partie abritée, l'iPhone à l'oreille, le ciel nocturne continuant de se déverser en une pluie épaisse, presque neigeuse. François gigote, il opère une espèce de battement des avant-bras, ses épaules roulent vaguement et ses pieds glissent sur le parquet. Maria, échevelée, se trémousse face à lui, vaguement vulgaire, ventre et pubis qui ondulent, cuisses écartées, jambes légèrement pliées, Jennifer l'imite dans son coin, paupières closes, ses longues mains posées sur les hanches puis l'intérieur de ses cuisses, dans un va-et-vient tout à fait impudique. François distingue son fils à travers la vitre qui parle dans son téléphone

Oh! Francesco! Danse, c'est trop déprimant...

Change de musique alors.

C'est une radio locale.

Change de station.

T'es vraiment chiant! Bois un coup, détends-toi.

C'est une idée.

Et François s'éloigne, s'approche de la table, repère une bouteille de vin de paille à moitié pleine, s'étonne que son fils connaisse ce magnifique... Mathieu est tout près, il a rangé son iPhone, se sert de nouveau un cognac, François verse de ce Jura qui coule d'or dans son verre

C'est arrangé.

C'est-à-dire?

Ils envoient une ambulance banalisée, elle sera sur place demain dans l'après-midi, au pire jeudi matin. Tu seras là-bas?

Je m'arrangerai. Mais jeudi je suis au bloc. Rappelle, exige pour demain, il y a urgence médicale.

Et maman ?

Je la laisse à Lyon, on rentre tout à l'heure. Tant qu'on y est, t'es au courant pour les actions ?

Les actions ? Quelles… ?

Celles de la clinique. Non, t'es pas… ? Mathilde a tout filé à ton Loïc.

Elle avait besoin d'argent ?

Pourquoi elle aurait besoin de tant d'ar…

Alors c'est par amour. C'est pas bien grave.

Tu réalises que j'ai perdu la majorité au CA ?

Si Loïc devient ton gendre, vous faites alliance, non ?

Mon gendre ?

Papa, dans quelques années, tu raccroches les gants, non ? Tu t'en fous, ça change d'actionnaires, ça évolue, c'est normal.

Il y a bien un corps, un visage, une personne qui se tient debout, mais le père a perdu le chemin qui menait au fils, dont il nourrissait l'histoire, participant avec ferveur au temps ouvert d'un Mathieu inaccompli. C'est aujourd'hui la confrontation abrupte avec un individu sans plus de lien privilégié. François ne reconnaît rien, la trajectoire historique du fils, ses états successifs qui trouvent leur résolution en l'être qui lui fait face, parfaitement installé dans un présent qui ouvre à son règne, assenant à François des réflexions qu'il juge inacceptables. Comment a-t-il pu se tromper à ce point dans son éducation ? Serait-ce une part enfouie de François que Mathieu révèle au grand jour, adulte devenu ? Alors qu'il aimerait lui balancer son vin de paille à la figure ?

Ton nez, Mathieu !

Quoi, mon nez ?

La poudre. Il en reste, narine droite, blanche.

Ah ?

Il prend une serviette sur la table, s'essuie longuement, ils échangent un regard

C'est bon, là ?

Viens, on danse cinq minutes, pour leur faire plaisir.

Ils vident leur verre et rejoignent les femmes, ils gesticulent face à elles, le vin a dilué ses pensées, François parvient à sourire, Mathieu en rajoute dans les déhanchements et les coups de reins, galvanisé, François sourit donc mais fuit la scène du regard, détaillant les tableaux sur les murs, essentiellement des gravures numérotées assez médiocres. Il compte les secondes et les minutes, il patiente puis donne le signal du départ. Maria tempête, elle veut danser encore

Il faut laisser les jeunes tranquilles.

Ma, sono giovana, caro !

Ça n'empêche, on a de la route jusqu'à Lyon.

Mathieu baisse le son, va chercher la veste et l'imperméable de sa mère, l'aide à les enfiler, lui tend son foulard qu'elle arrange devant la glace, elle prend son fils dans ses bras, se serre contre lui, Mathieu croise le regard de son père, il y surprend une sorte de grande désolation sans bien mesurer quel en est l'objet, la gêne s'installe, il mime une toux soudaine et repousse sa mère qui se tourne vers Jennifer, la saisit par la taille, lui assure qu'elle s'organise, elles se retrouvent à Paris lundi prochain

Great deal!

Fine!

François a renfilé son manteau, il embrasse Jennifer

When will you come in New York ? We hope you!

Thank's. We must believe in spring!

Okay, okay.

Il pose furtivement la main sur l'épaule de son fils

Tu me donnes des nouvelles demain ?

De quelles nouvelles vous parlez ?

La voiture de location que Mathieu a dû laisser au relais. Ils passent demain matin, je crois, avec une camionnette à plateau. Tu me confirmes ça ?

Tu l'as mise dehors ?

Oui, devant l'écurie. Tu les préviens.

Bon retour sur Lyon, alors.

Ils marchent dans le couloir, elle lui a pris le bras, il voit sa main sur sa manche, cette image lui fait plaisir, lui redresse insensiblement l'échine, ils descendent le vaste escalier en bois couvert d'un tapis à ramages or et rouge, ils traversent le hall où ruisselle une fontaine, François salue le réceptionniste, ils sortent, la pluie a cessé, l'humidité glacée ronge les os, Maria n'est pas assez couverte, elle tremble, claque des dents, ils se hâtent vers le pick-up quand déboulent sur la droite un commis des cuisines armé d'un balai qui pourchasse un chien boiteux Attends-moi dans l'auto, s'il te plaît. Il tend à Maria le bip d'ouverture et s'approche du commis qui abandonne la poursuite, essoufflé, un jeune homme maigre, roux, le cheveu ras, les oreilles décollées, dans sa veste tachée, François remarque ses mains blanches et rouges aux doigts gonflés, aux ongles rongés, qui tiennent le manche du balai... Ils lui ont donné des restes une fois, et quand le bâtard est revenu, ils ont essayé d'appeler le propriétaire, enfin, le numéro qui est sur le collier, sinon qu'il n'est plus attribué, qu'il s'agit assurément d'un chien abandonné, cela fait une semaine qu'il rôde dans le coin, ils vont appeler la fourrière si ça continue, avec la clientèle d'ici, un chien qui traîne dans le parc à l'affût de nourritures, ça... L'animal s'est immobilisé 10 m plus loin, les observe, tête basse, faisant mine de flairer le sol, son pelage frisé qui dégoutte, gorgé de pluie, c'est bien lui, le griffon Khortal, il en est sûr, un bon chien de chasse, vaillant, affectueux...

Si vous m'aidez, je vous en débarrasse.

Comment ça ?

Allez chercher à manger, qu'il s'approche, et je l'embarque.

Vous êtes sûr ?

Certain.

Mais...

C'est mieux que la fourrière, non ?

J'arrive.

Le commis est reparti, il trotte en traînant des pieds dans ses sabots en caoutchouc blanc, il a disparu à l'angle du bâtiment. Le chien ne bouge plus, il couine, François s'accroupit, l'appelle, bras tendu, main ouverte, l'animal recule à mesure, continue de flairer, tressaille, s'enfuit plus loin dans l'obscurité quand le garçon surgit de nouveau, trop vif, avec des os et des restes de viande. Le griffon a senti, s'agite, piétine des antérieures, gémit, hoche la tête, frétille de l'arrière-train, s'approche, sur ses gardes, François et le commis reculent d'un bon mètre, ayant déposé à terre une partie de la viande dans une assiette. Il a le museau au ras des morceaux de bœuf, il lèche puis engouffre sans s'accorder le temps de mâcher les abats, la couenne, les yeux brillants, le corps agité, qui frissonne, pressé d'engloutir. L'assiette est vide. François saisit un os chargé en viande, le tend vers l'animal, ne cesse de lui parler, le griffon est prudent, il le lui prend, réticent, du bout des incisives, il croque, dévore sans jamais le quitter des yeux mais sans plus reculer. Il lui en présente un autre, le chien s'en empare, se laisse caresser la tête et mange tout à fait rassuré. François remercie le jeune homme, le salue, récupère le dernier morceau, du plat de côtes trop maigre, le brandit sous le museau du chien, l'attirant à sa suite jusqu'au pick-up. Il ouvre la portière conducteur, jette la viande sur le tapis de sol à l'arrière de son siège, saisit l'animal par son collier, l'autre main sous le ventre, le hisse dans l'habitacle, il se rue sur sa nourriture, qu'il broie et mastique entre ses pattes, allongé sur le plancher caoutchouté. François monte, ferme la portière

Je me gèle, François ! Tu fais quoi avec ce chien ?

Je l'adopte.

Je croyais que t'en voulais plus ?

Il met le moteur en marche, le chauffage, et démarre lentement pour sortir du parc et rejoindre la départementale. Ils longent le lac par le nord, François se retourne souvent, passe son bras entre les dossiers des sièges, caresse la tête du griffon. Cela fait vingt minutes qu'ils roulent sans avoir prononcé un mot, les lèvres cousues après l'agitation de la soirée en compagnie de leur fils et de leur bru. Il l'observe par moments à la dérobée, elle regarde droit devant elle, paraît absorbée dans ses pensées, une rivière, un torrent, il se dit que les humains ne sont pas faits pour garder le silence ensemble, au bout d'un temps plus ou moins long ça s'épaissit, se charge d'une espèce d'électricité comme un ciel d'orage sec traversé d'éclairs, il faut parler, un moment ou un autre, sous peine de s'asphyxier mutuellement. Trois mois qu'il ne l'a entrevue qu'au cours de visites pour le moins étranges. À l'hôtel ce soir, on aurait cru qu'ils ne s'étaient jamais quittés, à présent cet interminable silence qui pourrait encore s'aggraver, on croirait qu'ils vont se quitter.

Il lui prend la main, elle tressaille, une sorte de réveil

Ça va, Maria ?

Elle hausse les épaules, son regard devant, sur la route

On est partis trop tôt.

Il est minuit et demi. Faut les laisser tranquilles.

Il était minuit dix quand on est partis.

Tu vois, c'est pareil. Tu te souviens comme on aimait être seuls, avant ?

Encore maintenant, non ? Suis tellement heureuse d'avoir vu mon petit Mathieu.

Tu les rejoins à Paris dans quelques jours, si j'ai bien...

Pourquoi, crois-tu, je me supporte l'autre évaporée ? La pauvre petite fille trop trop sensible ?

Jennifer ? C'est pourtant toi qui l'as appelée ?

En quittant le carmel, je me sentais si... dépossédée. C'est le mot qui lui vient à l'esprit, oui, une dépossession

Tu m'as pas téléphoné de chez ta sœur ? Tu m'appelais d'ici ?

J'ai changé d'avis.

Ah ? L'Italie, Annecy, t'es ici, t'es là...

Tu comprends, mon François ?

Des fois, j'ai du mal.

Elle voulait entendre la voix de son fils, un manque dévorant. Son téléphone était sur messagerie, alors elle avait appelé la bru, une lubie, comme si... Qui lui avait proposé de passer au lac, un cadeau du ciel, la surprise de leur venue Comme quoi, l'évaporée... Leur éloignement, c'est une vraie souffrance, tu le sais. Elle croyait qu'il ferait sa carrière à Londres, pas à New York. Ne supposait-elle pas qu'il avait justement souhaité se soustraire à une passion trop oppressive de sa mère ? Il s'abstint pourtant du moindre commentaire. Il songeait en revanche qu'elle était vraiment possédée, son lien à leur fils était si... La figure de Manon s'impose soudain. Mourante en couches, une réalité inconcevable à la fin des années 80, et pour cela tellement injuste, un sentiment d'indignation se mêlant alors à sa peine. Mathieu avait survécu, miraculeusement extrait par césarienne. Les premiers jours de cette naissance

furent marqués du sceau du deuil, des heures écrasées d'hébétude que seul déchirait le nourrisson
affamé. Qu'un biberon calmait aussitôt. Comme
si le père et le fils s'étaient entendus pour s'abîmer
dans un silence de sidération triste, confrontés
qu'ils étaient tous deux à l'absence de la mère, une
absence qui valait comme la disparition sur terre
du genre féminin. François se souvient d'avoir très
vite choisi d'aimer l'enfant pour lui-même, son
premier, mais aussi de l'aimer comme une espèce
de survivance de celle dont il avait été éperdument
amoureux. Il était assailli les premiers mois d'in-
supportables mouvements d'hostilité à l'égard du
nourrisson qui aurait été la cause première de la
mort de Manon. Des gestes d'humeur et parfois
d'exécration qu'il avait vite réprimés, comprenant
sur quel versant morbide il basculait. Mathieu avait
18 mois quand Maria était survenue dans la vie de
François. Elle avait si pleinement accepté l'existence
de l'enfant, au-delà de toute espérance, elle disait
souvent comme un don de Dieu… Et François,
qui était de nouveau innamorato, comprenait cet
élan d'amour envers son fils comme une chance
extrême de l'existence, il en était ému, ne mesurant
aucunement combien l'affection maternelle que
Maria prodiguait, débordante et surgie ex nihilo,
pouvait être étrange pour ne pas dire maladive dans
sa démesure. Comme si Mathieu la sauvait de quel
naufrage intime ? À l'époque, il s'était laissé porter
par le courant, tout allait de soi. Mais, un après-
midi d'été, ils étaient tous deux allongés sur le sable,
François avait suggéré qu'il était plus que temps de

révéler à Mathieu l'histoire de sa naissance, la mort de Manon... Il était à jouer avec d'autres enfants dans le fracas des vagues, ils couraient dans l'écume laiteuse, Maria était enceinte de Mathilde, les choses étaient suffisamment posées, engagées pour... Elle s'était dressée sur son séant malgré la gêne que sa grossesse de 7 mois lui imposait

Mais je suis sa mère !

Ne crie pas, s'il te plaît.

Je... Je l'ai élevé comme une mère jamais n'aurait pu...

Bien sûr, ma chérie. Personne ne conteste ta... C'est juste qu'il est en âge de savoir.

Elle était à présent debout, elle le fixait avec des yeux de Gorgone

Tu lui dis ça, je me tue.

Elle avait lâché la serviette qui dissimulait sa taille et ses cuisses, l'avait planté là, s'avançant vers les vagues, elle tenait son ventre entre ses mains, doigts écartés, elle avait traversé l'écume, puis la barre de ressac, sans ralentir dans son élan, elle s'était mise à nager droit vers l'horizon jusqu'au moment où il ne la vit plus dans le mouvement des... Il se leva d'un bond, comme piqué par un serpent, courut vers les vagues, franchit en plongeant la barre de ressac, nageant vers elle avec toute l'énergie de son excellent crawl. Quand il la rejoignit, elle faisait la planche, son profil, ses seins et son ventre hors de la ligne de flottaison, un visage lisse, impassible, son regard planté dans le ciel. Il était épuisé, ne trouvant plus son souffle, ne pouvant articuler une simple phrase, il n'aurait pu la rejoindre si elle n'avait cessé d'avancer. Il aurait voulu lui lancer des mots comme on jette des cailloux, qu'elle en soit lapidée, il recouvrit sa respiration

À quoi tu joues ? À quoi tu joues ?

Ils étaient si loin que le rivage disparaissait dans l'immensité sombre qui se creusait et les cernait, il parlait trop, elle ne répondait pas, ses yeux toujours plantés dans le ciel. Elle finit par articuler

Tu lui dis ça, je nagerai sans plus m'arrêter jusqu'à ce qu'on devienne une pierre.

On ?

Ta Mathilde et moi. Tu pourras fouiller le fond de la mer, pauvre homme !

Ils se battirent contre le courant de la marée descendante, alternant brasse et dos, progressant péniblement sans plus échanger un mot. Ils abordèrent, vacillant sur la plage comme deux naufragés, Mathieu construisait un barrage de sable pour contenir les eaux, il leur souriait de toutes ses dents de lait dans la lumière éblouissante de juillet.

Tu roules trop vite, François ! J'ai peur, là. Qu'est-ce qui te prend ?

Le pick-up vient de chasser dans un virage sur des graviers et des feuilles, il lève le pied de l'accélérateur, descend la vitre, s'efforçant de respirer à pleins poumons. Il y a cet amour monstrueux pour Mathieu, ces élans meurtriers envers Mathilde qu'il n'a jamais osé même évoquer... Ça se tisse dans les décennies comme des nœuds de pierre, et ça les tient ensemble. Jusqu'à se trouver réunis sur la scène des adultes. Alors...

Nous y sommes.

Pardon ?

Non, rien.

J'ai froid.

Il remonte la vitre, aperçoit la pancarte indiquant l'autoroute, il tend le bras entre les sièges, caresse le griffon qui lui lèche la main

Pourquoi tu racontes à Mathieu que nous sommes trop charnels, Mathilde et moi ?

Qu'est-ce que t'inventes, là, encore ? Charnel ?

Oui.

Je connais même pas ce mot en français.

Le seul que tu connais, oui. Carnale, tu saisis ?

De quoi tu parles ?

Ils entrent sur l'autoroute. François choisit le portail des abonnés, la barrière se lève, le V6 gronde, la pluie se remet à tomber, ils sont seuls à cette heure à l'exception de rares camions qu'il double de temps à autre, des vaisseaux en orbite, quasi immobiles sur l'anneau de bitume

Comment tu vas l'appeler ?

Pardon ?

Le chien. Comment tu vas…

Ah ! Il s'appelle Argus, si j'en crois la plaque sur le collier. Un érudit qui abandonne son chien…

C'est bien la peine, oui.

Pourquoi t'as quitté si précipitamment ?

Comment ça ?

L'abbaye. Je suis passé te chercher, comme prévu hier après-midi. Pfuitt ! envolée…

Comme prévu ?

Oui, avec la mère supérieure, à partir de 14 h 30, hier, je devais…

215

On m'a pas dit.

T'es sûre ?

Oui. Je suis partie samedi. Chassée…

Chassée ?

Oui, depuis qu'Élisabeth…

Sœur Élisabeth ?

Elle s'interrompt, suffoque, réprime un sanglot. Il vient très involontairement d'ouvrir une trappe. Il ne sait plus comment s'y prendre, il ne supposait pas que… Il procède par petites touches, lui fait remarquer que ses stages de silence et de recueillement n'ont jamais duré plus de deux semaines. Trois mois… Il a même songé qu'elle allait prononcer ses vœux, finir sa vie là-bas. Se demandant d'ailleurs comment une femme mariée avec des enfants…

Maria était douée, sœur Élisabeth l'a confirmé !

Maria… tu parles de toi ?

Oui.

Douée ?

J'ai le don de Dieu.

C'est une excellente nouvelle, avoir le don de Dieu. C'est pas donné à tout le monde…

J'ai manqué ma vocation. Et maintenant, c'est trop tard.

Trop tard ?

Je suis plus vierge.

Ça fait longtemps, ma chérie, mais ce…

Tu comprends rien. Je n'aurais pas enfanté Mathilde, ce serait possible.

C'est pas le sens de la virginité, Maria, si je…

Si quoi ?

216

Mais alors, pourquoi tu t'acharnes à répéter que tu es la mère de Mathieu ?

Justement ! Mathieu, c'est le destin, c'est un don du ciel...

Elle lui jette un regard si perdu qu'il n'insiste pas, il lui propose de monter le chauffage, de mettre de la musique.

Tu m'as pas raconté pourquoi t'as été chassée ?

Élisabeth m'a confirmé dans ma foi.

Oui, tu m'as dit.

Elles étaient jalouses, les autres sœurs. Elles chuchotaient que Maria avait des privilèges, qu'elle était un esprit maléfique, que la mère supérieure en avait perdu la tête, qu'elle était tombée sous l'emprise du diable, qu'elle passait des nuit entières dans la cellule de Maria.

C'est vrai ?

Qu'est-ce qui est vrai ?

Qu'elle passait des nuits entières dans ta...

C'est de la calomnie ! C'est arrivé deux ou trois fois, c'est tout. Ensemble, on était...

Vous étiez ?

C'était un amour pur, dans la lumière de Dieu. On priait ensemble. Tu me crois ?

Bien sûr, je te crois.

Les sœurs avaient monté une cabale contre Élisabeth. L'ordre des carmélites est dédié au culte de la Vierge. Monter un complot contre la mère supérieure qui en est l'incarnation est une infamie.

La mère supérieure ? Elle l'incarne ou elle la sert ?

Peu importe ! Les sœurs écrivaient des lettres, elles l'ont dénoncée au Siège, ils ont envoyé sœur Catherine soi-disant pour rétablir l'ordre, comme si elle était missionnée par sainte Thérèse d'Avila en personne. Elle a mis tout le monde à la pénitence. Elle a officié l'exorcisme de mon Élisa.

Sœur Élisabeth ?

Elle ne connaissait plus personne, la pauvre, elle ne me reconnaissait plus. Mon Dieu ! L'exorcisme a duré trois jours. C'était une autre femme. Elle lui parlait comme une étrangère. Un visage impassible, des yeux froids. Ils l'ont mutée. Loin. En Colombie. Et Maria est devenue une pestiférée, les sœurs mettaient des aiguilles dans sa couche, des insectes écrasés dans sa nourriture, jusqu'à des vers de terre et des pointes de tapissier dans le broc d'eau de sa cellule. Si c'était une sainte, elle pouvait boire des clous et des serpents. Elle n'avait plus d'outils dans les ateliers pour travailler, des insultes et des menaces anonymes étaient glissées sous sa porte la nuit. Elles auraient fini par l'empoisonner à défaut de la brûler sur un bûcher de sorcière

De toute façon, il fallait partir. Tu n'avais plus aucune raison de rester.

Comment ça ?

Sœur Élisabeth partie, tu…

Elle hausse les épaules. Regarde droit devant elle. Ne répond pas. Elle hésite, tripote le bouton de son imperméable

Elle me manque, tu sais ? C'est trop…

Maria a tourné la tête du côté de la vitre où elle appuie son front, fixe la nuit et les buissons qui bordent l'autoroute, cachant ses larmes, ne laissant à François que son dos et sa nuque, un mouchoir dans la main, avec lequel elle s'essuie les yeux puis se mouche. François glisse dans le lecteur un CD de Vivaldi qu'il imagine à propos. Au transport du Ford à grande vitesse s'ajoute celui du Salve Regina, d'autant qu'au-delà du pinceau des phares, c'est la nuit vaste qui les accueille. Cette musique et ces voix, verticales et graves, et dans le même temps légères et apaisées, jamais souffrantes. Une élégance de la foi. Mais, deux minutes plus tard, Maria décolle son front de la vitre, se retourne vers lui, le visage refait, les yeux secs

S'il te plaît, François, pas une messe !

Un Salve Regina, ma chérie.

Je m'en contrefous !

Elle prend au hasard dans la pile, éjecte le Vivaldi, glisse un autre CD dans le lecteur, ça leur explose les tympans, des éclairs zébrant le ciel noir, du Mingus déchaîné, *Pithecanthropus Erectus*

Je préfère, si ça t'ennuie pas.

Il pose la main sur sa cuisse, elle, sa tête sur son épaule, ils ont dépassé Chambéry, ils sont à trente minutes de Lyon, ils sont sur l'océan déchaîné, seuls rescapés d'un naufrage, ils sont épuisés, dérivent sur un radeau, s'abandonnant aux courants, longtemps silencieux Et si tu reprenais ton travail, Maria chérie ? Elle a redressé la tête, lui a jeté un regard avant de fixer la route devant elle, haussant de nouveau les épaules Reprendre le… ? Elle saisit dans ses mains menues celle de François, l'enveloppe, il remarque qu'elle ne porte aucune bague, pas même son alliance T'as la main glacée, carino. Elle la porte à ses lèvres puis la glisse dans son entrecuisse, remontant sa robe, qu'elle vienne se lover sur son sexe. Elle referme ses jambes sur la main, l'emprisonne. Il devine un sourire, son dos se relâche, ce serait un onguent qui assouplirait l'âme, il surveille son compteur de vitesse, se tait, ils approchent de Lyon, la tendresse de l'intérieur de ses cuisses, la douceur tiède de sa vulve lui réchauffent les doigts et la paume.

TROIS

« Il y eut une grande secousse. Et *le soleil* devint noir comme un sac de crin, et *la lune* entière devint comme du sang, et *les étoiles du ciel* tombèrent sur la terre *comme un figuier* jette ses fruits encore verts, quand il est secoué par un grand vent. Et le ciel se retira *comme un livre qu'on roule*, et toute montagne et île furent ôtées de leur place. »

Apocalypse de Jean

Il faisait nuit noire quand il sortit de l'immeuble. Il n'était pas 5 h à sa montre et le froid humide l'avait saisi en poussant la porte vitrée qu'il maintint ouverte, s'effaçant devant le griffon Khortal dont il est à peu près sûr qu'il ne souffre d'aucune blessure grave. Pas de plaie ni d'os abîmé au toucher, sans doute un fort hématome du muscle de la cuisse, l'état catatonique dans lequel il l'avait trouvé sur le bitume était probablement dû au choc, peut-être même le heurt du crâne contre la jupe avant du Ford. Il continue de boiter mais il est vif, puissant, son poil gris noir frise et rutile après l'avoir passé sous la douche. Il a dévoré les steaks retirés du congélateur, il est à présent joueur, sans cesse sur ses talons, un chien affectueux, dressé, qui sait obéir, assurément un excellent chasseur. Il tient le col serré sur son menton, il baisse la tête, la brise est coupante, ils traversent le parking, rejoignent la voiture, il aide l'animal à grimper dans le pick-up surélevé, l'installe à même le plancher sur une vieille couverture que le chien piétine longuement, tournant sur lui-même avant de s'y coucher en bâillant, posant sa gueule entre ses pattes, fixant par-dessous le nouveau maître de ses yeux mordorés. François observe les fenêtres et la terrasse du dernier étage, Maria dormait d'un sommeil profond, il l'avait embrassée sur la tempe et à la commissure des lèvres, puis avait lentement quitté la chambre, à reculons. Il démarre, descend jusqu'au fleuve, se dirige vers le quartier Perrache, enchaîne rues et boulevards vides, atteint la proche banlieue, la clinique est à l'entrée de Bron, il gare le Ford sur l'emplacement qui porte son nom et ses plaques minéralogiques, pénètre dans le vaste hall qui dessert l'ensemble du bâtiment, il salue le gardien, emprunte l'un des longs couloirs vers un sas équipé d'un distributeur de boissons, se fait couler deux cafés serrés qu'il boit lentement, entame une tablette de chocolat noir, puis s'engage dans un autre couloir pour déboucher dans la salle de réveil déserte, vaguement éclairée par les ampoules de faible voltage des boîtiers transparents signalant les sorties de secours incendie. Il ouvre une porte coulissante, se glisse dans un bloc opératoire, allume les néons, choisit deux grandes trousses, y range quelques instruments : ciseaux Reynolds, ciseaux Stevens, deux porte-lames, plusieurs lames dans leur emballage papier, une pince à griffes, une autre sans, un écarteur contre-coudé, un autre autostatique, un crochet de Giliss, une curette à bord tranchant, une rugine, un marteau, une pince gouge, un porte-aiguilles, des seringues, des compresses stériles, des bandes Velpeau, il évalue au jugé, il ajoute un flacon d'anesthésiant, des poches d'antibiotiques et d'analgésiques récupérées dans le frigo, les trousses sont pleines, se plient comme des serviettes, il éteint les lumières, sort, croise en bas de l'escalier une infirmière de garde et un interne qui n'appartiennent pas à son service, rejoint le hall, agite la main en direction du gardien, quitte enfin le bâtiment. Le griffon le guettait par la vitre arrière du pick-up, il pose les trousses sur le siège passager, met le chauffage, se frictionne les bras, fiévreux, démarre, rejoint le boulevard Dreyfus, trouve la rocade, puis l'autoroute en direction de Genève, dépasse le portail des péages et s'engage sur la bretelle vers Chambéry et Grenoble. La peau du visage tire, sèche, cartonnée, il a trop peu dormi, il connaît cette sensation de poitrine vide, époumonée, de ventre éviscéré, il redoute l'assoupissement sur l'autoroute, rallume le lecteur, laisse repartir sur la plage 4 le CD de Mingus qui envahit l'habitacle, il lui fallait bien l'énergie âpre de cette musique volcanique pour le maintenir à la surface des choses et de sa conduite, il se promet d'autres cafés avant l'arrivée sur La Tour du Pin, à mi-chemin du relais.

*

Quand il ouvrit les yeux, il remarqua le rideau de sapins sur sa droite et, dominant les épineux, la masse sombre de la montagne, plus dense que la nuit, ne sachant plus, de longues secondes, où il se trouvait exactement. Il se redresse, découvre le tableau de bord, l'habitacle, la tête du chien posée sur le haut de sa cuisse, le dossier de son siège basculé vers l'arrière. Il est presque 7 h 30, il a froid, il avale trois gorgées d'eau pétillante, croque un carré de chocolat, coiffe son chapeau, enroule son écharpe autour du cou, le parking est vide à l'exception d'un semi-remorque immatriculé en Allemagne garé 50 m plus loin après le bloc béton abritant les toilettes. Il descend du pick-up avec le griffon, marche sur le gazon spongieux, laissant l'animal flairer le sol et compisser des taillis le long d'un grillage. Ses chaussures sont déjà trempées, il rejoint l'asphalte et poursuit jusqu'à l'extrémité du parking, dans l'air mouillé et les lambeaux de brume. La présence du chien le réconforte, l'animal est un point d'appui sûr, leur complicité les protège. Il s'est arrêté une demi-heure plus tôt, incapable de conduire plus longtemps, de véritables coupures de courant, des pertes de conscience, les yeux blancs grands ouverts, l'iris renversé sur des bribes de rêve à 150 km/h, à se réveiller en sursaut, le Ford à cheval sur deux voies dans une aléatoire dérive. Il s'est garé sur la première aire de repos, et s'est de suite endormi, le temps de verrouiller les portes. Il fait demi-tour, sort le Samsung de sa veste de chasse, compose le numéro de Mathilde, ça tombe sur la messagerie. Il appelle le téléphone fixe du relais, laisse sonner puis rappelle deux fois.

Enfin ça décroche, la voix de sa fille dans le…

Allô ?

Je te réveille ?

Non.

Comment ça va ?

Pourquoi t'insistes ? Ça sonne, ça sonne. Je deviens folle !

Je prends des nouvelles. J'en conviens, 7 h 35, c'est tôt, mais...

...

Mathilde ? Ça va ?

Il n'entend que sa respiration, plus exactement de longues expirations qui chuintent dans le combiné J'arrive Mathilde. Vers 8 h, je suis là. Tiens le coup, je t'em...

Elle a raccroché, c'est une apnée, il se force, il inspire trop court, se hâte vers la voiture, rappelle le chien, l'aide à monter, il sent la peur imprégner poitrine et ventre, il n'aurait pas dû s'arrêter pour dormir si longtemps, dix minutes, ça suffisait, Mathilde est complètement... Il met en route, allume les phares, il faut filer. Il sort de l'autoroute vingt minutes plus tard et s'engage sur la départementale de Lanslebourg et du Moncenisio Argus ! Je vais te présenter ma fille. Tu m'écoutes ? Elle s'appelle Mathilde. Mathilde. Tu vas m'aider, d'accord ? Le chien le fixe, penche la tête, remue la queue, jappe.

Il parcourt le fond de vallée gorgé de pluie, les arbres sont gris et l'herbe jaunâtre. Il s'extirpe de Modane comme d'un cul-de-basse-fosse, dépasse la silhouette trapue de la redoute Marie-Thérèse, il roule trop vite sur la chaussée neuve, un tapis de billard aux bas-côtés larges et stabilisés. La visibilité est excellente, la signalisation fluo trace un véritable rail sur le sol, les courbes sont d'un dessin relevé d'anneau de vitesse, l'aiguille du compteur avoisine les 130, enfin la forêt s'interrompt, il atteint Lanslebourg, de beaux chalets résidentiels, un village qui s'étend au pied de l'Iseran. Il s'arrête dans une station-service, fait le plein, se sert un café au distributeur, allume une cigarette, repart aussitôt. Il franchit la rivière au deuxième pont et continue sur la D1006 qui mène au col et à la frontière italienne. Il est contraint de rouler moins vite, le revêtement se dégrade, creusé de nids-de-poule, semé de cailloux, avec les ruissellements, les dégels successifs, les éboulis le long des versants, la pente s'accentue brutalement, les virages se succèdent, les talus et les arbres sont enneigés, l'aube mauve pointe à l'est entre les cimes des sapins, avec trois mots vénéneux qui montent en lui: peut-on désespérer ?

*

François a baissé sa vitre, un besoin de vent frais sur le visage à l'approche du relais, il entend un bruit de clapotis d'eau qui résonne sous la voûte des grands arbres dans l'air parfumé de résine. C'est dans la courbe de la septième épingle à cheveux qu'il prend la communale blanche et damée. Il a la poitrine dans un étau, s'en irrite, comment à son âge… ? Il évalue mal son rôle dans une histoire dont il ne sait rien, ce qu'il doit tenir, préserver, ce qu'il pense devoir céder, abandonner à sa fille, à sa liberté, à son jugement. Quand il bifurque dans le chemin, il enclenche le crabot et progresse lentement dans les ornières emplies de neige. Un éclair bleu coupe son champ visuel, un second, il lève les yeux dans le rétroviseur Nom de Dieu ! Mais d'où ils sortent ?

Quatre phares verticaux, une calandre de Duster, une Dacia 4×4 aux couleurs de la gendarmerie avec sa rampe d'halogènes bleus qui clignotent sur le toit. Le jour se lève à peine, ils n'ont pas perdu de temps pour lui rendre visite, si tant est qu'ils viennent chez lui, mais sur ce chemin, il ne voit pas chez qui d'autre ils... Serait-ce Mathilde qui les a... ? Il essaie d'identifier les visages dans le rétroviseur, il connaît bien les gendarmes de Lanslebourg, deux d'entre eux appartiennent à la société de chasse de la vallée haute, mais avec les chaos, la distance, les reflets sur le pare-brise, il n'est pas certain de... Il dépasse les piliers moussus surmontés d'un sphinx, aucun doute, ils le suivent, ils pourraient éteindre leur gyrophare parfaitement ridicule en la circonstance, il pense à la Mercedes remisée chez lui, heureusement bâchée. Il avance, se gare devant les écuries, tâchant de masquer au mieux les voitures qui sont à l'abri, mais la Lexus de location du fils, stationnée dehors, le gêne dans sa manœuvre. Il sort du pick-up, le chien sur ses talons, qui finit par s'éloigner, flairant partout, agité, fébrile. Le 4×4 de la gendarmerie opère un interminable demi-tour sur l'esplanade, disposant le nez du véhicule face au chemin, prêt à repartir. Le conducteur coupe le moteur, les deux hommes descendent avec une lenteur appuyée du Duster comme si le temps leur appartenait, il reconnaît Edmond, lequel affiche une mine aussi sérieuse que celle de son compère, plus âgé, la barbe grisonnante, sans doute son supérieur hiérarchique. Les fronts sont soucieux, est-ce leurs yeux éblouis sur la neige à veiller où mettre leur pas sans tremper leurs chaussures ? Ils saluent François d'un hochement de tête et de trois doigts portés à la visière du képi. Ils sont vêtus de la parka bicolore réglementaire, François sourit, adopte un ton exagérément jovial pour les accueillir, s'étonne de leur visite de si bon matin. Il faudrait leur proposer d'entrer, d'accepter un café, il s'en abstient, demeure planté là, devant la boucherie. Ils parlent des neiges précoces, du griffon ramassé la veille qu'il vient d'adopter, personne sur le plateau et dans la vallée n'ignore la triste mésaventure de son Bruno du Jura, cette lamentable battue qui avait si mal tourné, Edmond y participait, il avait aidé François à porter son chien en sang jusqu'à la voiture, il le relayait, tenant sinon son fusil et sa gibecière... Argus. Son nom est sur le collier. Un pauvre griffon Khortal qui errait sur la route Oui, il boite un peu, je l'ai accroché avec le pick-up. Il raconte l'incident près du lac d'Annecy alors qu'il rendait visite à son fils... Lequel avait été aperçu dimanche sur Lanslebourg, c'est bien ça ? Oui, François confirme, c'est d'ailleurs sa voiture de location, l'agence doit passer la récupérer ce matin avec une camionnette à plateau. La neige qui s'est mise à tomber le soir où Mathieu venait dîner et dormir comme si l'on était au milieu de l'hiver en ces premiers jours de novembre, c'était impossible de repartir sans être chaussé, lui-même avait laissé la Volvo à l'abri. Quant à la Mercedes bâchée dont on distingue nettement la calandre, les phares et le pare-chocs, il n'en dit mot mais il voit bien que leur regard s'attarde sur le véhicule comme s'ils voulaient apprendre par cœur la plaque minéralogique. Il est sur le point d'évoquer Gérard comme étant le propriétaire de ladite Mercedes, qu'il aurait mené ce matin au premier train de Modane, obligé par la neige d'abandonner son coupé au relais pour rentrer sur Lyon. Il a commencé sa phrase : mon ami Gérard... puis s'est aperçu qu'il l'aurait logiquement embarqué hier au soir en partant sur Annecy pour le dépo...

Vous disiez ? Votre ami ?

Oui, Gérard m'avait pourtant prévenu. Tu pars à la chasse, mais tu vas être coincé par la neige.

Ils hochent la tête, le gradé tripote sa barbe décidément bien taillée. François parle trop. Redoutant que les gendarmes en viennent au motif qui les conduit ici dès l'aube. Comme si raconter l'adoption du griffon le dégageait de tout soupçon, l'histoire en elle-même étant suffisamment édifiante pour qu'ils repartent satisfaits, convaincus d'avoir passé un agréable moment avec un notable doublé d'un honnête homme, largement payés de leur déplacement par le récit habile, tendu, quasi littéraire de la singulière rencontre d'un conducteur et d'un chien sur la rive du lac un soir de tempête. Et, comme un fait exprès, voilà Argus qui s'approche, qui les renifle, qui se laisse caresser le dessus du crâne et les flancs, d'autant qu'Edmond a la passion des chiens de chasse, confirmant qu'il s'agit bien d'un griffon Khortal

Vous avez essayé d'appeler le numéro ?

Pardon ?

Sur le collier, le numéro ?

Bien sûr. Il n'est plus attribué.

S'il avait tout simplement dit l'avoir ramassé, errant non loin d'ici sur la D1006, il n'aurait alors pas quitté le relais hier au soir, il se serait tu sur la soirée avec son fils au Yoann Conte, Gérard serait le propriétaire de la Mercedes, pif paf, il l'aurait emmené au premier train, ce qui expliquerait qu'il soit, comme les gendarmes, si tôt sur la route. Mais il est trop tard pour regretter, et puis, tout le monde connaissant tout le monde, un chien de cet acabit, avec un collier gravé, errant de ce côté de la montagne sans avoir été repéré, était un fait hautement improbable. Bref, il s'était laissé entraîner dans une logorrhée piégeuse comme d'avancer dans une neige d'avalanche. Certes, le griffon se montre vivace, bouillonnant, se frotte aux jambes des gendarmes et de François, c'est un bon chien, il n'y a rien d'autre à ajouter. Mais entre chasseurs, particulièrement avec Edmond, on pouvait longuement broder sur la race canine, voilà tout. À combien de reprises lui avait-il confié ne plus vouloir de chien ni participer à des battues… Et l'autre, en bon compagnon de chasse, qui revenait à la charge : tu es le meilleur pour conduire une battue. On t'attend, François, avec ou sans chien. Mais il avait toujours décliné l'offre jusqu'à déconcerter les autres chasseurs qui en prirent ombrage. L'existence d'Argus donc, ne pouvait se passer de commentaires. Toujours est-il qu'ils tapaient depuis plusieurs minutes des pieds sur le seuil de la boucherie tant la brise lancinante et glacée traversait le tissu des pantalons et lacérait les visages, les inviter à venir boire un café relevait d'une espèce d'évidence... S'en abstenir trahissait une anomalie qui mettait François très en défaut, Edmond ne pouvant se permettre d'interpeller François sur un ton familier : Tu nous offres un café ? Alors qu'il était en mission, accompagné d'un gradé. Si Mathilde et Tromeur les guettaient, s'ils les voyaient se diriger vers la maison, l'autre, avec son arme de poing... Il fallait en outre tenir les gendarmes à l'écart des écuries où les voitures étaient remisées, ils étaient donc en plein vent, et n'y tenant plus, ne sachant que faire, perclus d'embarras, François leur tourne le dos, ouvre la porte de la boucherie, allume la lumière, remarque comme s'il les découvrait pour la première fois, avec le soulagement d'un homme presque noyé repérant un bois flottant où se reposer, oui, il remarque le réchaud à gaz, une casserole cabossée et noircie, le flacon de Nescafé où il reste bien de quoi confectionner un café dégueulasse dans trois verres à moutarde qu'il nettoie sous le robinet, mettant la casserole remplie d'eau à chauffer, sans même leur demander s'ils désiraient un kahoua.

Ils sont maintenant à couvert et fort heureusement ne souhaitaient pas de sucre parce qu'il n'en avait pas, sinon à la cuisine. Il dégotte même un paquet de langues-de-chat qu'il pose sur le plan de découpe. Les gendarmes ne peuvent s'empêcher d'observer les outils, la poulie, les frigos vitrés et les congélateurs regorgeant de viande, ils posent une question que François n'entend pas, leurs voix participent d'un bruit de fond dans la confusion de sa pensée, tellement soulagé de pouvoir leur offrir une boisson chaude abrités du froid. Edmond reformule la question dont il comprend cette fois les derniers mots

… des coups de feu ?

Des… ? Avec la chasse ouverte, sans doute. J'ai pas fait attention.

Vous êtes arrivé quand ?

Vendredi, pour le week-end de la Toussaint.

Vous chassez dans le coin ?

Non, vers l'Iseran, sur le versant sud-est de Bonneval, Tralenta.

Et sur la route, justement… Pas d'allées et venues inhabituelles ?

Pas spécialement.

Un gros scooter ?

En montagne ? Non, j'ai pas… Pourquoi ?

À cinq minutes d'ici. On l'a trouvé en contrebas de la C7, du côté du ruisseau de la Berche, à moins d'un kilomètre de la départementale.

Ah ? Ils ont dû déraper.

Pourquoi vous parlez au pluriel ?

Comme ça… Un gros scooter… Loin de la ville… Et alors ? Un blessé ?

Mort…

Mince… Une chute dans le ravin, avec ce temps.

Non, par balle.

Vous… Vous pensez à un accident de chasse ?

Deux morts… Plusieurs balles… Plutôt un règlement de comptes.

Non !

En fait, sont morts sur la communale. L'un d'eux à 50 m du scooter. Y avait du sang sur le bas-côté, on a retrouvé des douilles partout. Plusieurs calibres. Un vrai champ de bataille. Le scooter et les deux corps ont été traînés jusqu'au ravin de l'autre côté de la C7. Oui, 30 m de dégringolade, et avec la neige qui tombe… C'est le bûcheron de la Berche, avec son chien, qui les a trouvés. Sinon, ils y seraient encore.

Pas possible. C'est pourtant pas l'endroit pour une…

La frontière est pas loin.

Vous cherchez quoi ?

Les autres… Des pistes… On interroge. Dans le coin, vous êtes cinq maisons, on aura vite fait le tour.

C'est moi le premier ?

Oui.

Désolé. J'ai rien entendu.

Merci pour le café.

Le jour s'est levé, un ciel couvert, une lumière mate. Le chien entre et sort, inlassable, vérifiant la présence de François dans le local avant d'aller flairer dehors quelque présence animale et marquer son territoire. Ce n'est pas Edmond, c'est l'autre gendarme, l'officier, qui s'immobilise, intrigué par… Il fait une vingtaine de pas sur l'esplanade, le griffon sur ses talons, se penche au-dessus d'une large flaque noirâtre sur la neige, avec des éclaboussures, il s'accroupit, un genou à terre, ramasse une poignée de neige noire, la respire, Argus flaire avec lui, remue la queue, se tasse sur ses pattes, prêt à bondir, jappe en fixant le gendarme

C'est quoi ?

Un cerf.

Un cerf ?

Oui, abattu ici. Je l'ai débité sur place. Sa tête est chez le taxidermiste. Un beau seize cors.

Et le reste dans le congélo ?

C'est ça.

Le tirer ici ? Franchement, si quelqu'un passait…

J'étais sûr d'être seul. Et à 50 m, de pas le louper.

Il a beaucoup saigné, on dirait.

Ça, oui.

Le gendarme se redresse, lâche la neige noire, secoue sa main, l'essuie sur sa manche, observe de nouveau les véhicules, la calandre de la Mercedes, ne fait aucun commentaire, François caresse le griffon, se donne une contenance

Edmond ! On continue ? Merci, monsieur Rey. Bonne journée.

Ils s'éloignent vers leur 4×4. Toujours cette lenteur de mouvement qui vrille les nerfs, comme si les heures étaient à eux. Plus exactement comme si la vérité les attendait, qu'elle tomberait comme un fruit mûr, qu'en somme elle leur appartenait déjà.

*

Il n'attend pas, lui, que leur voiture ait disparu dans le chemin pour vaquer à ses occupations, il a déjà trop semé de soupçons durant cette pénible demi-heure. Il retourne à la boucherie, ferme la porte, récupère ses trousses de chirurgie dans le pick-up, traverse l'esplanade, ôte sur la pierre du seuil la neige qui colle aux semelles, le hall est allumé, aucun bruit ne… Il se déchausse, s'avance à droite et la découvre dans le grand salon, vêtue d'une chemise de nuit, les cheveux emmêlés, assise dans le sofa, le regard fixé sur l'âtre où traînent des restes de bois calciné sur une nappe de cendres froides. Une cigarette fume entre ses doigts. Il s'approche Mathilde ? pose la main sur sa nuque, son dos tressaille Mathilde ? il s'assoit près d'elle, lui enserre les épaules de son bras gauche Faut faire un feu, te couvrir, tu es gelée. Elle est pâle, les paupières rougies, elle respire par la bouche Mal dormi ? Elle hausse les épaules puis se frictionne les cuisses. Elle est nu-pieds sur le tapis

Je vais te faire un café, des tartines, un grand feu.

Faut le soigner.

Je m'en occupe, j'ai apporté de quoi. Mais on n'est pas à cinq minutes.

Il monte à l'étage, dans la chambre de sa fille, ouvre l'armoire, choisit un pull violet en mohair, tombe en arrêt sur le fouillis poussiéreux qui encombre, la commode où se mélangent peluches, miroirs, bijoux de pacotille, boîtes à secrets, eau de toilette périmée, photos de vacances, d'enfance… Cette vision le… Il s'enfuit, la rejoint, l'oblige à l'enfiler

Ça va déjà te réchauffer.

Ça pue.

Comment ça ?

La naphtaline, la vieille armoire, la…

Désolé, ça fait longtemps que tu n'es… Je prépare le café, tu viens ?

Oui.

Elle se dirige vers la chambre attenante au salon où ils sont installés avec Tromeur. Il observait l'autre soir la silhouette de son fils s'éloignant dans le même mouvement. Elle se retourne J'arrive. Puis tire la porte derrière elle. Il serre les mâchoires, les muscles roulent et se tendent à l'arrière des joues, il gagne la cuisine, mais en passant dans le hall, il entend Argus qui gratte et geint à la porte. Il ouvre, le griffon se glisse, se frotte à ses jambes, flaire, le suit à la cuisine où François lui verse une boîte de pâté sur une assiette qu'il dépose entre l'évier et la gazinière. Il prend les bols, les assiettes, la confiture de mûres et de framboises, met la cafetière italienne à chauffer, le pain à griller, sort le beurre du frigo, nettoie la paillasse, range la vaisselle propre, Mathilde ne l'a pas rejoint, alors il charge le tout sur le plateau et repart au salon, y dépose son fardeau puis commence de chiffonner du papier journal pour allumer un feu. Lorsqu'elle sort de sa chambre, le fagot embrase déjà l'écorce des bûches qui crépite et se tord, jetant une lumière dorée sur le parquet. Elle a revêtu un peignoir, chaussé des pantoufles fourrées trop grandes

C'est quoi ce chien ?

Argus, un griffon. Argus ! Ma fille, Mathilde, dont je t'ai parlé.

Elle s'approche de la table basse

T'as pris que deux… ? Et Loïc, il est à la diète ?

Non, je…

Elle a balancé les pantoufles et file nu-pieds dans la cuisine, la colère dans les talons, revient avec un bol, une serviette de table et un petit plateau. Verse le café, prépare des tartines beurre et confiture, puis rejoint Tromeur avec son plateau garni

Non, le chien! Pas toi.

François s'est assis au bord du sofa, le liquide brûlant lui réchauffe les mains, il a les lèvres à 3 cm de la faïence blanche, le regard abîmé dans les flammes, il attend Mathilde, ne sait plus pourquoi il est là. Elle surgit cinq minutes plus tard, une vivacité combative, elle s'assoit, se verse du café

Je t'ai pas servi, craignais que ça refroidisse.

Il souffre, merde! Ça fait des heures que…

Je m'en occupe. J'ai apporté du matériel, mais je vais travailler sur des tissus totalement enflammés, sans aucune visibilité.

Comment ça?

Pas de radio, IRM, écho, rien… Il faudrait l'hos…

C'est pas possible, on t'a dit!

Les blessures par balle, c'est pas ma spécialité.

T'es orthopédiste. Un très bon, je sais!

Spécialiste du membre supérieur. Calme-toi, s'il te plaît.

Il mord dans le pain grillé et la confiture, il n'a pas faim, se force pour arracher quelques minutes seul avec elle. Qui s'assoit dans le sofa

Depuis quand t'as pas mangé?

Un certain temps.

Un temps certain, oui. Combien de jours à vous planquer ici et là? C'est qui à vos trousses?

Il m'a pas dit.

Tu savais?

Quoi?

Que t'es avec un truand?

C'est pas un truand ! Il fait des affaires, il réussit, ça plaît pas, c'est tout. Les gens sont jaloux... On y va ? Les antidouleurs n'ont plus d'effets. Il souffre.

Il vide son bol, s'essuie la bouche, tend le reste de la tartine au griffon qui l'engloutit, prend les trousses d'instruments, la suit Non, Argus, tu restes là ! François s'arrête dans la salle de bains, inspire, se lave les mains, les essuie longuement... Lorsqu'il pénètre dans la vaste chambre, il est agressé par les odeurs mêlées de tabac froid, de fièvre, de draps tièdes, de médicaments, de plaies infectées et de foutre. Il fracture une intimité qui lui est fortement désagréable, il n'est pas à sa place, n'était le devoir de porter secours. Il règne un foutoir indescriptible : deux valises explosées au sol dégorgeant de vêtements plus ou moins chiffonnés, des chaussettes sales, des bas, un ordinateur portable et une tablette allumés sur le bout du lit, des boîtes de médicaments et des pansements qui encombrent les chevets, les tiroirs de la commode et les portes de l'armoire béants, des couvertures et des oreillers par terre, une lampe renversée, des cendriers qui débordent de mégots sur le tapis. L'homme est adossé contre deux oreillers, des mèches de cheveux collées sur le front et les tempes, une barbe de plusieurs jours, les pommettes saillantes, les orbites creuses aux reflets verdâtres, les yeux brillant de fièvre mais aussi de rage, la peau du visage est en papier mâché, grise et qui suinte, le torse est sec, la musculature maigre et nerveuse, les épaules à moitié couvertes d'une serviette éponge. Il paraît très entamé par l'infection et la douleur, mais dégage une certaine beauté, une volonté de se battre, voilée de courts instants par des élancements et le désarroi. Il affiche un sourire sarcastique quand François s'avance dans la pièce, qui peine à dissimuler son embarras, enjambant ce qui jonche le sol, ne sachant où poser ses trousses

S'il te plaît, Mathilde, va me chercher le pied à perfusion dans mon bureau. Merci.

Tromeur ne le quitte pas des yeux, jusqu'à ce qu'un nouvel élancement lui torde les traits et le regard, faisant lâcher prise à son insolence

Finalement, vous êtes venu seul.

Pardon ?

Vous avez compris qu'il vous faudrait sinon, enterrer deux gendarmes avec leur voiture.

Et il brandit son Beretta de la main droite

Vous avez repris du poil de la bête, on dirait ?

Qu'est-ce qu'ils voulaient, nos gendarmes ? Un chien s'est fait écraser ?

Non, simple visite de bon voisinage.

Mathilde est déjà de retour avec le pied sur roulettes. L'amer sourire irrigue à nouveau les traits du blessé tandis que François déplie ses trousses sur le lit après avoir prié Mathilde d'en virer le bordel qui encombre. Il sort ses poches d'antibio, d'anti-inflammatoires et antidouleur, le sérum phy qu'il accroche au pied à perfusion Votre bras, s'il vous plaît… Le gauche, oui. Fermez le poing. Fort. Il lui lace un garrot élastique entre le biceps et le coude, désinfecte l'avant-bras, cherche la veine, introduit l'aiguille, lui installe un cathéter à trois entrées qu'il fixe sur la peau avec un collant dermatologique. Il branche les tubes souples entre les poches de perfusion et le cathéter, tapote de l'index pour évacuer les bulles d'air, ouvre les accès Voilà, vous allez souffler d'ici quelques minutes. Il ramasse par terre deux oreillers qu'il glisse sous la jambe blessée hors de la couette, arrachant à Tromeur un gémissement et une suée

Je vous avais dit de la laisser haute, que le sang n'afflue pas !

On a trop bougé, toubib. Mais ça saigne plus.

Une grande serviette, Mathilde. Propre.

Le mollet reposant sur les oreillers empilés, la cuisse est surélevée, isolée du matelas, François coiffe une lampe frontale, et commence d'ôter les pansements

Tu les as refaits ?

Oui, cette nuit.

T'as trop serré… Merde, c'est trop serré… M'enfin !

Elle lui tend la serviette qu'il étale sur le drap

Tournez-vous sur le flanc droit, je maintiens la jambe… que je vois bien… à l'arrière, la plaie.

Nom de Dieu !

Je sais. Ça fait mal…

Tu sais rien du tout, t'es pas dans ma jambe, toubib !

La bande est ôtée, il enlève les compresses qui adhèrent aux plaies suintantes, les chairs dans la nuit se sont considérablement tuméfiées, elles ont jauni et bleui dans l'épaisseur de la cuisse, l'orifice d'entrée de la balle est légèrement oblique, la collerette d'abrasion est de faible largeur mais la zone hémorragique sous le derme est très importante. L'orifice de sortie dans les ischio-jambiers est étoilé, avec des lèvres évasées, celles d'un volcan par où le projectile s'est expulsé en repoussant la peau. La cuisse est tellement enflée… La balle, peut-être déséquilibrée, s'est retournée une, deux fois durant la traversée des tissus, élargissant la cavité… À moins qu'elle se soit brisée en profondeur, chaque éclat créant son propre tunnel, d'autant que le fémur est brisé. Une telle dilatation, c'est… La veille au soir, il avait identifié des esquilles d'os et de métal alors qu'il effectuait le premier lavement. Le bilan traumatique est accablant quelles que soient les hypothèses. Ne disposant d'aucune image interne, il ne sait que faire, quelle thérapie engager. Il sent sous ses doigts, à la palpation, des sortes de bulles autour des plaies, il en frémit sans dire mot

Pourquoi ça pue comme ça ?

Voulez vraiment le savoir ?

Ben tiens !

Je crains une gangrène gazeuse.

Putain, c'est quoi ?

Pour faire simple, une infection des muscles endommagés, ça produit du gaz piégé dans les tissus infectés, d'où ces bulles sous les doigts. Regarde, Mathilde, là… et là.

François pointe avec son scalpel dans le cratère à l'arrière de la cuisse

La coloration bronze, et ici, verte, noire, tu vois ?

Tromeur, sans bouger de sa position, tourne vivement la tête par-dessus son épaule, dans sa main droite posée sur son bras gauche, il tient son Beretta, la gueule de l'arme à 30 cm du visage de François

Loïc, arrête !

Vous me soignez dare-dare, doc, ou ça va mal finir.

Mathilde a bondi, elle contourne le lit, vient s'agenouiller sur les draps au côté de Tromeur allongé, lui caresse le visage

Loïc, papa est un bon, il va tout faire ! Mon amour, détends…

Tromeur l'écarte brutalement avec son pistolet

C'est pas le moment, Mathilde, dégage ! Ouste ! Alors, le chirurgien, vous faites quoi ? Hier, tout était sous contrôle ! La balle était ressortie, fallait juste recoudre… M'emmenez pas en bateau !

Je suis pas voyant. Faut examiner l'intérieur de la cuisse. Radio, scanner, pratiquer une biopsie des zones infectées pour confirmer ou non la présence de clostridies…

De quoi ?

Voir si c'est ou non une gangrène gazeuse. Très probablement pratiquer excisions et fasciotomie…

Fais chier avec ton jargon ! Expliquez ou je…

Il accompagne ces derniers mots en tirant sur la culasse du Beretta, vérifiant qu'une balle est bien montée dans le canon

Loïc ! T'avais promis…

Ferme-la, toi !… Vous écoute, beau-père.

En trois mots, je suis certain qu'il faut ouvrir…

Ta fille a dit recoudre ! Tu devais recoudre ! Qu'on a maintenant les outils pour…

Elle se trompe. Il faut élargir les plaies, ouvrir les loges pour évacuer les humeurs et diminuer les pressions tissulaires. Enlever… Oui, enlever les tissus nécrosés, souillés, qui sèment l'infection partout. Et virer autant qu'on peut les corps étrangers : fragments de balle, d'os, de vêtement… On ne désinfecte pas une balle avant usage, et elle a traversé le pantalon, entraînant toutes les saletés imprégnées dans l'étoffe…

Alors au boulot, le bon chirurgien ! Et tu cesses avec ce ton de grand sachem qui s'adresse à un débile.

Je peux pas travailler à l'aveugle dans le charnier de cette cuisse ! Il me faut des images, il me faut un putain de bloc opératoire ! Et pas cette bauge !

Il te faut ta clinique, beau-père…

Je le répète depuis votre arrivée. Et tant qu'à être dans un centre, on sollicite un spécialiste des membres inférieurs et des blessures par balle.

Tu veux la lune et on l'a pas. Débrouille-toi !

Les derniers mots sont hoquetés, Tromeur vient d'être saisi d'un nouvel élancement, son visage et son torse sont pris d'une nouvelle suée, ses paupières tremblent, François n'aurait pas imaginé une dégradation si soudaine. Il se redresse, vérifie le cathéter, l'écoulement des poches et des tubes, pince une bulle d'air. C'est le moment qu'il choisit, en dépit d'une situation qui se tend de minute en minute, c'est le moment, il n'en voit pas d'autre, il ne peut plus reculer, pour expliquer qu'il a dîné avec Mathieu hier au soir sur la rive du lac d'Annecy, ne lui ont-ils pas rendu visite la semaine dernière ? Face à l'urgence, il s'est permis d'évoquer la situation de Tromeur, et son fils s'est de suite inquiété de son état de santé, un client mais aussi un ami, n'est-ce pas ? Et même le compagnon de sa sœur. Or, ils ont ensemble des amis communs. Les... Agnelli Stern, n'est-ce pas ? Comprenant qu'on ne pouvait hospitaliser Loïc en France pour des raisons dont il ne veut rien savoir, Mathieu a téléphoné à Lausanne aux amis en question, qui ont parfaitement appréhendé l'ampleur du problème. Ils ont décidé d'envoyer aussitôt une ambulance banalisée, l'évacuant discrètement sur la Suisse où il sera soigné dans les meilleures conditions. Si la gangrène gazeuse est confirmée, ils disposent de trente-six heures avant que le processus vital ne soit engagé. L'ambulance devant arriver en milieu d'après-midi, ce soir il est opéré. Les intraveineuses lui assurent une sérieuse protection. En outre, si François lui injecte un anesthésiant local, la douleur devrait disparaître totalement. Il va de plus lui faire des nouvelles piqûres antiseptiques à même les blessures, il ne précise pas « au hasard » dans les plaies, mais de fait, il a le sentiment trouble d'appliquer un cautère sur une jambe de bois, c'est le cas de... Mathilde embrasse son amoureux sur le front, il s'agace, la repousse sèchement, souhaite s'entretenir avec Jorge

Jorge ?

Agnelli Stern. Je veux lui parler.

Comment ça ?

Au téléphone.

C'est votre ami. Vous l'appelez.

Pas avec mon portable. Pour se faire repérer... Demandez à Mathieu qu'il vous envoie le numéro. J'appellerai avec le vôtre.

François écrit un texto à son fils, puis range son matériel. Son Samsung glousse. Mathieu lui a envoyé le numéro et prie son père de le tenir informé du transfert de Loïc

Je l'appelle ?

Oui, et vous décampez. Toi aussi, Mathilde.

François compose le numéro, tend son mobile à Tromeur et sort de la pièce, suivi par sa fille qui vient d'enfiler un pantalon, un T-shirt et un pull à col roulé.

*

Le chien est vautré sur le flanc, la tête tournée vers la cheminée, François rajuste dans l'âtre les bûches fumantes, souffle sur les braises, demeure accroupi, silencieux devant les flammes qui s'élèvent, la main sur le poitrail d'Argus. Il sent le regard de Mathilde dans son dos, une quasi-brûlure entre les omoplates, il attend qu'elle parle mais elle ne dit rien, le bois crépite dans la montée des flammes, il se redresse, se tourne, elle a les bras croisés, les yeux vides, il s'approche, elle pose sa tête dans le creux de son épaule, il respire ses cheveux

Il va s'en sortir ?

Bien sûr. Il est jeune, vigoureux.

Entier ? Avec sa jambe ?

Opéré ce soir, oui. Ça devrait aller.

T'es pas sûr ?

Mais si, ça va aller, Mathilde, il…

Le marteau cogne sur le bois de la porte d'entrée, Argus se dresse, se précipite dans le hall, gronde sourdement, François s'approche de la fenêtre, ne voit rien, fait signe à Mathilde de rester dans le salon, gagne le hall Calme, Argus! Couché, le chien! Il ouvre, un homme jeune, en salopette grise avec le logo e.cars, se tient sur le seuil, tapant des pieds sur la pierre, frigorifié, le bonnet enfoncé jusqu'aux yeux

Bonjour. Je viens récupérer la Lexus. C'est bien celle devant, là-bas? Les clés sont…

Clés et papiers. Vous pouvez l'embarquer. Besoin d'aide?

Il aperçoit à l'entrée du chemin la camionnette 4×4 à plateau, il entend tourner le diesel

Merci, ça ira.

Voulez un café?

C'est pas de refus.

Je vous l'apporte. Fait froid, hein?

Le contraste avec la vallée.

Le jeune homme retourne à sa camionnette, la tête dans les épaules, le dos rond, se frictionnant les mains. Mathilde survient, elle a tout entendu

J'espérais que ce soit l'ambulance.

Va le prévenir, qu'il se mette pas à mitrailler sur tout ce qui bouge. Je refais du café…

Mathilde hausse les épaules, le même geste que sa mère, exactement. Elle fait demi-tour, nuque droite, ce mouvement de virevolte, c'est comme une gifle

… à tirer comme un furieux sur humains et animaux.

Cette dernière phrase, il n'est pas certain qu'elle l'ait… Il la fixe qui s'éloigne dans l'enfilade des pièces, qui descend vaillante dans le cercle des Enfers, il pourrait dans l'instant devenir statue de sel, amas de cendres. Il marche, se retrouve dans la cuisine, dévisse dans l'évier la cafetière italienne, la rince, la remplit d'eau et de café, la remet sur le gaz, il est planté devant le fourneau, il attend que le café monte, il n'attend rien, il est juste calé en appui dans une durée, celle de l'eau qui va chauffer pour monter sous pression dans la cafetière et traverser la mouture fine, se déversant en café dans le compartiment supérieur, il fallait y penser... Il faudrait diluer l'angoisse qui le fige, incapable qu'il est de recouvrer une quelconque cohérence, alors que se répand en lui comme dans une fosse à lisier les idées les plus morbides, les intentions les plus malfaisantes, le scellant à une place qu'il n'a jamais imaginé occuper un jour. La noirceur l'envahit et l'infuse, la cafetière chante, le café est prêt. Il s'ébroue, éteint le gaz, soulève le couvercle, remue le liquide brûlant, prend trois tasses sur l'égouttoir, en remplit une, s'assoit, la saisit par l'anse, approche ses lèvres et souffle sur la surface noire qui fume... Tu boites presque plus, t'es guéri, toi ? Argus a posé la tête sur sa cuisse, François sent dans sa paume les poils frisés du griffon dont il caresse le crâne C'est pas tout ça, faut lui donner son café. Il remplit une autre tasse, met la soucoupe en couvercle, se vêt chaudement et sort dans la lumière sourde d'un ciel embrouillé. Le froid est plus sec, plus minéral, très au-dessous de zéro avec ces bourrasques de vent soudaines qui rabotent la peau, coupent la respiration. Il se hâte sur l'esplanade, accompagné d'Argus qui flaire et trace en tous sens, prêt à s'élancer aux trousses d'un gibier. La dépanneuse est garée devant la Lexus, le plateau incliné jusqu'au sol. L'homme manœuvre le treuil électrique, le câble accroché à l'anneau de remorquage tracte la voiture dont l'avant est déjà engagé sur les traversines. Quand François le rejoint, le véhicule est en place, l'homme remet le plateau à l'horizontale, actionnant un vérin hydraulique qui grince entre les longerons. Il installe de grosses cales en caoutchouc sous les roues de l'auto, François lui tend son café

Vous avez pas traîné.

Merci.

Il boit vite, le regard perdu sur les arbres alentour, les mains en creux pour tenir sa tasse et réchauffer ses paumes.

Pas de problème ?

Non.

Pour la facture ?

Pas moi. Directement sur la souche CB. Et la facture suit par mail.

Vous allez où ?

Lyon. Je file.

L'homme paraît plus que pressé. Il reste du café dans la tasse qu'il tend à François, ouvre la portière, se hisse dans la cabine surélevée du 4×4, salue d'un vague geste de la main et démarre. Le dépanneur avait froid, il est sans doute sous pression avec des horaires serrés pour le retour du véhicule à l'agence, il redoute les chutes de neige annoncées, mais au-delà de sa précipitation, c'est de la peur que François croit déceler dans son comportement. Ses yeux balaient l'esplanade, la lisière de la forêt, il n'y a pourtant que le vent par moments qui poudroie l'air d'une fine poussière de glace poncée dans les frondaisons, aucun loup, aucun grizzly prêt à surgir d'entre les arbres. La place devant les écuries est à présent dégagée, il grimpe dans le pick-up qu'il vient ranger à la perpendiculaire des autres voitures pour les dissimuler au mieux, le flanc droit du Ford à 30 cm des pare-chocs. Satisfait du résultat, il enlève la clé de contact, jette un œil sur sa Volvo et la Mercedes Nom de nom ! Il est secoué d'une sorte d'effroi, c'est une catastrophe dont il se sent responsable, quelque chose d'irréparable qu'il n'a pas eu l'attention de conjurer, arpentant à rebours la matière du passé immédiat, un geste de pure impuissance... Il sort du Ford, les yeux rivés sur la Mercedes, essayant de mesurer à quelle distance les choses frappent par leur évidence, les choses c'est-à-dire les impacts de balle dans la carrosserie, précisément dans la portière conducteur, et puis les maculatures d'une ou de plusieurs mains ensanglantées sur ladite portière, la vitre et le pavillon du toit, parce qu'une foutue bourrasque de vent s'engouffrant sous l'abri a fait glisser, choir la bâche qui dissimulait tout ça. Impossible de ne pas voir quand on se tient entre la dépanneuse et la Lexus qu'il faut arrimer au câble, on aurait voulu composer une scénographie de meurtre, on ne pouvait mieux faire. Il s'avance, repart à reculons, inlassablement, dans l'intervalle d'une douzaine de mètres entre le lieu de remorquage et la Mercedes sous abri, évaluant la visibilité, une poule qui aurait trouvé un couteau, jusqu'à s'en arracher un bref éclat de rire au souvenir du jeune type ne finissant pas son café soi-disant trop chaud, alors qu'il devait suer la peur, assuré d'être la prochaine victime si l'on découvrait qu'il savait. De là cette précipitation panique à vider les lieux. Si le garçon a la mauvaise idée de prévenir les gendarmes, ils seront ici dans moins d'une heure. Quand Mathilde avait voulu bâcher la voiture la nuit dernière, il n'avait remarqué ni les impacts dans la portière, ni les traînées de sang sur la peinture qui lui sautaient maintenant aux yeux. Il a ce geste alors irrépressible de prendre dans la boucherie une éponge et un seau d'eau pour tenter d'effacer ces empreintes, astiquant nerveusement la carrosserie, trop tard, dérisoire. Il remet la bâche en place qui couvre du milieu du capot jusqu'à la malle arrière, y pose de lourdes bûches aux quatre coins pour l'arrimer sur la voiture, installe la brouette devant la plaque minéralogique. Il récupère tasse et soucoupe et s'en retourne vers le relais, il est presque 10 h 30, il réalise qu'il ne suffit pas d'évacuer Tromeur, il y a sa saloperie de Mercedes à dégager au plus vite. Il est sûr que Mathilde va suivre son Loïc dans l'ambulance, qu'il ne pourra la retenir ici, l'idée qu'elle ne veuille sortir du cercle maudit, c'est une hache qui... Parcourir l'esplanade revient à traverser un marécage, il n'y a que le chien pour y gambader tel un chiot en folie. Ils entrent, rejoignent la cuisine, Mathilde est assise, elle boit un café, lui tend son Samsung qu'elle a récupéré

Alors ?

Alors quoi ?

Il a vérifié l'info ? Manifestement, c'était ça qui…

L'ambulance est partie. Seront là vers 13 h.

Le bloc opératoire ?

Genève, finalement. Tout est prêt.

Bien. Et toi ?

Quoi, moi ?

C'est le moment de prendre tes distances, non ? Au moins le temps qu'il…

Ça va pas ? C'est maintenant qu'il a besoin ! Je dois être là. Je dois !

Son père ne comprenait décidément rien. Elle aime Loïc. Passionnément. Après tous ces bras cassés, ces nuls qu'elle a connus… Elle parle comme une femme d'âge mûr qui connaît les hommes, c'est ridicule. Il s'abstient.

Il m'a révélée !

Comment faire de l'argent par n'importe quel moyen ?

Elle hausse les épaules, lui jette un regard assassin

Quelle révélation ? Quelle… ?

À l'amour.

Ah ?

Arrête avec ton mépris !

C'est toi plutôt qui es… À l'amour, dis-tu ?

Parfaitement. À l'ivresse du sentiment. Et puis aux sens ! Au sexe ! À la pornographie, au stupre, si tu veux sav…

Ça ira. C'est bon !

À moi-même !

Pardon ?

Il m'a révélée à moi-même. J'existe. Je suis plus la chose d'un jules ou des parents…

Des parents ?

C'est ça. Un chien en laisse. La mère qui veut que je sois son calque. Le père qui m'exhibe, fier, comme une bête de concours…

Médecine, ma chérie, quand même.

Très drôle.

C'est un truand. L'argent qu'il brasse à son âge, au vu de son parc automobile, ça se trouve pas sous les sabots d'un cheval !

M'en fous ! Tant mieux s'il vit dans des palais, me couvre de cadeaux ! Il est classe.

L'argent, Mathilde, rend la classe facile, allonger les billets n'est pas un exploit de l'imaginaire.

Le fric ! Tu vois que ça, ma parole ! Je te parle de mes sentiments et toi… J'oubliais que l'amour, c'est pas ton truc.

De quoi tu… ?

Fais pas l'innocent.

Comprends pas…

Si, tu comprends ! Tes maîtresses, tes histoires de cul ! Lyon, c'est une petite ville, tout se sait. On peut pas dire que tu te caches beaucoup d'ailleurs. Combien de fois tu l'as humiliée, maman ? Combien ? Qu'elle s'est barrée dans sa mystique de bazar… la pauvre. Enfant déjà, je voyais bien tes façons avec elle. Ça me révoltait !

Et les façons qu'elle avait avec toi, ça te perturbait pas ?

Mais ? De quoi tu parles à la fin ?

De rien. J'aime pas ton grand déballage d'automne, Mathilde…

Putain ! Mais c'est toi qui oses me conseiller, rien que ça, de prendre mes distances avec Loïc ! Alors que toi avec maman...

Primo, je n'entrerai pas dans les détails, mais tu te trompes gravement sur ta mère et moi, on s'aime, Mathilde...

C'est ça, oui.

Tertio, ça ne te regarde pas.

T'as sauté une ligne, là.

Pour reprendre la conversation où ils l'avaient laissée, il ne lui parlait pas d'argent, justement, mais comme elle avançait l'idée de classe, il lui parlait d'imaginaire. Qui nécessitait des qualités de comportement, d'attention à la vie, de trouvailles du quotidien, le partage d'un ciel, d'une lumière, d'un parfum, qui échappaient à des scénographies du bonheur simplement arbitrées par l'importance des sommes engagées, dont le luxe, toutes les formes de luxe, était la sainte icône pathétique. Le recours au chiffrage monétaire relevait d'une telle pauvreté d'esprit, d'un tel déficit onto...

Tu vis pas dans l'argent, là, peut-être ? Dans le luxe ?

Trop sans doute, tu as raison. Mais ce n'est pas du tout à la même échelle, ni sur la même durée. C'est le résultat du travail d'une vie, d'une compétence manuelle. Je suis un artisan. Et j'ai 56 ans, ma chérie, pas 25...

29. Il est plus doué que toi, alors.

Comme orthopédiste ?

Décidément, quel humour.

Je veux dire, il a un métier ? À part manier le flingue ?

C'est faux ! C'est un homme d'affaires. Il travaille beaucoup.

C'est commode. Faire des affaires. Ça évite d'entrer dans les détails. Acheter, vendre, fusionner, absorber, assécher, ruiner, ouvrir, fermer, démembrer, revendre. C'est dur, comme métier…

T'es dépassé, mon pauvre papa.

Pas toi, ma chérie ? Votre situation n'est pas des plus…

En parlant d'homme d'affaires, Mathilde aussi avait sauté une ligne, il pensait à cette douloureuse question du bouquet d'actions dans le capital de la clinique, qu'elle avait cédé à Loïc Tromeur sans le consulter.

Elle marqua un blanc. Puis lui rétorqua que c'était bien la preuve de la hauteur de son ambition. Loïc avait la passion de la médecine depuis l'enfance

Il faut qu'il reprenne ses études alors, qu'il devienne médecin…

Tu me laisses finir ?

Loïc voulait aider ce secteur, soutenir la recherche. C'est son but. Son œuvre. Oui, soigner les gens, tout simplement. Les actions de Mathilde, c'était une opportunité, Mathieu l'avait vivement encouragée à les lui vendre

Mathieu ?

Oui, Mathieu. L'argent récupéré dans cette cession serait réinvesti dans des segments beaucoup plus rentables, labos pharmaceutiques notamment, qu'il allait s'en occuper, que sa petite sœur serait à l'abri, définitivement. Et puisque Loïc désirait financer la recherche médicale, c'était une opportunité pour tout le monde

Sans m'en dire un mot ?

J'allais le faire.

Une fois que c'était fait.

J'allais t'expliquer !... Ils iraient tous deux, Loïc et François, main dans la main, l'un apportant les fonds, l'autre son expertise. Une image d'Épinal en somme. Loïc, Mathieu, Mathilde et leur daron marchant sur la plage, bras dessus bras dessous, contre le vent, dans le soleil doré d'une fin d'après-midi, dans la rumeur des vagues, des rires plein la face. De quoi fonder une sacrée famille à défaut d'une sainte...

Le téléphone sonne dans la salle à manger. Ils sursautent. Se regardent comme s'ils étaient traqués. Mathilde pose la main sur l'avant-bras de François, renverse sa tasse à moitié vide

Non !... Qu'est-ce que tu fais ?

Je vais répondre.

T'es sûr ?

J'ai croisé les gendarmes ce matin, suis censé être là. Je décroche, c'est normal. Essuie, ça coule par terre.

Il se hâte vers le téléphone... C'est Antoine, qui doit prendre plusieurs décisions pour la tête du cerf, qui demande à François de passer à l'atelier. Il regarde sa montre, l'ambulance est là d'ici trois heures au plus tôt, il peut venir maintenant. Il retourne dans la cuisine, Mathilde s'est servi une autre tasse, elle est loin dans ses pensées, le café fumant devant ses lèvres

Tu viens avec moi ?

Où ça ?

Chez Antoine.

Antoine ?

Le taxidermiste.

Pour quoi faire ?

Il veut me voir pour le cerf.

Non, je reste, si Loïc…

Tu dis qu'il s'est assoupi. Viens, ça te changera…

Antoine, le cerf, franchement, j'en ai rien à…

D'accord. D'accord. Je suis là dans une heure, je te ferai à déjeuner.

*

Le vent a lavé le ciel, le soleil embrase la neige, les frondaisons vernissées, les taillis faïencés. La température négative a figé le paysage dans un silence glacé, une apnée, un cristal où les oiseaux ne savent où se poser, une nature qui les piège en silhouettes de givre et de viande congelée. La communale qui conduit chez Antoine est uniment blanche, tachée dans le creux des virages et à l'ombre des résineux de larges plaques de verglas d'un gris translucide. Il lui faut dix minutes pour atteindre le Hameau de la Fema où coule le ruisseau de la Berche. Il se gare à 30 m de la bâtisse où Antoine vit depuis son veuvage. François caresse la tête d'Argus T'es sage, toi, tu m'attends là… Il entre dans la première salle largement vitrée, accueilli par une cinquantaine d'animaux, oiseaux, poissons, petits et grands mammifères, dont un cerf, trois mouflons, deux bouquetins, une loutre, deux castors, une hermine, François tombe en arrêt devant un lynx, une espèce normalement protégée et interdite à la naturalisation. Antoine débouche de l'atelier, grand, maigre, légèrement voûté, une casquette de tweed sur son crâne chauve, qui s'essuie les mains dans un chiffon exhalant une odeur mêlée de trichlo, d'acétone, de colle liquide

Salut, François. T'as fait vite.

Incroyable, ton lynx.

C'est une commande du musée de Lyon.

Il se tient sur une branche d'arbre, à 1 m 50 de hauteur, prêt à bondir, le regard tendu vers la proie qu'on lui suppose. À l'exception de trois têtes de cerfs élaphes et d'une de sanglier accrochées sur le mur, les animaux ont été naturalisés entiers, dans différentes postures, avec un socle qui reconstitue un sol naturel plus ou moins forestier ou minéral. François est impatient, dispersé, lui qui s'attarde habituellement sur les attitudes et les expressions étonnamment exactes alors qu'elles relèvent d'une complète reconstitution, avec des moulages polystyrène qu'Antoine coule puis façonne lui-même. Crayonnant d'abord croquis et dessins à partir de photos, qu'il peint parfois, qu'il transpose ensuite en trois dimensions, de la miniature en argile jusqu'à la taille réelle en mousse polymérisée, pour les revêtir de la fourrure ou du plumage des animaux conservés, là où commence à proprement parler son travail de taxidermiste

Ta salle d'expo, vraiment! C'est nous les fantômes. Tu voulais me voir?

Suis-moi.

Ils traversent la grande salle où les regards en verre de Bohème s'appesantissent sur eux, François pénètre dans le spacieux atelier où plusieurs rapaces et une marmotte sont en préparation sur l'établi et sur des piètements. Un faisan, avec une tête d'un bleu outremer parcouru de reflets verts phosphorescents, ailes déployées, est presque achevé, suspendu par un fil dans les airs, ses rémiges écartées par le vent sur lequel il semble s'appuyer. Les murs sont couverts d'étagères qui fléchissent sous le poids des outils, des bocaux de peinture, des bidons, balles de raphia, bobines de fil classées par couleur, ébauches de moulage, outils de couturier, de tapissier, petites ponceuses, scies sauteuses, sèche-cheveux, agrafeuses, pistolets à clous, aspirateurs de table, tout s'entasse dans un chaos dont seul Antoine connaît le plan. Ils continuent jusqu'à la dernière pièce où sont installés des bacs de pré-tannage et de tannage

C'est bien la première fois que tu me demandes une naturalisation, je me trompe ?

Non.

J'ai commencé à y travailler.

Déjà ?

J'ai même passé la nuit dessus. À l'écharner. Ce matin, je l'ai mise en bain. Plus on attend pour la peau, plus les bactéries s'y développent, mauvais pour le poil.

Dans cette sorte de hangar attenant, les odeurs de peau, d'alun, de sels de chrome, de silicone et de résidus de chair putréfiée sont suffocantes. Antoine enfile un gant de caoutchouc épais, plonge sa main dans un bac, saisit une peau qu'il soulève, elle ruisselle hors du liquide sombre de décantage

La voilà.

C'est mon cerf?

Oui. Le pelage est splendide. Avec cette fourrure de la période du brame.

Et la tête?

Dans la chambre froide. J'ai déjà découpé la calotte crânienne avec le panache...

Le...?

Les bois, pardon. C'est le fils, avec son parler québécois... Le panache!

François prit alors des nouvelles de Martin, parti au Canada exercer le métier de son père, au nord de Montréal, en des contrées écartées où son travail portait sur des animaux plus conséquents, et où sa compétence était mieux reconnue. Le père et le fils sont proches, soudés par leur activité commune et passionnée Il va bien, merci. Je vais être à nouveau grand-père... Oui, une petite fille. Ce qui avait définitivement tissé des liens d'étroite amitié entre les deux voisins, c'était l'intervention de François auprès de Martin, alors âgé d'à peine 18 ans, en vallée où le jeune homme ramassait le fourrage pour son grand-père, fermier éleveur à l'époque, du côté de Lanslebourg. François, par chance, se trouvait au relais quand son voisin, Antoine, avec qui il partageait parfois des chasses à l'affût, échangeant de longues heures en murmure, dissimulés sur une tour de guet, à propos d'anatomie humaine et animale, Antoine donc, avait surgi au relais ce mardi en tout début d'après-midi, pâle comme un spectre, à ne plus pouvoir articuler une phrase cohérente : c'est Martin ! La machine ! À la ferme. François avait emporté sa trousse de secours, son téléphone, ils avaient couru jusqu'à la Niva d'Antoine, ils avaient dévalé la départementale, bifurqué sur la ferme avant le pont sur la rivière de l'Arc qui mène au village, c'était la fin de l'été, une chaleur lourde, étouffante, il fallait en toute hâte ramasser le fourrage avant qu'il ne brûle sur pied, la communale ondulait entre les parcelles sur le versant de l'Arcelle-Neuve, ils avaient aperçu le pré de loin, doucement incliné vers la rivière après un grand hêtre, le tracteur et l'andaineuse arrêtés au beau milieu, et deux, trois mètres derrière, assis dans l'herbe coupée, jambes écartées, le dos voûté, ce qui devait être Martin, avec une autre silhouette, celle d'une femme aux cheveux blancs neigeux en châle et tablier, sa grand-mère très probablement, penchée sur lui, tenant sa tête entre ses mains, et le vieil homme sec, tordu d'arthrose, les reins encore ceints d'une étoffe de force en tissu grège, qui avait repéré le 4×4 d'Antoine, qui agitait sa canne, le grand-père qui était heureusement là au moment de l'accident, qui était parvenu à poser un genou sur le marche-pied du tracteur, à se hisser à la seule force de ses bras pour atteindre le tableau de bord et la clé de contact, y tâtonnant à l'aveugle, incapable qu'il était de se tracter plus avant, à bout de souffle mais résolu quoi qu'il arrive, jusqu'à risquer de s'en déchirer le myocarde qu'il avait fragile, à tourner cette foutue clé de contact nichée entre différents voyants, la pulpe de ses doigts avec le temps moins subtile au toucher, palpant néanmoins le porte-clés, un mou-flon miniature en bois peint qui pendait sur la paroi du tableau de bord, il fallait que pouce et index gravissent encore 4 cm pour saisir la tête de clé caoutchoutée noire, prenant son élan comme s'il sautait la gorge d'un torrent, les griffes acier du marchepied labourant son genou maigre, entamant l'épiderme et lui écrasant la rotule. Il s'élança une dernière fois, forçant l'extension du bras, la coiffe de l'épaule pourtant douloureuse, forçant l'étirement de son dos depuis longtemps voûté, l'échine racornie, accrochant la foutue clé en tenailles avec l'index vers le haut et le pouce vers le bas, accrochant la tête en caoutchouc d'un diamètre pas plus gros qu'une pièce de 2 euros, afin que sa main pivote d'un demi-tour dans le sens inverse des aiguilles d'une montre, pour qu'enfin le contact soit coupé, que le moteur tousse, s'ébroue, s'arrête, le cardan au centre de l'attelage également qui entraînait le mouvement rotatif des soleils métalliques. Alors il se laissa glisser au bas du tracteur, asphyxié, s'écorchant les côtes sur ce marchepied de malheur, sachant qu'il fallait encore trouver des forces pour contourner l'engin, se mettre à quatre pattes pour décrocher le bras de Martin des rayons d'un soleil, puis, enfin, alerter les secours. Le fils d'Antoine, tout à fait hagard, une fois dégagé de sous l'andaineuse, réussit malgré tout avec son bras valide à extirper son portable de sa combinaison de travail, sélectionner le numéro de son père et l'appeler à l'aide, tandis que son grand-père, agrippé d'une main à l'un des soleils de la machine et de l'autre à sa canne, tentait de se relever. Martin put ensuite parler au téléphone à sa grand-mère qui était à la ferme, 400 m plus loin, avant que de sombrer dans un état d'engourdissement, contemplant les nappes de sang, lentes et successives, qui s'écoulaient le long de son avant-bras et dans sa main inerte, un spectacle anatomique sur une partie du corps qui n'était plus sienne, sans aucune espèce de douleur. Antoine avait viré dans le chemin par la barrière ouverte sans presque ralentir, la voiture bondissant dans le pré tel un pois sauteur, pilant à 10 m de son fils, Antoine et François sortant d'un même élan de l'auto. Martin assis dans l'herbe donc, hébété, tout à fait anesthésié, son avant-bras qui pendait telle une branche morte à l'articulation du coude, la grand-mère avait pris soin de mettre son châle à présent ensanglanté sur le bras de Martin pour lui en dissimuler le tableau, il ne fallait pas être chirurgien orthopédiste pour mesurer l'ampleur des blessures, François avait aussitôt remis le tissu en place, posant un garrot au-dessus du coude Téléphone, bon sang! Téléphone! Mais la connexion, quinze ans plus tôt, était souvent mauvaise, incertaine avec les portables, ils étaient remontés en voiture, Antoine avait foncé jusqu'à la ferme, bousillant une barrière au passage qu'il n'avait pas eu la patience d'aller ouvrir à pied, François avait joint le centre de secours de haute montagne, il connaissait bien le médecin urgentiste, il l'avait convaincu d'envoyer l'hélico de la gendarmerie qui s'était dix minutes plus tard posé dans le pré, les hélices couchant l'herbe comme un courant d'air forcené raserait étrangement le sol, faisant s'envoler, telle une nuée de typhon ou d'apocalypse, les herbes à faner déjà fauchées l'avant-veille. De l'hélico avaient jailli le confrère médecin et un gendarme sauveteur portant la civière, se précipitant, courbés, dans un nuage de poussière et de pluie végétale. Ils avaient vérifié le garrot autour de l'artère humérale, allongé Martin sur le brancard avec ce maudit avant-bras mort qu'il ne fallait pas laisser prendre du ballant, encore moins pendre dans le vide. Fort heureusement, François était là pour les seconder, tant le père et les grands-parents s'agitaient en tous sens sans savoir pourquoi, des possédés atteints d'une gesticulation vaine au beau milieu de ce pré maudit, Antoine vitupérant son père d'avoir laissé Martin retourner l'andain sous prétexte que l'ouvrier agricole était malade, qu'il fallait au plus vite rentrer le fourrage, que Martin s'était aussitôt proposé de faire le travail alors qu'il maîtrisait insuffisamment le matériel agricole, ils avaient décidé en douce, le grand-père et le petit-fils, et voilà le... L'irréversible cat... Une fois Martin installé dans l'hélicoptère, l'avant-bras enveloppé de glace, le bras de pansements antiseptiques et compressifs, lui-même d'une couverture de survie alors que la température de son corps déclinait à 36° avec une tension effondrée, une fois Martin dans l'hélico donc, le gendarme était resté sur place avec Antoine et les grands-parents, vu l'exiguïté de l'appareil où se serraient déjà l'urgentiste, Martin et François, lequel les avait convaincus de rallier Lyon plutôt que Grenoble, étant déjà intervenu dans des cas similaires, suffisamment assuré de ses compétences

pour être intimement persuadé de devoir, de pouvoir l'opérer lui-même. Ce qu'il fit une heure plus tard dans de bonnes conditions, parvenant à aligner les deux morceaux du radius, à y installer une broche, à recoudre muscles et tendons, penché sur la table d'opération pas moins de quatre heures, comme si, pour une raison qu'il ne s'expliquait pas, il y jouait sa vie. Redoutant cependant que l'important réseau nerveux qui passe dans le pli du coude pour irriguer l'avant-bras et la main ne soit trop endommagé et qu'il subsiste un handicap moteur. Après deux mois d'immobilisation sous attelle, et six mois de rééducation, Martin avait recouvré l'usage entier du membre supérieur, on déplorait encore un an plus tard une légère déformation musculaire de l'avant-bras, un épiderme plus plissé avec des aplats lisses et luisants le long de la cicatrice et une légère déficience dans la rotation du poignet, des séquelles qui s'amenuisèrent au fil du temps...
François s'étonne d'un tel débordement du souvenir, le sauvetage de Martin, l'opération de son avant-bras alors qu'il est juste question de prendre de ses nouvelles, d'accuser réception de la naissance prochaine d'une petite fille et du bonheur d'Antoine d'être de nouveau grand-père. Est-ce le sentiment qui le submerge, qu'il détenait alors, lui, François, une puissance effective, une clairvoyance, une capacité aujourd'hui perdues ?

T'as l'air songeur. C'est la peau du cerf qui te... ?
Ah, non.
Il fixe la fourrure trempée qui dégoutte au-dessus de la cuve, la main gantée qui la retient hors d'eau

Ça pèse, non ? Antoine la laisse sombrer lentement dans le bac

Tiens, faudra que je te montre les photos. Martin a naturalisé un ours polaire, tu vois la masse ?

Il a ôté son gant, il ouvre la porte, s'efface

Viens, on retourne à l'atelier. Tu sais, mes bêtes, j'ai l'impression de leur redonner vie. C'est... c'est une dévotion.

À ce point ?

J'ai jamais tué un animal pour le naturaliser ! Ça a commencé gamin quand j'ai voulu ressusciter un geai trouvé mort de froid au pied d'un arbre... Je pense toujours aux momies d'animaux, un véritable culte des morts chez les Égyptiens...

François n'écoute plus, son attention flotte, il songe qu'il a engagé toutes ses forces dans la renaissance d'un animal qui devenait insidieusement sien, comme si le cerf participait subrepticement de sa propre filiation. Le geste du tueur avait coupé court à sa mythologie... Oh, François, t'es pas obligé de répondre. Cool ! Mais François s'efforça de balbutier quelques mots à propos de son impulsion incontrôlée de rendre un culte à cette bête sans en avoir trouvé la forme. Il regrette, il aurait dû lui apporter entier, il en aurait fait don à un musée d'histoire naturelle. Il regarde sa montre

Dis-moi, Antoine, je suis venu vite mais je dois filer aussi vite.

Bon, alors je t'explique. Avant que ça parte à l'équarrissage, je vais entamer le moulage de la tête et de l'encolure. Tu veux quel port ? Tête droite, frontale ? Tournée sur un côté ? Et quelle expression ?

Écoute, tête dressée, bien sûr, mais… tournée sur le côté droit. Une expression étonnée, surprise, de l'effroi… Et quelque chose comme une désillusion, une… déception. Profonde! Le sentiment d'une trahison, en fait.

Antoine a légèrement relevé la visière de sa casquette de tweed, il se gratte le haut du front avec l'extrémité du majeur et de l'annulaire, envahi d'une perplexité qu'il essaie de masquer sous l'amorce d'un sourire compréhensif, presque tendre, alors que François réalise la démesure contenue dans sa réponse. Antoine roule une cigarette, il entend bien ce que désire son voisin et ami, sa réponse est précise, il va s'y atteler par le dessin et la peinture, avec l'aide de photographies, il existe en effet de ces expressions fugitives sur la face des bêtes, ce sera pour Antoine un très beau défi

Finalement, j'ai déjà un bout de réponse.

Comment ça?

Pourquoi tu veux le naturaliser… T'étais pas dans ton assiette hier.

Hier?

Oui, quand tu me l'as apporté, au débotté…

Promis, je te raconterai, il n'y a qu'à toi que je peux… mais là, faut que je file.

Vas-y. Je vais pouvoir avancer le travail.

Ils traversent dans l'autre sens l'atelier et la salle peuplée d'animaux

Au fait, t'as eu la visite des gendarmes?

À l'aube, oui.

Bizarre, tout ça. Tu te souviens des coups de feu à la nuit tombée? Je t'ai demandé si c'était ton cerf… C'était vraiment tout près, tu sais ? Ben, ces coups de feu, figure-toi, ce serait un règlement de comptes, au dire de nos limiers régionaux. Remarque, deux types truffés de balles dans un ravin avec leur scooter…

Oui, pas besoin d'être Sherlock.

Dans notre trou perdu, c'est farfelu, non ?

On dirait.

D'ailleurs quand j'y pense, ça ressemblait pas à des coups de fusil.

Antoine décroche une parka au portemanteau de l'entrée, il sort sur les pas de François, la glace cède et se fend telle une vaisselle de faïence. François lève la tête

Ça se couvre.

Oui, et vu d'où ça vient, la neige arrive.

Ils approchent du Ford

T'as un nouveau chien ?

C'est récent. Hier soir.

François ouvre la portière, l'animal jappe, se trémousse, bondit du pick-up

T'as bouclé ?

Oui, t'inquiète.

Je voudrais pas qu'il t'égorge tes animaux en vitrine.

C'est préférable, oui.

Et tes beagles ?

Sont derrière, dans le chenil.

Je connais mal ses réactions.

Un griffon Khortal, en plus ! Qu'il est beau. Tu n'auras que des satisfactions. Toi qui voulais plus de chien.

J'ai craqué… Allez, Argus, en route. Viens, je t'aide.

Il soulève le chien sous le ventre, l'installe à l'arrière, les griffes de ses pattes cliquètent sur le tapis de sol caoutchouté, il pose sa gueule sur le siège passager, François ferme la portière

Au fait, Florence, ça va ?

Bien ! Elle a un nouveau poste, l'hôpital pour enfants à Chambéry, elle est sur un nuage.

Bonne nouvelle. Je rentre sur Lyon ce soir. À bientôt ?

François s'installe au volant, Antoine est appuyé, les coudes sur la portière, il tourne la tête

Encore de la visite ? Ça n'arrête pas ce matin. Quand c'est pas les gendarmes, c'est…

Ton vieux pote.

Mon vieux pote, je lui demande de venir, c'est différent. Mais là, je…

François regarde dans son rétroviseur, remarque une calandre de gros SUV gris mat anthracite

Tu connais ?

Pas que je sache… Allez, bon retour sur Lyon.

François recule de quelques mètres, fait demi-tour, agitant sa main au travers du pare-brise, croise l'imposante Alfa qui roule au pas, dont il vient d'identifier la griffe, un nouveau modèle de la marque, une Stelvio, il ne connaît pas. Les vitres sont fumées, il ne distingue rien du conducteur ni des passagers, c'est une immatriculation luxembourgeoise. Il continue sa route, jette un dernier coup d'œil dans le rétroviseur avant le premier virage, le SUV s'est arrêté à la hauteur d'Antoine, la maison s'efface derrière une congère, François lui téléphonera du relais, vaguement inquiet... Son voisin et ami est un personnage fantasque, un fils de paysan de la vallée haute, autodidacte, excellent taxidermiste, un original comme ils disent ici, certains dans la société de chasse l'appellent l'artiste, mais on le respecte pour la qualité de ses naturalisations. Son épouse, Ingrid, qui s'était imposée comme guide de haute montagne dans une profession d'homme, était très aimée, sa réputation solidement établie dans l'ensemble des massifs alpins. Elle avait été emportée sur un glacier dix ans plus tôt, en cordée, le client avait glissé puis paniqué, incapable de planter son piolet dans la pente de glace, les crampons des chaussures cherchant l'accroche et l'arrêt. En moins de trois secondes, la vitesse devient vertigineuse. Elle seule, lame du piolet fichée dans la glace, main droite grippée sur la panne de l'outil, n'avait pu les stopper dans la glissade qui les menait vers l'à-pic des 320 m, à l'extrémité du glacier de Strahlhorn. C'est du moins le récit qu'en avait donné un autre guide qui montait derrière eux, à cinq minutes, avec deux clients, demeuré impuissant, médusé, voyant ces formes confuses et colorées dévaler sous ses yeux comme les pierres d'une avalanche, sinon que c'étaient des corps, une guide qu'il estimait, il avait la voix qui tremblait, il s'interrompait, il parlait par saccades, il avait lancé l'alerte. L'accident s'était produit moins d'un an après l'installation de Martin au Canada. Florence séjournait alors chez son frère, ils avaient pris le premier avion de Montréal pour Lyon, ils devaient arriver le lendemain à la Fema, François avait promis à Antoine d'être là aux premières heures du jour afin de l'assister lorsque les enfants arriveraient par le chemin, qu'ils s'embrasseraient avec des mots et des gestes désertés, qu'ils entreraient dans une maison devenue sépulcre pour se confronter au gisant de leur mère. François était donc avec Antoine, ils avaient bu le café dans l'aube violette, ils s'en retournaient dans la grande salle pour attendre l'épreuve des retrouvailles, mais François avait surpris, s'approchant du cercueil à présent ouvert, le visage tout à fait recomposé d'Ingrid, sa chevelure d'un blond vénitien dénouée, libre, son sourire radieux, ses traits profondément redessinés alors que la chute l'avait partiellement défigurée sur le côté droit. Antoine connaissait bien les muscles faciaux et il avait eu l'extrême courage de remodeler le visage de l'aimée, qu'il avait certes légèrement tourné sur le côté endommagé, refusant néanmoins de l'abandonner à la compétence du thanatopracteur qu'il jugeait insuffisante Mais... les yeux, Antoine, tu es sûr ? François concevait mal qu'il pût, quand bien même la couleur et la lumière des verres de Bohême fussent exactes, pourvoir Ingrid d'un regard. Lui, le chirurgien qui réalignait les squelettes, recousait les muscles, réinsérait les tendons, trouvait en cette reconstitution quelque chose de sacrilège

Que les enfants la découvrent joyeuse, tu saisis ?

Mais elle est morte, Antoine !

Il répondit, un peu hésitant, qu'elle avait choisi de mourir à l'intérieur de sa passion, il avait bien dit « à l'intérieur » plutôt que de maladie ou de vieillesse, c'est tout cela que son visage exprimait à présent, cette résolution, ce qu'il avait souhaité inscrire sur le visage de la défunte pour sa dernière apparition

Pour elle, François, pour nous… C'est mon travail, non ?

Oui, Antoine, je comprends, mais les yeux…

Son ami avait alors commencé d'arpenter la pièce en tous sens, François s'inquiétait de son agitation, ne sachant que dire de plus. Il avait soudain disparu presque dix minutes, François redoutait l'arrivée des enfants en l'absence de leur père… Il était enfin réapparu, le cheveu humide et lissé, le visage rafraîchi, l'haleine empestant l'alcool, il tenait dans sa main un tube minuscule, s'approcha du cercueil, se pencha lentement, fixa le visage d'Ingrid quelques secondes comme lorsqu'on soutient le regard de l'aimée, y guettant quelle lumière complice ou quel assentiment tendre, déposa une seule goutte d'un gel sur chacune des billes de verre puis lui ferma les yeux pour de bon, faisant glisser les paupières sur le verre de Bohême, scellant l'insoutenable regard que la morte irradiait. L'accident de Martin et la disparition d'Ingrid avaient cependant, en trente ans de voisinage, noué entre eux une connivence indéfectible, Antoine était bien celui à qui, en la circonstance, il pouvait…

Son portable sonne, il décroche sans vérifier sur l'écran qui peut… ?

T'es où ?

Tu sais bien, au relais, je t'ai…

Non, tu m'as rien dit. Je me réveille dans un désert…

T'as pas fait attention, mais je t'ass…

J'ai essayé d'appeler Mathilde. C'est la messagerie. Tu crois qu'elle dort encore, la chérie ?

Elle est en cours plutôt, vu l'heure.

Je vais prendre le premier train.

Pour où ?

Je te rejoins. Tu me cueilles à Modane ?

Mais… je rentre ce soir ! Je ferme la maison, je…

Non, on reste au relais, trois, quatre jours, on…

M'enfin, Maria, je suis au bloc demain, comme tous les jeudis depuis la nuit des…

Tu annules, caro. Ou tu fais l'aller-retour dans la journée.

Écoute, je te rappelle, suis en voiture.

Je t'envoie un message pour l'arrivée du train. Baisers, carino.

Maria, je…

Elle a raccroché. Il roule sur un tapis blanc, dans un silence blanc, il calcule l'heure possible de son arrivée, pas avant 18 h, il est à 300 m de l'embranchement, il ralentit, s'engage sur la droite dans le chemin, le ciel se noie dans une nappe grise, le soleil va s'engloutir.

*

Trois grands corbeaux picorent la flaque noire, non loin de la boucherie, ils s'envolent lourdement dans son pare-brise alors qu'il longe l'esplanade. Il éteint le moteur, regarde sa montre, caresse la tête d'Argus, ouvre la portière, le chien a contourné la console centrale en escaladant les sièges, se faufile, sort dans le même mouvement T'emmerdes pas, toi ? T'attends que j'ouvre de ton côté, oh ! Argus est déjà à flairer des pistes, parcourant les abords des dépendances, la truffe au ras du sol. François n'entrevoit aucune solution pour retenir Mathilde, aucune espèce de prise pour l'éloigner de son héros blessé, elle a franchi une frontière, elle évolue dans un monde où il ne peut la suivre ni la protéger, il est vain et inutile. Il l'a sauvée des eaux, c'est le cas de le dire, il a préservé Mathilde des manigances de sa mère, et finalement... Ma petite fille. Trois mots qui s'articulent seuls à ses lèvres. Il en frémit, regarde de nouveau sa montre comme s'il oubliait à mesure. Le temps s'est arrêté, chaque minute pèse une montagne, il tape des pieds sur la pierre du seuil, ouvre la porte C'est moi ! Aucune réponse, un silence de maison vide, au point de chercher leurs manteaux accrochés à la patère du hall. Il faudra contrôler le niveau des poches d'antibiotiques et d'anti-inflammatoires, les renouveler sans doute d'ici peu, il enlève chaussures et manteau, passe par la cuisine, se nettoie les mains comme si elles poissaient continûment, la table est encombrée des restes du petit déjeuner, il débarrasse, range tasses, assiettes et couverts dans le lave-vaisselle, nettoie la table, se savonne à nouveau les mains, puis traverse jusqu'au grand salon, s'approche, ouvre la porte donnant sur le couloir qui distribue salle de bains et chambre, suspend son mouvement, perçoit des grincements

275

de sommier, des soupirs, des sortes de gémissements sans équivoque et qui enflent, il recule, saisi,
referme la porte sans bruit, s'éloigne sur la pointe
des pieds, s'étonne que dans l'état grave où il se
trouve, Loïc Tromeur ait encore cette énergie, mais
il n'ignore pas non plus qu'à son âge, étrangement,
dans une situation de grande faiblesse, il y a parfois de ces montées de libido qui emportent. Sans
parler du danger qu'ils partagent et qui érotise
leur relation. Et puis ce vieux topos romantique
des amants assiégés, aussi inactuel qu'éternel, dans
lequel Mathilde, à 22 ans, doit se vautrer avec
ravissement. Il achoppe sur ce dernier verbe... La
scène sexuelle qui se répand dans son crâne avec
la tessiture et le timbre de Mathilde, un moment
de sa voix qu'il n'aurait jamais voulu entendre et
qui le confirme, croit-il, quant à la nature pas-
sionnelle du sentiment que sa fille éprouve pour
ce gus, certain, oui, convaincu que la réciproque
n'est pas vraie, que le type s'en fout. Il regagne la
cuisine en maugréant des mots orduriers qui lui
viennent en bouche telles des glaires. Il range la
paillasse et l'évier, il a des gestes brusques, râpeux,
la vaisselle crisse, s'entrechoque, il pose sur la
table un saladier si brutalement, la vieille faïence
blanche parcourue de capillaires grisâtres se fend
en deux, il saisit les morceaux, les précipite plutôt
qu'il les jette dans la poubelle où ils finissent de
se concasser, c'est bien détruire dont il s'agit, en
fait, mettre la cuisine à sac ! Il ouvre la fenêtre,
demeure au bord du paysage, assailli par l'air froid
qu'il respire à pleins poumons jusqu'à recouvrer

une sorte d'apaisement, alors que la neige tombe à nouveau en fines particules laineuses dans un ciel sourd, enveloppant le sol et les arbres gelés d'une douceur ronde et veloutée. Le griffon s'est assis à son côté, juste dressé sur ses antérieurs à humer le dehors lui aussi, piétinant le dallage ciment de ses coussinets griffus T'as raison, Argus, on va faire le nécessaire. Mais on sort pas tout de suite. On mange. Il referme la fenêtre, tire du congélateur le sac de haricots verts, en verse dans la poêle une pleine brassée à sec, les haricots dégagent dans leurs interstices une vapeur de glace sur le feu puissant. Il descelle un bocal stérilisé de cuissot de chevreuil mariné au vin blanc-romarin accompagné de cèpes, le verse dans une casserole, à réchauffer sur un feu doux, il épluche un demi-céleri trouvé dans le bac du frigo, le râpe, prépare une sauce moutarde avec un jaune d'œuf, du citron et une pointe de muscade qu'il commence à battre dans un bol profond, armé d'une fourchette en bois, y ajoutant régulièrement un filet d'huile d'olive. C'est alors que Mathilde survient, dont le pas résonne depuis le salon. Elle marche vite, vive, la chevelure en bataille

Ça sent bon. J'ai faim !

Tant mieux, ma fille. C'est quasi prêt.

Elle soulève le couvercle, elle hume, prend une palette, remue les haricots

Commencent à brunir. Tu mets pas de gras ?

Si, de la graisse de canard, là, dans la terrine. Tu rajoutes du laurier et tu m'épluches une gousse d'ail, please.

T'es à la manœuvre, dis donc.

277

La cuisine, c'est comme fendre des bûches, rien de tel pour calmer les nerfs.

La sauce du céleri émulsionne, s'épaissit. Mathilde sort les assiettes du vaisselier, met le couvert

Non, Mathilde, s'il est opéré ce soir, faut être à jeun. C'est le b a-ba, ça !

De toute façon, il a pas faim.

Alors, range le plateau, s'il te plaît, ça nous gêne.

François soupire, achève de monter la sauce, la mélange lentement avec le céleri râpé, écrase l'ail sur les haricots dorés et croquants, moud du poivre sur le cuissot qui mijote Mets du pain à griller, ma chérie.

Ils s'assoient tous deux face à face, Mathilde mange avec appétit, vorace même, elle paraît installée au relais pour de paisibles vacances, sa vie est devant elle. François souhaiterait pourtant connaître le détail de ses derniers jours de fuite et de traque, comprendre la situation. Il n'ose s'enquérir, se force à manger, contaminé par l'enthousiasme de sa fille devant les nourritures et le soulagement qu'elles offrent à son corps amaigri, ses joues creuses, ses yeux agrandis. Elle lui raconte qu'elle est montée à l'étage, qu'elle a visité sa chambre, celle de Mathieu, l'immense salle de jeu du grenier où il était possible de pratiquer le tir à l'arc. Elle a voulu revoir l'observatoire aménagé dans le toit de la tour carrée, mais les toiles d'araignée trop nombreuses lui barraient le passage. Bref, elle a été prise dans sa déambulation d'une espèce de vertige du temps, découvrant un monde des origines tout à fait antédiluvien, se demandant avec stupéfaction quand elle avait séjourné au relais la dernière fois Je dirais l'été de tes 17 ans. Parce qu'elle reconnaît les objets, pourrait en décrire l'usage, la généalogie, la situation dans laquelle ils sont devenus siens, anniversaire, Noël, fête, trouvaille, vol

Rapine ?

Au collège, oui. On se volait des trucs. On n'était pas tendres.

Elle identifie la plupart des choses, donc, mais c'est une autre Mathilde qui les possédait, une jeune fille dépolie, pâlie, une tout autre qu'elle juge désuète autant qu'elle s'en souvient, aussi morte que les choses, comme si le temps ne s'enroulait pas dans les êtres, qu'il s'en trouvait discontinu Rien n'en réchappe ? Il y aurait bien la peluche d'un caribou que sa mère lui avait offerte... François se remémore la scène, en effet, lors d'un voyage à Grand Glacier, un parc national dans le nord du Montana, non loin de la frontière canadienne, Mathilde devait avoir 6 ou 7 ans tout au plus. Étrangement, cette peluche l'émeut parce qu'elle lui rend très prégnante, quasi suffocante, la beauté de sa mère dans l'instant où elle lui offre la peluche sur la terrasse d'une maison haute construite en rondins, une boutique de jouets et de souvenirs, l'écorce subsiste sur les troncs, et l'odeur des résineux mêlée à celle de sa mère qui se penche vers elle, son Marcel un peu ample, la naissance de ses seins, sa gorge dorée, la peau piquée de taches de rousseur et la légère odeur de sueur sucrée. Elle est si belle et Mathilde qui plonge son visage dans le cou de Maria, envahie de l'intuition d'un refuge inexpugnable, accueillie dans l'intimité de l'adulte au corps vaste et qui s'ouvre à l'enfant. Il y a juste cet œil de verre qui manque au caribou, Mathilde ne voit pas quand l'accident s'est produit, elle était certaine que l'animal avait ses deux yeux, elle en paraît affectée et François observe impuissant l'ombre qui envahit sa fille

Je sais ! Antoine !

Le taxidermiste ?

Bien sûr. Il trouvera l'œil exact.

Mathilde lui sourit, acquiesce, il en est irradié comme s'il venait à sa demande expresse de lui inventer la poudre. Il lui parle de Martin, de Florence avec qui elle jouait les nombreux étés où ils séjournaient au relais. Elle voulait se marier avec lui, elle avait 9 ans, Martin 14, quelque chose comme ça Rends-toi compte, il est de nouveau père d'une petite fille, enfin presque. Qui va naître. L'entrée dans le monde adulte, François l'a noté, est si résolue qu'elle signe chaque fois, sans le trouble d'une hésitation, la diaspora des enfants. Ils ont pourtant partagé les jeux et les rêves, les liens semblaient scellés pour l'éternité, mais rien ne résiste à l'euphorie du sacrement, devenir adulte, devenir, croit-on, libre et puissant, du moins le temps de se cogner aux limites des possibles, faisant alors remonter l'enfance en chacun comme un désir éperdu des confins où se vivaient pour de vrai les odyssées les plus folles. Mathilde, pour l'instant, n'est guère disponible à l'évocation de ses anciens amis de la Fema

Tu sais comment Martin va l'appeler ?

Papa, je m'en fous…

Mathilde.

Ah bon ?

L'annonce opère malgré tout. Il comprend qu'il vient quelques secondes d'attraper sa fille par la manche du côté de l'enfance… Mathilde apprécie le chevreuil, elle se ressert, finit les haricots qui traînent dans la poêle. François remplit son verre d'un vieux Malbec qui accompagne décidément bien le gibier. Ils mâchent deux bouchées en silence, et puis elle murmure

Elle me manque.

Qui ça, ma chérie ?

Maman. Ça fait longtemps que…

Tu sais qu'elle arrive par le train ? Elle sera là ce soir, elle espérait te voir, elle est passée ce matin à ton appartement, elle a essayé de te joindre.

Elle est à Lyon ? Je la croyais enfermée dans son abbaye ?

Elle est rentrée. Définitivement, j'espère.

Ah.

François pense avoir trouvé une prise pour retenir Mathilde ici, tandis que Tromeur serait évacué vers la Suisse. Il lui raconte la soirée au bord du lac d'Annecy avec Mathieu et Jennifer. Les projets ambitieux de sa mère, sa conscience nouvelle, il brode, il invente, il parle de reconstruction, de reconstitution, il énonce des abstractions vides dans lesquelles sa fille pourrait s'engouffrer, il évoque la manière dont Mathilde peut tendre à sa mère un miroir roboratif alors que Mathieu, lui, réside à

New York, est un homme et que c'est différent. Il se glisse tout entier dans la faille, il y met tout son corps, toute son énergie musculaire pour l'agrandir, que Mathilde reste ici, nom de Dieu! Parce qu'elle a le regard vague, il pense qu'elle hésite

Tu l'as si mal traitée.

Comment ça?

Tu l'as toujours considérée comme ta chose. Tu l'as convaincue d'arrêter de travail…

Pas du tout! qu'est-ce que t'inventes?

Si, qu'elle soit ton bibelot à demeure, et puisqu'elle est si élégante et belle, une sorte d'épouse d'ambassadeur pour tes réceptions.

C'est ce qu'elle t'a dit?

Je l'ai pas inventé! Et quand elle a cessé de travailler, qu'elle a fini par t'écouter… ce n'était plus ta chose pour décorer, c'est devenu ta grande malade, la pauvre folle… que tu trompes allègrement.

Il ne peut se taire, s'empêcher de lui répliquer qu'elle n'a connaissance que de bribes partiales, alors que lui-même n'a jamais rien confié de ses difficultés à… ne s'est jamais plaint auprès de ses enfants de… il pressent que ce n'est pas le moment de réagir ainsi, qu'il faut au contraire abonder en son sens, celui de l'affliction et de la compassion afin qu'enflent démesurément le désir et le manque de sa mère. Mais il s'entête, se défend, se justifie, il aimerait bien savoir de quelles lumières s'éclaire le souvenir de Mathilde quant à cette scène originelle et traumatique qui nourrit entre Maria et François le soupçon et la défiance, la scène qui se trame au bord de cette piscine, dans la propriété de Gérard, un jour d'été où Mathilde apprenait à nager. S'en souvient-elle, de cette première traversée du grand bassin ? Non, elle ne se rappelle pas. Du moins, elle ne comprend nullement pourquoi son père convoque soudain ce souvenir. Il lit dans ses yeux et sur son visage qu'elle essaie malgré tout de se remémorer cet après-midi-là, traversant l'eau turquoise, mais elle n'en tire aucune révélation, la voilà juste envahie d'une incoercible vague d'angoisse précisément, qui lui arrache des larmes mal retenues, mais une angoisse très opaque à l'endroit d'une étendue d'eau cristalline jetant à sa surface d'étincelantes flaques de soleil, et qu'il s'agissait de parcourir, un tourment à s'écorcher les yeux de n'y pouvoir mettre des mots, le périmètre aquatique d'une énigme insondable dont il faudra se résoudre à construire l'esquive, l'évitement, par défaut.

Et si François, en la seconde même, a la certitude, lui, d'en posséder les mots, la mémoire exacte et le dévoilement, il cale, il n'ose avouer à Mathilde ce qu'il croit être la vérité qui accompagne ses balbutiements de nageuse alors âgée de 7 ans. Le désir de Maria qu'elle meure... Mathilde s'est levée de table, s'essuyant furtivement les joues avec sa serviette, tournant le dos à son père, campée devant le frigo qu'elle vient d'ouvrir Tu veux un yoghourt, une crème caramel ? Elle se rassoit avec son yoghourt et le pot de miel Tu sèmes l'embrouille, papa, c'est pour noyer tes fautes. Tu veux pas re... Il s'agit de noyade, c'est bien ça, il vient de perdre sa prise... Alors il tente plus frontalement de l'arrêter

Pourquoi tu l'attends pas ?

Qui ça ?

Ta mère, elle sera là vers 18 h, je vais la chercher à Modane… Et tu rejoins Loïc demain ou après-demain à Genève quand il est réparé… Hein ?

À nouveau son regard qui se perd, le vague indécis qui floute ses traits

Je peux pas. Tu sais bien.

Non, je sais pas.

Je peux pas le laisser.

Il va être opéré au bloc, tu seras pas avec lui de toute façon.

Dans son état, je peux pas.

Tu l'as rencontré où ?

À une soirée.

Ah.

Très chic.

J'en doute pas.

Que Mathieu avait montée pour ses plus gros clients, suisses, libanais, français, anglais. Une propriété sur le lac d'Annecy.

Quand ça ?

L'hiver dernier… janvier.

Ah, quand il est passé en coup de vent. Il a vu ta mère. J'ignorais qu'il était à Lyon.

Il m'a invitée. Il insistait, m'a présenté la terre entière…

C'est quoi la Terre ?

Tu vois bien. Des investisseurs. Des banquiers. Loïc.

Il se lève de table, quasi d'un bond, comme s'il évitait un coup de couteau, il ramasse les couverts,

284

les assiettes, les range dans le lave-vaisselle, il s'occupe les mains, il va vite, il cogne les choses

Ça va, papa ?

Très bien, ma chérie. Autant que ça peut.

Elle se lève à son tour, l'aide à débarrasser Tu
veux un café ? Elle rince la cafetière italienne, la
remplit d'eau et de café, visse les deux corps en
fonte d'aluminium, allume le gaz, la pose sur le feu

Comment tu vas t'en sortir ?

De quoi tu... ?

Du double meurtre ?

Mathilde a pâli, ses jambes ont fléchi, c'est ce
qu'il a cru deviner, d'ailleurs elle sort les tasses
du vaisselier et se rassoit Excuse-moi d'être... si
direct. Mais il faut appeler un chat un chat. Ce qui
le dépasse plus que tout, c'est probablement le
sang-froid et la dissimulation de Mathilde, et ce qui
l'exaspère en outre, c'est qu'il n'est pas le confident
de sa fille en la situation. C'est pourtant ici qu'elle
se cache !

Comment tu sais ?

Pourquoi les gendarmes étaient là, d'après toi ?

Ils les ont trouvés ?

Il voit les jolies mains de sa fille, ses doigts longs
et fins qui tremblent, elle porte d'ailleurs une très
élégante chevalière anglaise piquée de trois diamants
à l'annulaire gauche J'imagine qu'avec sa blessure il
les a pas mis tout seul dans le ravin avec le scooter.
Elle est bel et bien complice jusqu'au bout des
ongles de ce qui se nomme un double meurtre. Elle
lui réplique que c'était de la légitime défense... Elle
l'attendait dans un café sur la place de l'hôtel de

ville, oui, à Lyon. Il avait un rendez-vous d'affaires important, elle patientait depuis une bonne heure, avec le temps pourri elle ne pouvait guère se promener à contempler les vitrines, et puis il a téléphoné, il était essoufflé, tendu, il lui a dit de sortir immédiatement du café, de se mettre sur le trottoir, prête à grimper dans la voiture, elle comprenait au ton de sa voix que ce n'était pas une blague, qu'il s'agissait même de sauter dans l'auto plus que d'y grimper. C'était étrange comme injonction, mais c'est bien sûr ce qu'elle a fait, il est arrivé en trombe, il était en nage, la manche de son costume déchirée, sa chemise blanche salie, des éclaboussures rouges, du sang ? ça puait la poudre dans l'habitacle, je me suis assise sur un objet métallique tellement je me suis précipitée, qu'elle a extrait de sous ses fesses, un pistolet, nom d'un chien, qu'elle s'est hâtée de ranger dans la boîte à gants, tant la simple vision de l'engin la révulsait J'ai compris que c'était grave, je n'ai pas posé de question, il s'est engouffré quelques minutes plus tard dans le parking en sous-sol d'un immeuble qu'elle ne connaissait pas, il a rangé la voiture dans un box, récupéré une mallette sur la banquette arrière, on est sortis du box qu'il a verrouillé avec une alarme J'avais jamais vu cet endroit où il possède un appartement, il m'a demandé de l'attendre sur le trottoir 100 m plus loin, qu'il passait se changer, il en avait pour cinq minutes, tout au plus, elle a quitté l'ascenseur, traversé le vaste hall de marbre, il y avait un concierge en costume, cheveux grisonnants, derrière un comptoir, qui l'a saluée, elle pensait aux grands halls de réception des immeubles cossus de New York, elle s'est retrouvée dehors, la pluie avait cessé, un rayon de soleil inondait la rue trempée d'une lumière aveuglante et joyeuse, elle s'est avancée vers le boulevard, s'est arrêtée devant la vitrine d'un maroquinier, exactement comme il l'en avait prié, les sacs à main et de voyage étaient de toute beauté, des Furla, des Ghibli, des Roberto Cavalli, des... mais elle n'avait aucunement la tête à ça, elle se consumait d'une peur sans nom, les minutes étaient des jours, elle scrutait la rue, pensait qu'il arriverait à pied, cinq minutes à en perdre ses jambes, et puis ça a klaxonné discrètement, juste devant elle, il était là, dans une autre voiture, la portière passager ouverte, lui faisant signe de se dépêcher toujours, elle a couru, juste le temps de s'asseoir, de refermer la portière, de baisser la vitre parce qu'elle allumait une cigarette pour lui, et là, des coups de feu ont claqué, une balle a explosé le rétroviseur extérieur droit, Loïc a écrasé l'accélérateur, ils se sont enfuis, il conduisait tellement vite, brûlait les feux, les pneus hurlaient, il y avait un scooter et une auto qui les pourchassaient, ils avaient réussi à les semer en empruntant une rocade à plusieurs embranchements, mais Loïc était coincé, toutes ses adresses devaient être surveillées, il en avait la preuve, l'appartement où il s'était changé n'était connu de personne, personne! Pas même moi, et comme ils étaient en couple, à vivre chez l'un et chez l'autre, l'appartement de Mathilde, très probablement, était tout autant surveillé, et alors, que restait-il à faire sinon se réfugier dans un lieu impossible, retiré, à l'écart, il ne restait plus que le relais de chasse, ce qu'ils avaient envisagé avec beaucoup de prudence, en choisissant d'emprunter un détour, une départementale alambiquée qui conduisait au col du Mont-Cenis et à la frontière italienne, après avoir encore une fois changé de voiture en passant chez un ami garagiste avec qui il était associé, vérifiant ainsi qu'ils n'étaient pas suivis, pour dormir la première nuit de leur échappée, de leur débandade, oui… enfin, cette première nuit, ils ont dormi à Rivoli, dans un hôtel de la vieille ville nichée au pied du palais, elle-même dominant la cité moderne et la plaine en contrebas, avec les chaînes de montagne au loin, un panorama à couper le souffle, à ne pas s'imaginer qu'on est en fuite, plutôt en vacances avec son amoureux, à 40 km de la frontière, afin de bien s'assurer que la traque était terminée pour, trois jours plus tard, repasser le col du Moncenicio et rallier le relais de chasse où Loïc pourrait réfléchir au calme, s'organiser, appeler des amis à l'aide, oui, à la rescousse si tu préfères, mais c'est la même chose, non ? Parce qu'il est entouré d'amis, de vrais amis ! Enfin, ils s'étaient attardés dans le vieux Rivoli, dans le parc et le palais somptueusement restauré de façon contemporaine, dans un mélange du XVIIe et du XXe siècle, comme seuls les Italiens savent le faire, afin d'y abriter un musée d'art contemporain doté d'une prestigieuse collection, mais François gardait cette remarque pour lui, enfin, il songeait que c'était une pensée tout à fait déplacée en la circonstance, et il se tut, mais, connaissant parfaitement l'endroit à une heure de voiture, il pouvait aisément imaginer sa fille et son malfrat assaillis par la beauté du lieu, au point d'en oublier quelques instants qu'ils étaient traqués, et puisque aucune menace ne se dessinait plus alentour, ayant patienté quarante-huit heures encore, cette fois à Turin parce que Loïc se sentait moins exposé dans une grande ville, au milieu de la foule, il avait déjà passé de nombreux coups de téléphone à des amis proches, il semblait plus paisible, assuré même, ils ont donc résolu de retraverser la frontière le mardi en fin d'après-midi alors qu'ils ne reconnaissaient plus le paysage d'automne précocement enneigé. Et c'est en redescendant le col, par chance encore ouvert, ils quittaient la départementale, ils s'engageaient sur la communale, qu'ils ont été pris en chasse par deux types à scooter qui surgissaient on ne savait d'où ni comment, les poursuivant sur une voie moins entretenue, semée ici et là de plaques de neige à moitié fondue, qui devint bientôt, quand on arrive sur la bifurcation vers le relais, une chaussée tout à fait blanche d'une neige plus ou moins damée, où, malgré l'extrême adresse du pilote, le scooter flottait et dérapait, avec le comparse, derrière, qui essaie d'ajuster son tir, et Loïc qui continue de rouler, mais qui se laisse progressivement rattraper, que le scooter remonte sa voiture par le côté droit, celui de Mathilde donc, et quand ils se sont trouvés, les deux tueurs casqués avec leur visière miroir à la hauteur de l'aile arrière de sa Mercedes et que le comparse du pilote a commencé à tirer, visant Loïc et Mathilde indifféremment, à cet instant-là, Loïc a serré le frein à main et donné un coup de volant sur la gauche, la voiture a presque effectué un demi-tour à 180°, envoyant valser le scooter et ses passagers sur le bitume, enfin, sur la neige plutôt, mais dans sa chute, le tueur tirait toujours, logeant plusieurs balles dans la portière du conducteur alors que la voiture virait nécessairement par la gauche, virant à presque 180° comme elle dit, c'est sans doute à ce moment-là que Loïc s'est pris la balle dans la cuisse, mais il avait son arme dans la main droite posée sur la portière, vitre baissée et les deux types par terre, que la chute sur la neige n'avait aucunement blessés, voulurent se relever aussitôt pour les abattre dans l'auto, c'est Loïc mieux installé et bien en équilibre qui les a finalement neutralisés Tués, tu veux dire ? Oui, les tuer avant qu'ils ne soient eux-mêmes assassinés, de la légitime défense, n'est-ce pas ? Sinon, Mathilde ne serait pas ici à parler avec son père, s'il fallait effectivement appeler un chat un chat, c'était bien de la légitime défense, l'échange de coups de feu avait duré une éternité, le pilote du scooter avait de suite été abattu, mais l'autre avait rampé dans le bas-côté pour s'approcher à l'abri du talus herbeux et enneigé, alors Loïc avait enclenché la première, avait accéléré pour fondre sur lui et le prendre en surplomb pour l'é... Il neigeait dru, ils avaient traîné les corps jusqu'au ravin de l'autre côté de la chaussée qui dévalait à nu sur une trentaine de mètres avant le couvert des sapins, puis le scooter, tellement lourd qu'ils s'étaient servis de la voiture pour le pousser également dans le ravin, bénissant ce ciel de déluge neigeux qui bientôt recouvrirait tout dans le silence et la blancheur immaculée. Voilà... voilà comment les choses s'étaient déroulées, elle lui avait tout raconté, enfin, François l'avait aidée à plusieurs endroits tant Mathilde était confuse dans l'explication de l'affrontement, la position des véhicules et de chacun, elle revivait à moitié les scènes, elle parlait en apnée, mais quoi qu'il en soit, il fallait bien admettre que ça n'était absolument pas un double meurtre

Et il abat le cerf pour achever le cycle de…

Tu remets ça avec ton cerf ! Alors que François en avait tiré, des cerfs, durant toute son existence de chasseur, que ça dégoûtait Mathilde, enfant, l'assassinat de toutes ces bêtes gentilles, le sang, le regard fixe, les yeux éteints, des chevreuils, des biches, des sangliers, elle voulait devenir une princesse Mononoké, il fallait comprendre qu'ils avaient frôlé la mort plusieurs fois, qu'ils étaient des écorchés, les nerfs à vif, que Loïc avait vu bouger une silhouette à la lisière du bois et du halo des phares, il avait été surpris, d'autres hommes en fait les cernaient, les guettaient autour du relais, c'est Mathilde qui l'a calmé, son père était bien là, le pick-up sorti, les lumières dans toutes les fenêtres du rez-de-chaussée, François pourrait le soigner

T'as raison, je change.

Comment ça, tu changes ?

La cafetière siffle et gargouille, François se lève, éteint le gaz, prend une cuillère sur la paillasse, soulève le couvercle, remue le café, le verse dans les tasses, repose la cafetière fumante sur la gazinière

Et comment ils vous ont tracés ?

Tracés ?

Oui, les types à scooter, vous y avez réfléchi ?

C'était là leur erreur, évidemment, quand ils avaient fui Lyon, pris dans l'obsession d'échapper à leurs poursuivants, alors qu'ils approchaient de la frontière, qu'ils allaient se réfugier en Italie, Loïc soudain aurait juré Nom de Dieu, les portables ! On les avait éteints, on avait changé les cartes SIM, mais enfin, c'était trop tard, ils avaient pu nous tracer jusqu'à Lanslebourg et même un peu après et...

Quel âne !

J'aurais voulu t'y voir, quand on est traqués, qu'on a peur de mourir à chaque seconde...

Si ça se trouve, ils ont foutu un mouchard sur la voiture, une RFID aimantée sous la carrosserie, pas même besoin d'un portable.

Puisque je te dis qu'on avait encore changé de voiture !

Il est sûr, l'ami garagiste ? Si on lui a chauffé la plante des pieds... Un code d'entrée et hop, on localise le véhicule par son GPS.

Toujours est-il que les tueurs leur étaient tombés dessus dans la zone où ils avaient coupé les portables et changé les cartes SIM trois jours plus tôt, parce que Loïc y avait soudain songé par analogie avec la frontière qu'ils allaient franchir, passant automatiquement sur le réseau italien

Vous auriez mieux fait d'y prendre huit jours de vacances, tranquilles, le seul pays où...

Non, ça n'était pas possible, des gens à voir, des documents à mettre à l'abri, des codes à changer, des coffres à vider, des signatures à... Et les deux types devaient arpenter la région, mener leur enquête, François lui-même était certain de les avoir repérés, un gros Aprilia 850 en montagne, ce qui en soi est déjà une ineptie, tellement le véhicule est inadapté, et c'était juste avant qu'il neige ! Avec deux chevaliers, deux mercenaires plutôt, vêtus de noir derrière des visières fumées, ce qui n'est pas d'une discrétion folle, ils avaient filé François un long moment quand il rentrait de la chasse, au point qu'il s'en était inquiété

Et les portables des tueurs, vous y avez pensé ?

Bien sûr, ils les avaient éteints, écrasés sous le talon et balancés le plus loin possible, de l'autre côté de la chaussée cette fois, pas dans le ravin avec les corps et le scooter. Sinon que ce n'est pas du tout ce qu'il fallait faire, bougres d'idiots stupides ! Si lesdits portables étaient localisés par les commanditaires de la traque, ce qui est quasi certain, ils ont arrêté d'émettre exactement sur la C7 à quelques centaines de mètres du relais à vol d'oiseau, signant l'emplacement où tout s'intriquait, où tout se nouait, ce qui était très très con ! Il fallait redescendre sur Modane, reprendre l'autoroute sur une centaine de kilomètres, jusqu'à Albertville peut-être, et alors, balancer les portables des tueurs ! Que les commanditaires soient égarés de ce côté-là, a minima

Il est débile, ton gus !

Il était blessé, putain ! Sa jambe qui pissait le sang, tu crois qu'on aurait pu pousser jusqu'à Alber…

Il le fallait ! Ne bouge pas, s'il te plaît, j'essaie d'appeler… Antoine. Deux secondes.

Qu'est-ce que tu… ?

Ça répond pas, j'essaie le portable.

Tu sais bien, ça capte mal.

Rien. Bon.

Qu'est-ce qui te prend d'un coup ? Vouloir joindre le taxidermiste à la seconde ? C'est pour l'œil du caribou ?

Non. Rien... mmmh, il est fort, ton café.

Je te parle de trucs graves et toi, tu...

C'est bon, Mathilde. Et ton Loïc, au lieu de te cueillir à la brasserie, là, en catastrophe, pour vous enfuir, les deux, pouvait pas te laisser en dehors de tout ça ? Bien sur la touche ? Alors qu'il est tellement dans l'embrouille que ça se règle à coups de flingue ?

Tu comprends rien, décidément. Il m'a sauvé la vie ! Faut que je te le conjugue à tous les temps ? Sauvée ! Sau-vée ! Ils auraient rappliqué chez moi, m'auraient embarquée en monnaie d'échange, peut-être torturée pensant que je connaissais la planque de Loïc...

Ils, ils... C'est qui, ils ?

J'en sais rien ! Je m'en fous !

L'envie de la gifler est irrépressible, alors il frappe la table, du plat de la main, un geste violent, sa paume en est endolorie qui fourmille de piqûres en constellation

Il t'a sauvée, tu dis ? Alors qu'il t'a entraînée dans son monde de...

On s'aime, papa, point barre ! Il faut t'y faire... On doit lui changer ses poches d'ailleurs. Tu veux bien ? Regarde, tu fous la trouille à ton chien.

Il inspire profondément, expire lentement, espère le calme, l'accalmie

Attends, je réessaie... pour Antoine.

Tu vas m'ex… ?

Rien. Une Alfa Roméo, ce midi…

Quoi, une Alfa ?

Rien, je te dis.

Il compose le numéro du fixe et du portable, ça sonne dans le vide. Il saisit une carte routière de la région sur l'étagère, qu'il déplie sur la table, il cherche la route où il se trouvait alors du côté de Tralenta, tout près de l'Écot. Voilà, il pointe son index sur l'endroit, il veut poser une dernière question à sa fille, celle qui lui brûle les lèvres parce que la vision le hante depuis… Le coupé BMW bleu violine qui surgit du virage au moment où le cerf traverse, blessé, le conducteur qui l'évite en dérapant sur le bas-côté, les roues arrière qui font gicler les gravillons, les feuilles d'automne s'élevant dans l'air, des papillons or et pourpre des érables, en novembre, qui flamboient, et Mathilde, les bras levés vers le plafond de l'habitacle, son torse à moitié vrillé, les paumes ouvertes pour se protéger des fureurs du ciel, le buste et la nuque tout entiers gravés de terreur, c'était bien eux dans cette voiture ? C'était avant qu'ils changent de véhicule ?

Mathilde regarde son père, ses traits envahis d'incompréhension. Non, ils n'ont pas changé d'auto, du moins pas depuis qu'ils sont passés chez l'ami garagiste et concessionnaire Mercedes, un associé de Loïc, c'est toujours le même coupé Mercedes d'un gris bleu clair métallisé, mais pas violine, enfin, entre un coupé S400 Mercedes et un coupé série 6 BMW, les différences sont assez minces, aperçus dans le stress, la vitesse, la traque du cerf, François qui prétend bien connaître les modèles automobiles s'est peut-être fourvoyé, sinon que le sigle sur la calandre ne prête à aucune confusion, c'est d'ailleurs conçu pour ça !… Décidément, non, ils n'ont pas changé de véhicule. Soit, rétorque François, admettons qu'il se soit trompé de marque, ce qui est invraisemblable, mais bon, sont-ils bien passés en fin d'après-midi sur cette route, et son index martèle la carte comme s'il voulait la perforer, alors que ce jour-là ils franchissaient la frontière ? C'est envisageable, non ? Mathilde est incapable de répondre à cette question, elle croit vaguement se souvenir qu'ils ont manqué la bifurcation à Lanslebourg, il fallait prendre sur la droite, traverser la rivière de l'Arc et s'engager sur la D1006 qui conduit vers le relais et le col du Mont-Cenis, depuis cinq ans qu'elle n'était pas venue, comme le faisait remarquer son père, bref, ils ont donc erré, rebroussé chemin vers Bonneval-sur-Arc, grosso modo… Oui ! C'est tout près de Tralenta où il chassait ! Mais enfin, se rappelle-t-elle l'embardée de l'auto ? L'apparition soudaine du cerf ? Ils ont tout de même frôlé l'accident. Non, ça ne lui dit rien ? Mais, nom de Dieu ! Il y avait le scooter avec les deux types qui suivaient à trois minutes, c'est pas bien compliqué à se souvenir ! Le cerf qui bondit, un saut démesuré comme si le bitume était un fleuve à franchir, la BMW, pardon, la Mercedes, qui surgit du virage, le conducteur stupéfié qui évite l'obstacle mais qui manque de peu une sortie de route, et Mathilde, la passagère, soulevée de panique, une torsion inouïe du torse et de la nuque, une féminité bouleversante à cause des lignes douces et courbes, si seulement François savait peindre! Mathilde se lève, décontenancée par le regard de son père Faut vraiment lui changer ses poches, tu viens?

Il vide sa tasse de café, débarrasse, se savonne et se rince les mains, coudes vers le bas, s'essuie avec un torchon propre, ils sortent de la cuisine, Argus sur leurs talons qui flaire le sol, se donne une contenance, déconcerté par les brusques éclats des voix. Ils rejoignent le grand salon, le griffon s'installe en couinant, en bâillant devant l'âtre où les bûches consumées sont maintenant des blocs de braises rougeoyantes d'où s'élèvent quelques flammèches. Ils entrent dans la chambre, Loïc Tromeur est endormi, la peau du visage est grisâtre, la barbe de trois jours ombre les joues creuses, le front perle de sueur, il a une espèce de crispation de la bouche qui hésite entre le sourire sarcastique et la douleur. François récupère des poches antibio, anti-inflammatoires, une de sérum phy, il décroche celles quasi vides du pied à perfusion, les débranche, installe les pleines, tapote les tubes pour en chasser les bulles d'air, fait signe à Mathilde de sortir, de le laisser dormir, puis s'assoit au bord du lit, prend dans la trousse le flacon de Penthotal R., en remplit une pleine seringue, saisit doucement le bras de Tromeur, pose un garrot au-dessus du coude, trouve la veine, introduit l'aiguille, commence d'injecter l'anesthésiant, Mathilde, brusquement revenue sur ses pas, qui...

Papa? Tu fais quoi?

François a un vague tressaillement de la main, il suffit de pousser le piston jusqu'à la garde, trois secondes, et son cœur… Papa ? Elle le fixe avec une insistance qui mêle le soupçon, l'effroi, la supplication. Il n'achève pas son geste, retire l'aiguille de la veine, la seringue aux deux tiers pleine

Un anesthésiant, ma chérie, pour…

Dans le bras pour une anesthésie locale ?

Pour inhiber la douleur, peu importe.

Ah ?… Excuse-moi.

Tromeur entrouvre les paupières, ses yeux sont noyés de fièvre, il balbutie quatre mots inaudibles puis se rendort. François ôte le garrot, jette l'aiguille, vide la seringue dans une serviette, la range dans la trousse, enfin s'éloigne du lit à reculons

T'es sûr qu'il faut le laisser dormir ?

Bien sûr, il reprend des forces. C'est pas une lésion cérébrale. Viens.

Je reste avec lui.

*

Il s'approche de la cheminée du salon, dispose deux nouvelles bûches qu'il croise sur les braises, l'écorce s'embrase aussitôt, le chien redresse la tête, fixe les flammes, François reste accroupi, les mains tendues vers le feu, il a froid, la peur lui tord le ventre, son impuissance l'accable, Mathilde a exactement pressenti que son père… il en est demeuré interdit. C'était hier, dès leur arrivée, alors qu'il soignait Tromeur, spontanément abusé par sa compétence à soigner, investi, imbu, devrait-il ajouter, de son serment d'Hippocrate ! Il aurait fallu le gaver d'anticoagulants, qu'il se vide, qu'il en crève, l'air de rien. Il y aurait eu le chagrin de Mathilde à surmonter, il serait passé pour un piètre médecin, mais enfin, on s'en tape ! Tromeur va être opéré ce soir à Genève, il sauvera sa jambe, et à 29 ans, il pétillera de santé dans un mois tout au plus. Mathilde est témoin d'un double meurtre, elle en est complice, avec probablement ses empreintes qui traînent partout sur les cadavres et le scooter, elle est entrée, qu'elle le veuille ou non, dans un cercle dont elle ne peut s'extraire. Les flammes s'élèvent, toujours plus ardentes, il retire ses mains, son regard s'absorbe dans les torsions du feu. Dans le meilleur des cas, Tromeur la garde à ses côtés, dans le pire, il s'en débarrasse, et de quelle façon ? S'il lui est quelque peu attaché, le temps n'en est pas moins compté. Parce qu'il se lassera d'elle. Il faudrait qu'elle soit la mère de leurs enfants pour accéder à un statut protégé. Du moins, on peut l'imaginer. N'en reste pas moins le milieu mortifère où ils vont tenter de surnager. On retrouvera les corps au fond d'une rivière, un parking souterrain, une poubelle. Ou pas du tout. Il arpente en tous sens sa vie passée depuis la naissance des enfants, il essaie d'accrocher ici et là des manquements, des fautes commises, une scène forte, traumatique, qui tisserait l'origine d'une trajectoire, le commencement d'une histoire qui conduirait jusqu'au présent de Mathilde et Mathieu. Il rabâche, il rumine mais ça ne s'emboîte pas comme un jeu de cubes, les causes fourmillent, les explications prolifèrent à l'infini, cancéreuses, une chimie improbable a travaillé l'esprit des enfants, leur corps, jusqu'à les engager sur des chemins et dans des existences qui s'inventent à mesure, chaque fois… Reconstituer un récit cohérent ne sert d'ailleurs à rien. L'explication du déséquilibre ne préserve pas de la chute. Ils sont exactement dans cet instant, ils tombent.

Le téléphone glousse dans sa poche, c'est un sms de Maria : serai là par le train de 18 h 06, tu me manques, Francesco. Quelle lumineuse idée l'inspire pour débouler de la sorte aujourd'hui ? Il n'aura que quelques heures pour remettre la maison en ordre, ranger le foutoir de la chambre, aérer, nettoyer, il va déjà balayer et laver la cuisine, ça l'occupera. Mais puisqu'il a le téléphone en main, il appelle son fils, ne sait trop quoi lui dire, il souhaiterait simplement lui sauter à la gorge. Mathieu répond aussitôt

Alors, sont partis ?

Pas encore.

Qu'est-ce qu'elle fout, l'ambulance ? Ils avaient promis…

13 h 40. Devrait plus tarder.

Comment va-t-il ?

Pas bien.

Le médecin qui va l'opérer est excellent.

Et il fermera les yeux sur une blessure par balle, ce qui est déjà une attitude d'excellence, mais François s'abstient de penser à voix haute. En revanche, il ne manque pas de l'apostropher à propos de Mathilde, il n'ose évoquer le double meurtre au téléphone sans parler de l'échauffourée sur Lyon, il a lu dans le journal qu'il y avait un mort parmi les truands et un piéton renversé durant la poursuite, hospitalisé dans un état grave. Parce qu'il craint soudain d'être sur écoute, que son fils le soit. Il s'en tient donc à des propos plus généraux

C'est toi qui lui as présenté Loïc ? Tu as jeté ta sœur dans un beau guêpier !

L'ambulance arrive, tout va rentrer dans l'ordre.

Quel ordre ? Celui de ta clientèle.

Mathieu ne lui avait pas dit que c'était lui ? Lui en personne qui avait conseillé à Mathilde de céder ses actions à Tromeur ? Son fils a la tête sous l'eau, il boit la tasse, marque un long silence, finit par répondre qu'il a proposé ça pour le bien de Mathilde Les biens, tu veux dire ? Que l'argent récupéré serait beaucoup mieux placé par ses soins et rapporterait gros à sa sœur, qu'elle serait à l'abri ad vitam aeternam Vous apprenez le latin dans les banques ? C'était donc un mauvais plan pour Tromeur ? D'aucune manière, l'enjeu est tout différent, Loïc veut investir dans la médecine Sa passion, oui, je sais ! Il s'est imposé une mission, créer des cliniques, une fondation de recherche, un peu sur le modèle des HUG en Suisse, si tu vois ce que… Oui, François connaît. Entrer au capital après le rachat des actions de Mathilde, c'est un premier pas, enfin, un pied glissé dans l'entrebâillement de sa porte pour forcer l'entrée. Au regard du personnage qui transpire dans sa chambre, François songe plutôt à l'acquisition d'une notabilité béton. L'utilité publique. La santé… On peut y investir beaucoup d'argent tant la recherche coûte, et de telles fondations privées peuvent s'avérer de formidables lessiveuses d'argent sale, si le montage est conçu par de vrais professionnels de l'ingénierie financière. Ce sera un allié très dynamique pour toi au sein du CA, beaucoup plus actif que Mathilde ! Mathieu va bientôt démontrer à son père qu'il agit aussi pour son bien, alors que sa majorité au conseil lui permet d'orienter les investissements vers des besoins en santé publique beaucoup moins rentables que l'ophtalmologie ou la chirurgie esthétique, exemplairement. Mais il ressasse, pour rien. Ses enfants entendent sa litanie depuis toujours. Il leur a suffisamment expliqué le contenu de son ambition dont il a lui-même hérité de son père, médecin de campagne...

Bien sûr, un allié ! Ta clinique pourrait devenir un pôle dans un réseau de cliniques puissant, incluant une fondation pour la recherche. Avec l'I.A. dans la robotique médicale, ça va s'envoler, papa. Loïc réussit tout ce qu'il entreprend... Un projet louable... ordre conquérant... élan de la jeunesse... des horizons tellement plus... François en demeure coi, se demandant si Mathieu se fout de sa gueule ou s'il se fourvoie dans une fable à... Il penche pour la première explication puisque son fils l'a mis devant le fait accompli et qu'il s'agit pour l'instant d'enjamber des cadavres, ce dont François lui-même devient complice. Afin de couvrir Mathilde. Certes, Mathieu n'est pas informé de cet enjambement. Ni de la menace de dénonciation que fait peser le dépanneur de ce matin

J'entends Mathilde qui arrive, je te laisse.

Il est réveillé. Il souffre, là.

On a prévu son évacuation. Mais la Mercedes ?

Quoi, la Merce... ?

Je garde pas ça ici. Une bagnole avec du sang sur les sièges et des balles dans la carrosserie.

Je te dis qu'il souffre, tu me parles de la... ! J'en sais rien, merde !

Tu t'en fous, en fait. Je me démerde. J'ai qu'à l'enterrer, c'est ça ? À la bêche ? Le dépanneur a vu ce matin.

Quoi ? Il a vu quoi ?

La vitre et le toit maculés, les trous dans la portière. Il s'est barré comme s'il avait croisé le...

Pourquoi tu l'as pas dit ?

Je voulais pas t'affoler davantage.

C'est bien ce que tu fais.

Sur le coup, ça m'a pas... Mais, Tromeur parti, je fais quoi ? J'ai pas de garage qui ferme. Si les gendarmes rappliquent. Se mettent à fouiner. Faut qu'elle dégage avec l'ambulance.

Si tu l'avais dit plus tôt, nom de Dieu, on aurait demandé qu'ils envoient aussi un chauffeur !

Parce que vous, ça vous a pas effleurés, ce détail ?

Il est blessé, il a mal, c'est ça, le problème. Tu... T'es incapable de le soigner, à croire que tu souhaites... Putain, je vais la conduire, moi, la bagnole !

Certainement pas. Le type de l'ambulance va pas venir seul. Il y aura un médecin, au moins un infirmier. Faut téléphoner à ses amis suisses qu'ils donnent l'ordre d'évacuer aussi la voiture. Tiens, prends mon portable, demande-lui d'appeler.

Cette caisse, faut la brûler !

François lui rétorque qu'elle pense avec ses pieds. Une voiture qui flambe attire la police, il y a des numéros gravés sur le moteur, le châssis, les flammes n'effacent rien et si le véhicule est à son nom, à celui d'une de ses sociétés... Il faut une casse, un ferrailleur complaisant qui la fasse disparaître en pièces détachées. Il faut un réseau de complicités, ce dont ils disposent, non? La Mercedes et l'ambulance ne doivent pas circuler ensemble pour rallier Genève, celle de Loïc doit rouler la nuit, qu'on ne remarque pas les impacts, mais il faut la dégager d'ici avant que les gendarmes reviennent, ce qui ne manquera pas d'a...

Mais on est en plein jour!

Il faut la planquer dans un chemin forestier, loin d'ici. Et repartir à la nuit.

Il faut. Il faut. Notre père... L'homme de la nécessité...

Prends le téléphone, qu'il appelle. Deux minutes, j'arrive.

Il gagne le petit salon, sort la clé du tiroir de la console, ouvre l'armoire vitrée, il a l'embarras du choix, il hésite entre les fusils de chasse et les carabines, la mitraille ou la balle chirurgicale. Finalement, il décroche du râtelier sa Tikka T3 Varmint et sa Merkel Rx Helix. Il prend une boîte de balles de forte puissance, des 270 Winchester, et part s'enfermer dans son bureau Non, Argus, t'entres pas. Il remplit ses deux chargeurs à cinq coups, ajoute une sixième balle dans la chambre des carabines et pousse le cran de sûreté. Ce qu'il ourdit ne ressemble à rien. Il honore bravement un stéréotype, celui du western probablement où il s'agit avant tout de s'armer. Préparer ses fusils lui apparaît clairement comme un aveu d'impuissance, en être là, c'est admettre qu'ils sont déjà perdus, il s'enfonce dans leur cauchemar, il endosse un rôle archaïque qu'il n'a jamais envisagé sinon quand il se fait bon public au cinéma et se place du côté du bien et de la justice. S'armer lui donne l'assurance de s'approcher d'une apocalypse qui emportera chacun vers sa fin. Le sifflement d'une balle, la résonance sourde de l'impact dans un corps après avoir parcouru quasi 1 000 m à la seconde, 927 exactement pour les munitions qu'il vient d'installer dans ses chargeurs, sont proprement effrayants, hors échelle. Qu'est-ce que tu fous, François, tu pars à la guerre ? Sûr, vais tous les occire, ces fils de pute ! Laisser parler les armes est une mauvaise métaphore, aucune conversation ne s'engage, l'issue n'ouvre que sur un monologue, ou encore le silence des belligérants avec la mort en partage. C'est pourtant ce qu'il amorce en ce moment, ça lui prend deux minutes tout au plus pour charger les magasins, des gestes familiers de vieux chasseur. Il ouvre la porte du bureau, vérifie que Mathilde n'est pas dans la cuisine ou à proximité, saisit les carabines et va les poser debout, chacune dans l'un des angles de la salle à manger, au plus près du grand hall qui la jouxte. Les armes sont d'une présence des plus ténues, mais des plus accessibles depuis l'entrée du relais. Son chien balance de l'une à l'autre, les flaire, fébrile d'excitation, piétine devant la perspective d'une chasse imminente Allez ! va te calmer dehors, on part pas à la chasse. Le griffon s'élance sur l'esplanade, la neige tombe à petits flocons, il saute, il bondit, François se tient sur le seuil, au bord du froid, de longues secondes, se laisse happer comme s'il s'accordait un sursis dans son propre silence. Mais il observe au travers d'une vitre sale, il scrute les bois alentour, il guette l'ambulance, redoute les gendarmes, l'Alfa éventuellement puisqu'il s'inquiète de ne pouvoir joindre Antoine. Or, rien ne s'annonce, et du paysage il ne distingue rien non plus, les lignes s'effritent, les contours ont fondu. Il abandonne Argus à sa joie désordonnée, referme la lourde porte, il est temps de retrouver Mathilde au chevet de son... il épouse le mouvement d'une possible fatalité.

*

Lorsqu'il pénètre dans la chambre, il est frappé par l'odeur des chairs en putréfaction qui semble confirmer le diagnostic d'une gangrène gazeuse. C'est toujours le même indescriptible désordre, le fouillis de vêtements exhale un mélange de tissu ranci et de vieille transpiration, auquel s'ajoutent les relents de tabac. Le radiateur est ouvert à fond, mais la chaleur torride ne parvient pas à réchauffer Tromeur qui tremble sous la couette et les deux couvertures

Mathilde, vos affaires, tu ranges quand ? L'ambulance arrive.

Hein ? Elle est là ?

C'est une question de minutes, faudra se dépêcher, non ? Au fait, vous avez pu les joindre pour la voiture ?

Quoi ?

Vos amis, pour virer l'auto ?

Ça répond pas, coasse Tromeur dont les lèvres collent et qui articule mal, le palais à la fois asséché et baigné d'une salive gluante. Mathilde a sorti le portable de sa poche, lui tend

Tiens, on n'aura pas le choix.

Nom de nom, c'est pas vrai…

T'as raison, toubib, la Mercos, faut qu'elle disparaisse. T'aurais pas un beau précipice dans le coin où la jeter ? Un gouffre ? Invisible, inaccessible ?

Désolé, j'ai pas ça sous le coude.

S'ils ont personne pour la conduire, je m'en charge, c'est…

Non, Mathilde ! Pas question que tu…

Calme-toi, beau-père, conduire une voiture, c'est pas très compliqué quand on a son permis.

Foutez pas de moi. Vous franchissez la frontière suisse avec des balles dans la portière et du sang sur le siège ? Alors ? Vous répondez rien ?

Je connais un bon ferrailleur dans la banlieue de Lyon.

Pourquoi pas sur la lune ?

Il se déplace, il fera ça pour moi. On va voir avec l'ambulancier, par où ils passent la frontière, si le soir on peut…

Une ombre d'embarras brouille son regard, Tromeur a compris l'importance de la chose, un peu tard, trop occupé par son état. À dire vrai, personne n'y avait songé si les gendarmes ne s'étaient… Cette voiture doit être évacuée par camion, au minimum sur une camionnette à plateau avec une housse qui l'enveloppe complètement. C'est à Tromeur de régler la question avant son départ. François lui pose son Samsung sur le lit, à portée de main. Il s'approche des poches suspendues à la potence, vérifie les débits, le cathéter, se rend vite compte que les produits par intraveineuse ne suffisent plus. Il contourne le lit Pouvez mettre votre pistolet ailleurs que je m'assoie ? Merci. Votre bras, s'il vous plaît. L'homme a toujours un regard aiguisé, perçant, et il conserve cette espèce d'insupportable sourire. François est impressionné par son extrême vitalité, son énergie féroce qu'accentuent probablement la fièvre et la douleur. La peau en revanche est toujours plus grise et translucide. Tromeur ne le quitte pas des yeux, François lui a saisi le poignet, cherche son pouls, le trouve difficilement, une lente pulsation enfouie. Il enfile le tensiomètre jusqu'au biceps, enclenche la prise de mesure, les chiffres qui s'affichent sur l'écran sont sans surprise, Tromeur devient un corps débordé qui ne se défend plus, l'infection a l'initiative, qui s'ébat à loisir.

Mathilde a commencé de réunir les vêtements qu'elle entasse en vrac dans les deux valises. François range son stéthoscope, son tensiomètre, le peu d'outils qui traînent, jette les poches usagées, il devrait changer le pansement de la cuisse, et finalement y renonce. Il guette sur le corps de Loïc les symptômes d'une agonie qu'il aimerait hâter, se complaisant dans un sentiment du parjure, en toute impuissance. Il s'oblige à s'en distraire, regarde Mathilde se démener dans ce vaste foutoir. Elle ramasse les mégots sur les tapis, les cale dans les cendriers qui débordent et sort les vider dans la poubelle de la cuisine

Tu causes pas beaucoup, toubib. Je vais si mal ?

Fallait opérer hier.

Pas aujourd'hui ?

Plus on attend, plus c'est grave.

Ta fille dit que t'es un bon. Et t'as rien fait.

J'ai endigué l'infection, soulagé vos douleurs, à défaut de…

C'est bien ce que je dis, t'as rien fait. Je te soupçonne de malveillance à mon…

Je vous ai déjà expliqué. Le chirurgien qui va vous opérer confirmera mes propos.

Ton jargon…

Chaque métier a son vocabulaire, ça fait partie de la technique et du savoir-faire, nommer correctement les choses. Vous n'avez pas de jargon, vous, j'imagine.

Pas de métier, tu veux dire ?

C'est ça, oui.

Tiens. La sacoche de l'ordi, là. Ouvre. La grande enveloppe, tu peux la prendre ?

Il claque des dents, c'est irrépressible. L'articulation des mots dessine des montagnes à gravir. Il s'arrête souvent dans ses phrases, cherche son souffle. Son visage perle comme un feuillage dans la rosée du matin, les pétales d'une fleur livide dans la rosée du soir plutôt, avant que la nuit l'emporte sans retour. C'est vrai qu'il est beau, François comprend la passion de sa fille pour le personnage. Mais il ne peut réprimer une espèce d'intense jubilation de voir le corps de Tromeur devenir le siège d'une telle dégradation. Il sort l'enveloppe de la sacoche, lui tend au-dessus du lit

Nan, c'est pour toi.

Comment ça ?

Tu peux décacheter. Lis.

François hésite, glisse l'index dans le repli du papier kraft, déchire nerveusement le rabat, entrouvre, devine une trentaine de feuillets en deux liasses séparées par des trombones. Avec une lettre d'introduction qu'il extirpe à demi de l'enveloppe, qui lui est adressée, qu'il parcourt en quelques secondes

Mais ? Je veux pas vendre !

Ils entendent les pas de Mathilde dans le grand salon, et Tromeur qui met l'index à la perpendiculaire de ses lèvres exsangues, intimant le silence à François. Elle pousse la porte de la chambre, entre

Tu nous laisses ?… Trois minutes, on parle.

Parlez, parlez, je range.

Non, tu sors. Trois minutes.

Elle recule d'un pas, fait volte-face, deux pas, claque la porte, traverse le carré distribuant chambre et salle de bains, claque la porte du salon avec la même violence Sale caractère, j'aime, ça ambiance. Bref… François feuillette la première liasse. Des paragraphes de texte contractuel concernant une session d'actifs

C'est un homme de métier, justement, un fiscaliste pointu qui a rédigé… Ça jargonne aussi. Mais globalement, tu comprends le sens.

Je vends pas !

Remets ça dans l'enveloppe. Examine gentiment. L'offre n'est pas dans la fourchette haute, c'est vrai, mais on est en famille, tu vas pas être chien avec ton gendre.

T'imagines pas que je vais…

J'imagine rien. T'as trois jours pour signer. Tu renvoies le tout à mon fiscaliste. Il s'occupe du transfert avec les banques. T'es un père aimant. Tu fais ça pour ta fille adorée. Elle mérite bien de couler des jours tranquilles. Évidemment en toute discrétion. Elle ne doit… motus.

Et Mathieu ?

Mathieu pourrait comprendre l'intérêt de la transaction. En lui présentant bien les choses. Je m'en charge, tu veux ? Et tarde pas. Sinon, je prends sans acheter. Tu pars avec une somme correcte et tu gardes ton poste à la clinique. Ta fille rabâche que t'es un bon. Faut pas gâcher le métier, t'as l'air d'y tenir.

François a la bouche sèche, desséchée soudain d'avoir couru un marathon au-delà de ses forces. Il fourre liasse et lettre dans l'enveloppe qu'il balance sur la commode

Laisse pas traîner ici. Elle va tomber dessus.

Tromeur a pris le Samsung sur le lit, qu'il brandit

J'essaie de trouver une solution pour la voiture.

C'est ça, trouve !

François récupère les documents et quitte la chambre, Mathilde se tient dans le salon, debout, bras croisés, dos enraidi, devant l'une des hautes fenêtres, à faire semblant d'observer dehors. Elle tourne la tête, vive, leurs regards se croisent

C'est fini, vos petits arrangements ? Entre mecs ?

Tu peux y aller, Mathilde.

Il s'esquive vers le hall d'entrée, rejoint son bureau, y pose l'enveloppe, puis ses poings sur le meuble, en appui, les yeux fixes sur le kraft format A4. Respirer devient un effort, marcher tout autant. Sa stupidité le consterne, il est, comme un chacun, embrumé dans des considérations psychologiques, sentimentales. Cela relève d'une simple logique économique. Si l'on envisage un transfert des actions de Mathilde, la voie est ouverte, suffit d'un rapport de forces favorable. L'hypothèse ne l'a même jamais effleuré. Qu'il puisse être une proie. Au travers de sa fille. Les choses n'ont sans doute pas été préméditées à ce point, ça s'est probablement composé en allant. S'il considère la clinique, ses revenus de praticien, les deux appartements de Lyon, le relais de chasse, il se situe à l'échelle de son patrimoine dans une géographie d'élection dont peu de gens jouissent. Qui attire nécessairement la convoitise. Son assurance bien établie, sa confiance en un droit inaliénable de la propriété ne le préserve finalement de rien. Son partenariat majoritaire sur la clinique, pour l'instant convoité et bientôt acquis, s'il signe… Pourquoi pas le relais de chasse, les appartements, dans un mouvement d'expansion qui va de soi. Sa fille est devenue un cheval de Troie. Sa citadelle peut tomber. Sans que Mathilde s'en trouve sauvée. Ce qui aurait conféré grandeur à sa chute. À la manière d'un sacrifice. Approuvé des dieux. Sa complicité dans le double meurtre scelle le destin de sa fille. À moins d'aller se dénoncer, ce qui ne l'a pas effleurée. À moins qu'il les dénonce, lui, avec le risque de représailles qu'il fait courir à Mathilde. Et si les flics les interpellent dans une situation mal contrôlée, que Tromeur riposte, elle peut être tuée au cours de l'échauffourée. Il est sec, il laisse le temps filer, les évènements décider pour lui, non pas qu'il soit pénétré d'un sentiment de lâcheté face à la situation. D'impuissance, juste, avec l'insupportable certitude d'épouser décidément le mouvement d'une fatalité. À l'égal de Mathieu dont il est le client, Loïc Tromeur incarne l'avenir, sa fille l'aime éperdument, mais comment ne pas être amoureuse de l'avenir ? Il en est hébété. Comme d'être rendu témoin d'une catastrophe naturelle. Qui emporterait sa maison. Son monde. Son royaume. Il envie Maria de pouvoir recourir à une telle vision religieuse, aussi bricolée et improbable soit-elle… Maria, qui croit deviner dans le triomphe de l'argent celui d'une valeur universelle nécessairement d'origine divine. Une grâce désirée par tous et distribuée au mérite. En dépit du Veau d'Or. En dépit des marchands chassés du Temple. Comme si tout le désir de la Fin avait migré dans un désir mystique des moyens, ce que Maria aurait compris à sa façon. Des moyens toujours plus démesurés, entre les mains de quelques élus. Qui ne savent fichtre qu'en faire. Devenir Dieu sans autre fin que de le rester…

François va demeurer au bord du chemin. Sa dépossession est peut-être la seule chose qui ait quelque sens. Une consolation par défaut. N'être pas impliqué dans leur guerre ni leur conquête. Il entend Argus qui aboie. Avec insistance. Il sort du bureau, se cogne à Mathilde qui le cherche

L'ambulance, elle…

Ah.

Ils sont immobiles près de la grande tapisserie, leur épaules se touchent, la main de Mathilde passée sous son bras, ils voient émerger par les fenêtres l'avant large et trapu d'un Hummer noir qui s'engage dans le chemin menant aux écuries. Qui stoppe devant la boucherie

J'y vais. Finis de préparer les affaires. Et Loïc.

Merci, papa.

De quoi ?

D'être…

Elle baisse la tête, son regard vers le hall et s'enfuit en direction de la chambre, il n'a vu que sa nuque.

*

Il enfile sa canadienne, chausse ses bottes, descend les marches, la neige tombe maintenant à gros flocons, des hosties déchiquetées, une nouvelle couche de velours qui gémit sous ses pas. Le griffon l'a rejoint, saute et tourne dans ses jambes, il lui caresse la tête Fous-moi la paix, Argus. Et calme ! Le véhicule est arrêté, de profil, juché sur ses hautes roues aux jantes chromées, un gabarit sumo, XXL, son pick-up apparaît modeste à côté. Les vitres sont fumées Encore d'une discrétion ostentatoire. Welcome. Le chauffeur a ouvert sa portière, il sort en bottines de ville et costume noir manifestement de couturier, chemise et cravate, les cheveux en brosse, un fin collier de barbe, une corpulence de rugbyman, la petite cinquantaine

Bonjour. Je suis bien chez François Rey ?

Bonjour. On vous attendait.

Désolé, la route était mauvaise.

Même avec votre engin ?

J'ai conduit sous la neige presque tout le trajet. Les voitures roulent au pas. Vraiment désolé.

Il a un léger accent suisse qui altère à l'oreille de François son maintien compassé qui se voudrait précis, impeccable. Certaines lenteurs et modulations dans la voix lui arrachent un vague sourire Vous êtes là, c'est l'essentiel. N'abîmez pas vos chaussures dans la neige. Un autre homme, qui était assis à l'arrière, s'approche. La quarantaine, blond, cheveux bouclés, mince, il est en jean noir, veste de chasse, chaussé de Timberland montantes à lacets, une surveste Barbour mise à la hâte sur ses épaules

Bonjour, je suis l'infirmier. Il est dans la maison ?

Oui, suivez-moi. Mais... vous pourriez rapprocher votre...

Il peut pas marcher ?

Trop faible. Trop douloureux. Vous avez... ?

Aucun problème, nous avons un brancard. C'est une ambulance.

Parfait, alors garez-vous là, près du pignon. C'est carrossable. Enfin, c'est sous la poudreuse, mais avec votre... camion.

Entendu. Je manœuvre.

Vous stationnez au buisson. Après, c'est les plates-bandes et des plantations.

Le conducteur acquiesce d'un bref signe de tête, remonte derrière son volant, François est frappé par le luxe que dégage l'intérieur du Hummer, la sellerie cuir, le tableau de bord d'avion, les garnitures bois, il distingue l'autre homme à l'avant, qui n'est pas descendu, sa tignasse brune, son bouc, le col relevé de sa parka noire, le logo Canada Goose sur la manche. Le V8 s'ébroue, un son sourd, moelleux, une puissance démultipliée, il embraye et s'avance lentement vers la maison, vire sur la droite face au bois, puis recule jusqu'au pignon, présentant l'arrière à une vingtaine de mètres du perron. L'infirmier suit à pied, mettant ses pas dans le tracé des roues, François a traversé l'esplanade, son chien observe le va-et-vient, la truffe au vent

Alors, mon chien, qu'en dis-tu ? Ça s'agite ?

L'infirmier a rejoint l'ambulance, il ouvre la double porte arrière, les deux autres passagers sortent du SUV, celui que François n'a pas encore salué scrute les environs, le chauffeur aide l'infirmier à extraire le brancard de ses rails, ils le déplient en position haute, mais les roulettes peinent dans la neige fraîche et ils le portent jusque sur le seuil. Le dernier homme à la tignasse brune s'approche, serrant ses cheveux en une queue de cheval, il salue d'un mouvement de tête quasi militaire, deux doigts tendus portés à la tempe, l'oreille décorée d'un diamant et d'un anneau d'or. Il est également vêtu d'un élégant costume sombre sous sa parka, un pull fin à col roulé, il est chaussé de Nike montantes en cuir noir Messieurs, avec la neige, si vous pouvez taper vos chaussures ? Merci. Ce qu'ils font de bonne grâce avant d'entrer dans le hall où ils posent le brancard. François appelle Argus, l'emmène jusque dans la cuisine Couché! Tu restes tranquille. Pas dans

316

nos pattes. Il retourne dans le hall qu'encombrent les trois hommes silencieux, se dirige vers la porte d'entrée laissée grande ouverte, veut la fermer, celui qui n'a pas encore prononcé un mot l'arrête, la main posée sur son avant-bras Non, s'il vous plaît, c'est mieux pour voir. Je reste là. Son timbre de voix est étrange, fluet, presque aigu comme celui d'une adolescente. Instaurant un malaise immédiat, tant cette tessiture et le débit rapide contrastent avec les épaules d'athlète, le mètre quatre-vingt-dix, le cou de taureau, les mains larges et puissantes. C'est une voix barricadée dans l'enfance, que l'impérieux corps d'adulte n'a pu soumettre. D'où peut-être ce côté taiseux. François hésite, toussote Bien, venez.

L'infirmier et le chauffeur le suivent dans l'enfilade du petit et du grand salon. Seul l'infirmier continue avec François, poussant son brancard jusqu'à la porte du carré. L'autre, qui regarde sans cesse sa Rolex or comme s'il l'avait eue en cadeau une heure auparavant, à moins que ce soit l'anxiété du retard qui se creuse, va se poster devant la dernière fenêtre, non loin de la cheminée, d'où il peut surveiller dehors le Hummer et les alentours

Abandonnez le brancard ici, ça fait un S dans le carré, vous passerez pas...

Ah, faudra le porter, alors ?

Oui, un peu.

Revoir Tromeur lui taraude le plexus, il faut pourtant entrer dans la souille pour l'évacuer, Mathilde est assise sur le lit, lui appliquant un gant d'eau fraîche sur le front, l'infirmier marque un temps d'arrêt, découvrant l'état du blessé et probablement

l'odeur de chair qui gangrène. Tromeur a véritablement une sale mine, l'âme est sur son visage, malgré
son franc sourire, saluant l'arrivée de l'infirmier

Bonjour, monsieur Tromeur, on vous embarque ?

Pour l'enfer ?

Non, le paradis ! Notre Suisse, voyons.

Fiscal, le…

Ils s'esclaffent tous deux, Loïc a encore la force
de plaisanter, son énergie, décidément, impres-
sionne. Mathilde s'est levée, a posé le gant sur la
table de chevet, récupéré le portable qu'elle rend
à son père

Alors, le ferrailleur ?

Injoignable pour l'instant.

Formidable.

Elle saisit les deux valises, les porte au salon,
puis vient chercher son sac à main, l'ordinateur, la
tablette

Voyez, les perf sont pleines aux deux tiers. Mais
vous n'aurez pas le temps d'arriver. Vous avez ce
qu'il faut dans l'amb… ?

C'est-à-dire ?

Anti-inflammatoires, antibio, sérum phy.

Vous êtes en perf continue ou intermittente ?

Continue.

Alors, je préfère pas changer de produit, si ça ne
vous…

Pas de problème. Voilà, une de chaque.

L'infirmier ferme le cathéter, débranche les
tubes, enlève les poches du pied à perfusion, les
range dans un sac avec les trois neuves. Il aide
Tromeur à s'asseoir sur son séant, lui met son

écharpe autour du cou, son manteau sur le dos, lui explique qu'il le porterait volontiers, mais qu'en passant le bras sous la cuisse il va compresser la plaie et le pansement, qu'il serait donc préférable qu'il s'appuie sur sa jambe valide, son bras opposé enserrant ses épaules à lui, l'infirmier, qui le soulèvera sur sa hanche chaque fois que la jambe blessée de Tromeur est censée s'appuyer au sol, et qu'ainsi, patiemment, ils arriveront au brancard qui l'attend, sept malheureux mètres à parcourir, tout au plus. François confirme qu'il ne faut aucune pression sur et sous la cuisse, que l'infirmier procède de la meilleure façon qu'il soit. La voix de Mathilde lui parvient confusément du salon, elle parle sans doute avec le conducteur, Tromeur est à présent debout sur sa jambe droite, son Beretta passé dans la ceinture sur son ventre, cramponné aux épaules de l'infirmier, il entend ses dents qui claquent, la position debout lui tire des gémissements rentrés et des larmes, ils entament leur sortie de la chambre, il est misérable de dos, un vieillard, le manteau camel glissant par terre. Qui s'étale en flaque Je m'en occupe, assure François ouvrant la fenêtre en grand. La neige tombe de plus en plus dru, le paysage à l'arrière de la maison donne sur la spectaculaire chaîne de l'Iseran qu'il devine en silhouette dans le ciel brumeux, par-delà les arbres et la déclivité du plateau, il voudrait respirer à pleins poumons, marcher dans la poudreuse, traverser la forêt jusqu'au front de cuesta, jusqu'au panorama sur l'invisible vallée noyée de nuages. Tromeur et l'infirmier franchissent le seuil, disparaissent dans le carré.

François coupe le chauffage, ramasse le manteau qui lui paraît exagérément lourd jusqu'à ce qu'il découvre la crosse du Browning qui dépasse de la poche. Le froid déjà envahit la pièce, il prend le sac de médicaments, les rejoint alors qu'ils pénètrent dans le salon. Le brancard est à la bonne hauteur, freins bloqués, l'infirmier aide son blessé à poser la fesse de la jambe valide sur le fin matelas qui sent le désinfectant. Il le tient par la taille, fait glisser son séant jusqu'au centre de la civière, Tromeur est maintenant assis, les pieds dans le vide, le souffle coupé, son front et sa chemise trempés, l'infirmier le couche en soulevant ses deux jambes par les chevilles, surélevant celle blessée par un oreiller de mousse sous la pliure du genou

Vous me redressez la tête ?

Oui, deux secondes, je dé… l'avant de… on… la têtière… voilà, c'est bon, pouvez poser.

François est attentif à chacun de leurs gestes, chacun de leurs mouvements. C'est dans cet état d'hyperesthésie que les trois hommes débarqués au relais captent son attention. Et il réalise avec un certain retard de quelle tension nerveuse déborde la voix de Mathilde s'entretenant avec le chauffeur, qui la laisse plantée près de la fenêtre pour s'approcher du brancard, sourire aux lèvres

Bonjour, monsieur.

Salut Christian, comment va ?

Bien, monsieur, merci.

Content de te voir.

Tout pareillement. Ce n'est pas la grande forme, on dirait ?

Ça se voit tant que ça ?

On va vous réparer, ne vous inquié…

M'inquiète jamais. Mon manteau ?

François s'approche, lui pose le loden déplié en couverture sur son buste, remarque la main de Tromeur cherchant son pistolet qu'il sort de sa poche, qu'il glisse sous le manteau, le chauffeur sourit

Monsieur est précautionneux.

C'est pas à toi, Christian, qu'il faut…

Mathilde les a rejoints, bras croisés, pâle, bouleversée

Loïc ? Y a pas de place dans l'ambulance ?

Qu'est-ce que tu… ?

Pour moi ? Pas de siège !

Christian intervient pour confirmer qu'en effet, hormis les deux sièges avant, à l'arrière il y a le matériel médical et la place de l'infirmier pour s'occuper du blessé, rien de plus. Que leur ordre de mission est de ramener monsieur Tromeur à la clinique de Genève au plus vite. Pas de transporter une passagère. Le ton décidément compassé évoque un militaire à la retraite, songe François qui avait déjà repéré l'absence de siège pour Mathilde dans le Hummer quand l'infirmier en avait extrait la civière. Il s'était bien gardé d'aborder la question, ils buteraient à un moment ou un autre sur cette impossibilité technique, Mathilde resterait ici, avec lui

En ce cas, je vous suis avec la voiture.

Non, Mathilde !

Expliquez-moi, je…

C'est Tromeur qui coupe la parole avec une voix filante, il faut tendre l'oreille, il s'arrête tous les quatre mots pour reprendre son souffle, mais c'est lui qui expose, la Mercedes est garée ici... Malheureusement, il y a des impacts de balles dans la portière, ça fait désordre. Il faut au plus vite se débarrasser de cette caisse, il n'a pu joindre son ferrailleur de Lyon, il pensait le rappeler plus tard dans la soirée, qu'il vienne l'évacuer fissa, qu'il la débite en pièces détachées, qu'on n'en parle plus. Christian lève la tête

Vous n'avez pas d'autocollants ?

Comment ça, des autocollants ?

Je ne sais pas, moi. Un logo automobile, un blason de Savoie, un drapeau suisse, un Nature et pêche en Vanoise, des autocollants, en somme, pour cacher les trous...

Le collant noir, papa ! Pour les fils électriques, tu en as.

Du chatterton ?

C'est ça, du large !

J'en ai pas.

Mais si. J'en ai vu dans un tiroir de la cuisine.

Je pense pas.

J'en colle sur la portière. Ni vu ni connu !

Tu passeras pas par le chemin avec les ornières et la...

On peut tracter avec une corde, monsieur, jusqu'à la route. 398 chevaux sous le capot, ça devrait aller.

Il neige, nom de Dieu, ça va glisser, elle est pas équipée, cette bagnole ! Elle va partir dans le fossé au premier virage ou rester en rade dans une côte.

Mais non, toubib, c'est une 4-Matic, la Mercedes, les quatre roues motrices se déclenchent automatiquement selon l'adhérence au sol, tu crois que je roule dans des poubelles du siècle dernier ?

Et la frontière, avec du chatterton sur la portière, elle...

On emprunte par un endroit tout à fait tranquille, sans éclairage approprié. L'hiver, ils ferment boutique à la nuit. Et quand par hasard il y a une permanence, les deux gars restent au chaud dans leur cabanon devant la télé.

Je vais coller le...

Si vous pouvez prendre les bagages, mademoiselle ? Dans l'ambulance, j'ai pas la place.

J'y vais, je me dépêche !

Mathilde a des ailes aux talons, une vitalité débordante, toute tendue vers la perspective d'accompagner son amoureux blessé, une croyance en un bonheur inéluctable, quelles qu'en soient les épreuves. Une foi pleine en l'avenir qui scintille. François entend les murs qui s'effondrent en lui. Il aperçoit une jeune fille aux pieds nus qui court vers l'ombre létale des grands arbres. Qu'il voudrait retenir. C'est Mathilde. C'est sa fille. Qu'il ne pourra détourner de sa joie, certain qu'elle s'élance vers sa fin. Il s'imaginait avoir de nouveau les cartes en main, des arguments techniques, ce qu'il nomme la faisabilité des choses, tout d'abord l'absence de place dans l'ambulance. Puis les trous dans la carrosserie, puis la météo, le chemin infranchissable, les routes impraticables... Il a toujours triomphé avec des arguments techniques, parce qu'ils expriment une objectivité indépassable qui contraint et décide, et tant qu'à faire, à son avantage. Ainsi pensait-il retenir Mathilde au relais. Mais non. Ils ont réponse à tout, la technique est passée dans leur camp, ils ont l'intelligence et la puissance, y compris mécanique, et ils poussent leur avantage, et Mathilde est aspirée dans leur sillage, un papillon dans leur lumière. Cette courtoisie appuyée, cette politesse, ils présentent bien alors qu'ils sont tous armés, il n'en doute pas, et qu'ils avancent en force, sans le moindre scrupule.

Ne pouvoir détourner sa fille de leur monde est plus qu'une défaite, c'est une faillite. Son monde à lui n'est plus assez vaste pour la contenir, qu'elle s'y ébatte à son aise. Ce n'est d'ailleurs pas un problème de géographie, ni d'étendue ni de superficie. Cela vaut également pour Mathieu. Il ne comprend pas ce qui les meut, ce qui les anime, ce qui capte leur attention et leur énergie, il n'a pas le sentiment que son fils et sa fille accèdent à un bonheur mieux configuré, plus intense. Son incompréhension participe de sa faillite, il la regarde marcher vers la cuisine, il la voit de dos parcourir l'enfilade des pièces pour aller récupérer cette saloperie de chatterton dans le tiroir du vaisselier, il sait très bien où se trouve le rouleau noir grande largeur, il s'en est servi trois jours plus tôt pour consolider le manche fendu d'un couteau à viande. Elle n'a pas hésité une seconde pour trouver ce qu'elle cherche, la voici déjà de retour, échangeant quelques mots dans le hall avec l'espèce de garde du corps qui fait le guet sur le seuil. Elle enfile des bottes, elle sort, François la suit des yeux par la fenêtre du petit salon qui jouxte l'entrée, elle marche sur l'esplanade, sans manteau, tête nue, son rouleau, une paire de ciseaux et un torchon dans la main, elle se hâte pour se protéger du vent et des flocons de neige qui fondent sur elle en tourbillons furieux, elle pénètre sous l'abri, s'accroupit, frotte vigoureusement la carrosserie pour en ôter boue et poussière, que le gros scotch de toile plastifiée y adhère au mieux. Tromeur passe à l'instant derrière lui, poussé sur son brancard par l'infirmier, puis Christian portant les bagages. Ils se retrouvent tous dans le hall, le chien aussi les a rejoints, l'homme de guet est venu saluer Loïc

Toi aussi, Wolfgang ?

Et l'athlète, immense, qui se penche, qui sourit, qui articule de sa voix d'enfant

Pour sûr, monsieur, fidèle au poste pour les grandes missions.

Suis en bonne compagnie, je vois… Jorge fait bien les choses.

Christian a posé les bagages dans le hall, il caresse le griffon

C'est un très beau chien, ça. De chasse, non ?

Oui, un griffon Khortal.

C'est bien ce qui me semblait. Excellent traqueur…

Commence pas avec la chasse, Christian. Faut y aller. Monsieur est pressé d'arriver, je pense.

C'est bon, on y va.

L'ambulancier se racle la gorge

Christian, je peux pas pousser le brancard dans la neige… Va falloir porter.

J'avais compris, dis-toi bien, collègue. Je passe devant.

François tend le sac de médicaments à Wolfgang qui s'en saisit, se ravise

Non, j'ai besoin de mes mains. Il se tourne vers Tromeur

Monsieur, vous permettez ?

Vas-y, là, à mes pieds.

Loïc et François échangent un regard, le premier grimace un pâle sourire, l'index en travers de ses lèvres puis laisse tomber son avant-bras À bientôt, beau-père. Christian a empoigné les bras de la civière, Wolfgang est déjà dehors, ils sortent avec précaution, les roulettes sont encore sur le seuil

Nom de Dieu, fait pas chaud.

Si tu jurais un peu moins, le ciel serait bleu, il ne neigerait pas en novembre et la température serait douce.

Et la lumière serait dorée ? Promis, je vais m'appliquer. Alors, prêt ? À 3, on porte… Et on pose à mi-chemin.

Le chien s'installe sur le perron, campé sur ses antérieurs, l'arrière-train sur la pierre, il scrute le Bois des Cendres, le museau dressé, toujours à guetter la proie hypothétique qui… D'ailleurs, ça l'envahit, une expiration enrouée, un grondement ténu, le regard fixe, légèrement sur la droite, près du chemin.

*

Si l'on questionnait François sur la raison de son geste, il ne saurait probablement que répondre, mais il a gravi précipitamment l'escalier du hall menant au premier étage de la tour carrée, au centre de la bâtisse. Quand il débouche sur le palier, il est face à la baie vitrée découpée dans le mur une vingtaine d'années plus tôt, qui va du sol au plafond, offrant une vue en surplomb, panoramique, sur l'esplanade, les dépendances, les bois alentour, le couperet bitumeux de la communale, avant que les yeux ne rejoignent les montagnes, au loin. Il s'approche des hautes vitres et contemple, scrute plus exactement les reliefs noyés sous le ciel bas, l'air chargé de ces flocons ouatés qui seraient, posés au couteau, des impacts de peinture écrasée sur la toile, il songe particulièrement à un tableau de Monet, avec la pie au ventre blanc, posée sur l'horizontale d'une clôture, qui vibre d'un noir incandescent dans la campagne enneigée. Il est monté là comme s'il voulait s'arracher à la scène, le corps lourd, le diaphragme rongé, les pieds dans du ciment depuis qu'il a perdu tout contrôle de la situation avec l'arrivée de l'ambulance. Prendre de la hauteur, une hauteur de vue qui lui permette de se dérober... mais qui lui permet aussi de distinguer, garée sur le trait de la communale, dans l'interstice des troncs nus, la silhouette d'un véhicule gris mat, une silhouette massive, trop loin placée et d'un trop banal profil dans l'air voilé pour qu'il soit le moins du monde assuré qu'il s'agit de l'Alfa croisée ce matin alors qu'il quittait la maison de son ami Antoine, qu'il n'a d'ailleurs pas rappelé depuis ses deux tentatives vaines à l'heure du déjeuner. Certes, la forme empâtée est grise, mais enfin, la grande majorité des voitures le sont aujourd'hui, du mat au métallisé, du clair au foncé. Sinon qu'on se demande aussitôt ce que cette foutue bagnole posée là dans le désert neigeux peut bien foutre. Serait-ce Jorge Agnelli Stern qui aurait envoyé un autre véhicule de protection pour le convoi ? François ayant acquis la conviction que Tromeur est une pièce importante sur l'échiquier financier qui lie ces personnes entre elles. Il s'éloigne à reculons, redescend l'escalier à contrecœur, se persuadant de mauvais gré qu'il faut s'informer auprès de Christian ou de Wolfgang de la présence motivée ou non de ce véhicule stationné sur l'horizontale du paysage comme la pie sur la barrière du tableau de Monet, si tant est qu'il puisse s'autoriser un parallèle aussi saugrenu. Il descend l'escalier donc, traverse le hall, sort sur le seuil, aperçoit sous l'abri, à 80 m, Mathilde qui déroule le chatterton pour le coller sur la portière avant gauche, Argus s'est planté sur l'esplanade et gronde plus franchement, les yeux fixes droit devant lui, François tourne la tête sur la gauche, le chauffeur et l'infirmier ont posé le brancard, à mi-chemin, pour reprendre leur souffle, Wolfgang se tient trois foulées plus loin, à cinq pas du Hummer, et François dégringole les marches, il s'avance dans la neige pour les rejoindre, solliciter Christian, s'enquérir de... Il a même le loisir de prononcer : Dites-moi, l'auto qui... Et le claquement sec, le sifflement qu'il entend viennent après, longtemps après, peut-être bien une à deux secondes après le premier bruit sourd, difficile à décrire, un choc d'une puissance inouïe dont on aurait ôté toute la gamme des sons aigus et médium, un son très étouffé donc, mais d'une vibration terrifiante dans une matière molle, ça tient du froissement de l'aspiration et de l'enfouissement, un son plus qu'un bruit dont il connaît le fondement, la structure, la configuration, mais qu'il n'a jamais entendu puisque c'est lui habituellement le tireur, le gibier étant trop loin pour qu'il perçoive cette vibration particulière de la balle pénétrant les tissus, enfin, le son d'une balle qui est comme avalée dans les chairs à quelque 960 m/s, du 7.65 forte charge probablement. Que la cuisse droite de Tromeur arrête, c'est ça qu'il entend, puis le sifflement et le claquement de la balle beaucoup plus tard, beaucoup plus lents à lui parvenir, aussitôt couverts par le gémissement de Tromeur, la stupéfaction sur les traits de chacun, une quasi-paralysie d'une poignée de secondes à l'exception de sa main serrant le Browning qui surgit de sous son loden, et Loïc qui se met à tirer au jugé vers les bois, on se demande bien sur quoi il peut tirer puisqu'on ne voit rien d'autre qu'une blancheur voilée, le sol qui ondule sous le manteau neigeux avec les troncs d'arbres charbonneux... Sur quoi peut-il bien vider la moitié de son chargeur, jusqu'à ce qu'une autre balle vienne à la même implacable vitesse se loger à présent dans son flanc droit, labourant le torse dans toute sa largeur, le stoppant net dans son geste crispé, addictif, la gâchette du Browning qu'il lâche, la masse noire de l'arme disparaissant aussitôt dans l'épaisseur poudreuse. C'est entre les deux impacts dans le corps de Tromeur que l'ambulancier, Christian et Wolfgang ont réagi, dégainant leur arme, scrutant les alentours, pour finalement repérer d'où les balles étaient parties. Il faut préciser que c'était sans doute grâce au chien qui grondait, une patte antérieure levée, la gueule figée dans la même direction exactement, au sud-est, à 11 h. Ils purent ainsi identifier le tronc du hêtre qui se dédouble à hauteur d'homme, où le tireur s'était calé pour ajuster sa cible à 100 m de là, un frein de bouche équipant la carabine afin de pouvoir enchaîner si vite deux tirs de haute précision, sans cache-flamme néanmoins, ce qui avait permis, Argus jouant le rôle d'une boussole, de remarquer la seconde déflagration. Sinon qu'il ne suffisait pas d'ajuster l'arbre à 11 h pour cueillir le sniper posté derrière la fourche du tronc, parce que les foyers de tir s'étaient tout simplement multipliés et que les trois hommes ne savaient plus où donner de la tête, alors même que leur mission était terminée puisque la seconde balle avait bel et bien achevé Tromeur, au vu de la nappe de sang qui s'agrandissait sous le brancard, de l'immobilité cadavérique de son bras et de sa main qui pendaient dans le vide après qu'il eut lâché le Browning. C'était à présent leur échappée qui était en jeu, avec Mathilde blottie contre la portière de la Mercedes, les mains plaquées sur le haut des mâchoires et sur ses oreilles, le visage tout à fait hébété, mais ses yeux braqués sur la civière, François redoutant qu'elle soit prise de folie et traverse le champ de bataille pour rejoindre le corps sans vie de son amant. Mais dans le fracas des armes, le sifflement des balles, les impacts dans la façade, la porte et les fenêtres du relais, les cris, Mathilde semblait, pour ce que François en pouvait distinguer, suffisamment terrifiée pour ne pas même avoir la force de se relever, assise qu'elle était sur ses talons, recroquevillée contre la carrosserie. Ça tirait en tous sens, des armes de poing surtout, et c'est l'ambulancier, le premier, qui s'effondra dans la neige alors qu'il essayait de rebrousser chemin vers l'entrée de la maison, puis Argus qui reçut une balle de carabine, ça, François en était sûr, de celle qui avait tué Tromeur, il avait tout reconnu, la vibration de l'impact, le sifflement du projectile, la détonation, la flamme de la déflagration, il fallait que cette ordure n'ait rien d'autre à faire dans son existence pour vouloir détruire tout ce qui vivait et respirait ici la senteur de la neige, de l'automne et des épineux, pour s'en prendre de la sorte à son griffon qui traînait son bassin détruit sans même gémir, le regard fixé sur François, exprimant plus que de la souffrance, une sorte d'incompréhension et, il en était certain, une insondable déception, maculant, dans sa reptation, la neige de l'écume carminée de son sang qui fumait dans l'air froid. C'est probablement le regard d'Argus, l'impossibilité de lui porter secours, de l'apaiser dans son agonie, de… qui déportèrent François vers une telle rage irrépressible. Il fait un bond en arrière, il est de nouveau sur le perron, se réfugie à quatre pattes dans le hall, il rampe jusqu'à la salle à manger, saisit ses deux carabines, met la Tikka Varmint en bandoulière, tient sa Merkel Helix dans la main droite, s'installe dans le petit salon où les vitres brisées jonchent le sol, cale son fusil sur le rebord de la fenêtre, cherche dans sa lunette l'homme qui se dissimule derrière la fourche du hêtre. Mais les balles continuent de ricocher sur la façade, de se ficher dans les murs, les tableaux, les meubles, essaimant des éclats de pierre, de bois, de verre qui se répandent dans les pièces, l'obligeant à s'abriter, découvrant un spectacle de désolation, un ravage en moins de trois minutes. D'une grande vulgarité donc, s'il s'agissait de supprimer Tromeur. Une simple frappe chirurgicale suffisait amplement plutôt que cette débauche armée. Il s'éloigne de la fenêtre, progresse accroupi jusque dans le hall, monte l'escalier de la tour, évite d'apparaître dans le champ de la grande verrière, pénètre dans la chambre de Mathilde, entrouvre discrètement la fenêtre, aperçoit en surplomb l'ensemble de la scène, le brancard et Tromeur abandonné à son sort, Argus couché sur le flanc, qui halète, l'ambulancier touché au ventre qui geint et se tortille, s'efforçant d'atteindre les marches du perron. Christian et Wolfgang sont parvenus à s'embusquer derrière le Hummer, le premier se faufile au volant, l'autre saisit à l'arrière de l'ambulance une sorte de fusil mitrailleur, l'un des attaquants, non loin des écuries, à la lisière du bois, est allongé sur le dos, bras écartés, une posture de sieste dans une flaque de soleil et l'herbe des prés, à l'exception d'une jambe bizarrement contorsionnée sous la cuisse, les flocons de neige commençant de le recouvrir d'un voile de linceul. Christian a démarré le SUV, Wolfgang arrose en rafales les positions adverses, c'est un étrange fracas métallique, celui d'un marteau frappant un fer sur l'enclume, le staccato en plus, ou encore un bruit de ferraille brinquebalante, des cardans de roues à l'agonie, très éloigné de la détonation sèche d'une carabine. Les rafales produisent leur effet et ouvrent un instant de répit. Christian embraye, recule lentement pour rejoindre le brancard et l'infirmier, Wolfgang suit à l'abri du Hummer, le moteur rugit, rauque, les gros pneus creusant et labourant plates-bandes et plantations qui ornent la façade, Wolfgang qui continue de mitrailler donc, Christian qui manœuvre, passant à l'extérieur du brancard, se disposant à l'oblique, le cul du SUV à moins d'un mètre du perron, abritant Tromeur et l'ambulancier entre son 4×4 et le relais. Christian s'extirpe de l'auto, se glisse le long de la carrosserie, Wolfgang a vidé un premier chargeur, il en récupère un autre dans le vide-poches de la porte conducteur, les attaquants profitent de l'accalmie pour se rapprocher de la maison, resserrant l'étau, à l'exception du tireur à la carabine, toujours calé derrière son arbre et qui semble veiller sur la scène, calme, posé dans un autre temps, tel l'ange au glaive tournoyant. L'un d'eux a couru jusqu'à un tas de bois pour s'y tapir à moins de 30 m. Un autre dont François a pu détailler la longue parka au motif de camouflage militaire, la casquette de GI, le pantalon et les baskets noirs, s'est précipité, courbé en deux jusque derrière la boucherie qu'il longe à la dérobée, réapparaissant entre les dépendances, adossé au pignon des écuries, à quelques mètres de Mathilde dont il ignore, faut-il espérer, la présence, ce qui n'est aucunement certain s'ils étaient aux aguets depuis l'arrivée de l'ambulance Mon Dieu, cache-la ! S'étonnant d'interpeller Dieu dont il a toujours méconnu l'existence, Maria s'en préoccupait suffisamment pour deux, et qui survenait là dans sa supplique, d'entre ses lèvres comme sorti d'une boîte jamais ouverte Mon Dieu, cache-la ! Sa fille, donc, l'épaule collée contre la portière comme si elle voulait pénétrer la tôle, s'y fondre, s'y dissoudre, son rouleau de chatterton et ses ciseaux en main et qu'elle n'a pas lâchés, tassée, les fesses sur les talons, reculant lentement, par à-coups, recroquevillée, un balancement pied droit pied gauche, pour aller se terrer entre le coffre de la voiture et le mur du fond Bien, cache-toi ! Et c'est cet homme, trop dangereux, trop près de Mathilde qu'il pourrait prendre en otage, que François finalement ajuste dans la lunette de sa Merkel Helix, avec une colère froide, presque embarrassé de se découvrir si apte, si décidé à commettre déjà l'irréparable... Et François attend, patient, en bon prédateur, que Wolfgang et les agresseurs se remettent à tirailler afin de couvrir son guet à l'étage du relais. Christian a ouvert la double porte arrière de l'ambulance, il a viré Tromeur du brancard, qui gît dans la neige tournant le dos à sa mare de sang, Christian donc replie les montants du brancard souillé pour le glisser dans les rails de l'habitacle, allant ensuite mettre un genou à terre, près de l'ambulancier, le saisissant sous les aisselles, François entend son prénom pour la première fois, gueulé par le chauffeur, une articulation claire de chaque syllabe Clotaire, nom de Dieu! Un effort, je t'embarque… La nef des élus, aide-moi, secoue-toi, je t'en conjure! L'ambulancier qui tient son ventre à deux mains, ou plutôt une bouillie de tissus froissés sanguinolents à la hauteur des viscères, Christian le redresse à moitié sur les genoux puis le traîne jusqu'au cul du 4×4, le hisse jusqu'à la ceinture, l'installe sur le brancard, le pousse dans l'ambulance

Allonge-toi, de Dieu, allonge!

Et Tromeur? gémit Clotaire.

Il a son compte, le malheureux, on s'arrache des enfers, nom de…

Tu jures trop, putain! tu…

Ferme ton clapet, Clotaire, ouste! Replie tes jambes, replie!

Il claque les portes arrière, les tirs ont repris de plus belle, les balles rebondissent sur la carrosserie et les vitres, François entend Wolfgang maugréer de sa voix fluette Elle est blindée, tas de nazes, on est les invincibles… Avec chaque fois cet accent suisse d'un lent débit où les mots escaladent et dégringolent, où le sens se délite, s'il n'y avait le fracas des balles, les rafales qui déchirent les tympans, l'odeur piquante de la poudre, Wolfgang donc qui mitraille toujours, et Christian plaqué contre la carrosserie, qui entrouvre sa portière, se coule à l'intérieur, l'épaule, la tête et le torse, qui s'assoit derrière son volant, la jambe gauche sur le marchepied, ramassant une balle dans le mollet à l'instant d'être hors d'atteinte, le bas de son pantalon et sa bottine de suite ensanglantés Nom de Dieu de nom de Dieu ! Excuse, Clotaire, saloperie ! ce malfaisant m'a troué les jumeaux, nom de Dieu, ça brûle, tandis qu'il a ses mains agrippées au genou du pantalon, hissant la jambe blessée dans l'habitacle, une balle habilement tirée depuis les écuries par celui en tenue de camouflage, qui s'est approché à découvert au-delà du pignon, comprenant que le Hummer était blindé. Celui-là même que François vient de retrouver dans sa lunette, cette silhouette dans une longue parka à l'imprimé kaki, beige et marron, qui s'encadre suffisamment au centre du réticule pour qu'il presse la détente... Le type s'est redressé, l'air soucieux et contrarié, il a marché trois pas de plus vers l'esplanade, les bras ballants, les mains crispées sur ses pistolets, vidant les chargeurs dans la neige avant que de s'effondrer d'une seule masse, face contre terre, la visière de sa casquette touchant le sol la première, se déboîtant de son crâne rasé pour aller rouler, s'immobilisant à la lisière de la flaque noire de sang congelé, celle du cerf abattu là. Et Christian, blessé, jurant, qui a refermé sa portière, se tourne péniblement sur son siège, ouvrant celle à l'arrière, que Wolfgang se réfugie dans le Hummer à son tour, lequel finit de gâcher ses dernières cartouches sur le tas de bois et en direction du hêtre fourchu. Le chargeur est vide, il s'engouffre d'un bond Va ! Va ! Ainsi les sbires de Jorge Agnelli Stern vont abandonner Mathilde et François aux mains des autres tueurs sans le prurit

336

d'une hésitation. Et rien ne semble pouvoir arrêter leur fuite, parce que l'homme à la carabine que François traque maintenant dans sa lunette, celui qui a mortellement blessé Argus comme s'il s'agissait d'un jeu d'adresse sur des ballons sauteurs dans une baraque de foire, il a beau ajuster son tir sur les pneus, les balles peuvent même pénétrer le caoutchouc des flancs en émettant des vibrations étranges, tels des accords de contrebasse, les pneus probablement de conception et d'usage militaires les digèrent et ne s'affaissent pas. Christian démarre, accélère, les quatre roues patinent, crachant des geysers de neige, et le tireur embusqué, qui ne s'explique décidément pas comment les pneus ne se dégonflent ni ne se déchirent sous ses balles, s'acharne, relâche son attention, renonce partiellement à sa cache, François évaluant l'avancée de la carabine, des mains et du visage dans la fourche du tronc, un découvert de peut-être 15 cm tout au plus, mais enfin, le front, l'œil, le nez, la joue jusqu'à la naissance de l'oreille sont bien dans sa lunette, le sniper perdant sa maîtrise jusque-là souveraine. Peut-être pense-t-il aussi que c'est l'ensemble de la bande qui fait retraite dans le Hummer, qu'il peut ainsi se découvrir, son visage, ses mains et le fusil, moins de 15 cm, en fait, pour être précis, mais sa joue gauche, sa tempe sont bien là dans le réticule, et le tueur n'aura de cesse, comme l'autre planqué derrière son tas de bois, d'assassiner quiconque sera encore debout dans cette misérable guerre. Aussi François, une fois encore, presse la détente. L'optique de sa lunette en est soudain vidée de toute surface de chair, d'os et de visage, un effacement immédiat, comme les deux mots visage et homme, visage d'homme, effacés d'un écran Word, qui n'auraient jamais existé dans le vocabulaire. Il distingue alors le vague contour d'un corps pantelant qui s'affaisse derrière le tronc, un pan d'étoffe qui émerge au sol confusément, le bas du dos d'un manteau gris, un talon de chaussure fauve, c'est à peu près tout. Comment ne pas être damné après ces… ? François est trop engagé dans son geste meurtrier et les pensées afférentes, l'œil hypnotisé dans sa lunette à en fixer le vide, l'œil collé à l'optique plusieurs secondes, cinq, faudrait-il préciser s'il s'agissait d'évaluer une proportion, l'échelle, en fait, du temps perdu, cinq, à la fois peu et beaucoup, parce qu'il n'a pas vu surgir l'autre homme de derrière le tas de bois, celui qu'il doit ranger depuis l'hiver dernier, des bûches qu'il n'a jamais pris soin de stocker comme celles remisées avant-hier, qu'il considérait plus ou moins comme perdues, par lassitude ou paresse, au moins par négligence, et qui formaient un beau muret où se mettre en embuscade, François n'a pas vu surgir l'autre homme donc, un diable de sa boîte, à l'instant où s'ébranlait le Hummer dans des gerbes de poudreuse, tant Christian, sans doute, avait dû écraser l'accélérateur, dans un état de tension extrême, avec son mollet gauche qui pissait le sang, Clotaire qui gémissait de douleur et qui devait lui répéter continûment de cesser de blasphémer, que ça offensait Dieu, que l'Enfer les attendait, François n'a pas vu surgir l'autre homme, en effet, qui s'est

338

redressé pour lancer une boule de neige puis une deuxième, ou plutôt une pierre dès qu'il se fut redressé, la seconde dans sa main droite pour recommencer le même lancer, en direction du Hummer, deux trajectoires d'une courbe en cloche, quasi identiques, parfaites en ce qui concerne la visée et l'ajustement, qui atterrirent entre les roues avant et arrière du 4×4, glissèrent sous la caisse, sinon que ce ne sont ni des boules de neige ni des pierres, ni de gros cailloux balancés en désespoir de cause contre la forteresse blindée, mais deux… qui explosent l'une après l'autre, une puissance si invraisemblable que le véhicule de plus de trois tonnes s'est soulevé d'un bon mètre avant de retomber en une torche grésillante de feu, de métal et de caoutchouc brûlant, dans un souffle et une déflagration qui pulvérisent les fenêtres de la façade jusqu'à la vaste baie vitrée de la tour carrée s'émiettant comme de la paille de riz, une pluie de verre à l'intérieur et à l'extérieur du relais, avec le Hummer en brasier dont les flammes lèchent la façade et le toit, dégageant une fumée noire, épaissie de la fusion des matériaux : aluminium, polystyrène, dacron, vinyle, rhovyl, térylène, cuir, skaï, plastiques, caoutchouc, un brasier contemporain, une fumée âcre qui envahit les pièces. François, que le souffle de l'explosion a balayé, qui est parti à la renverse, se découvre quelques coupures aux mains, des épines de verre au front et aux tempes, ses oreilles bourdonnent, il n'entend plus rien qu'un silence vibrant, un désordre organique, et quand il se relève, il titube, manque de s'affaler, se retient au mur, cherchant l'équilibre, mais il ne distingue qu'un nuage noir qui pénètre la chambre, qui le suffoque, il tousse et s'étouffe, cherche l'air, sort de la pièce, dévale l'escalier, le dos contre le mur, avec ses jambes flasques qui se mélangent, qui se dérobent, un homme ivre de fumée déboulant dans le hall d'une obscurité de puits, il brasse des ténèbres de suie grasse, il va perdre pied, s'effondrer dans le relais dont les boiseries et les chevrons de l'avant-toit commencent à flamber, *Ils investissent la Ville bien-aimée; et un feu descendit du Ciel et les dévora...* Alors il traverse à l'aveugle la salle à manger, se cogne aux dossiers des chaises, renverse un guéridon, ouvre la porte de son bureau où tout est étrangement paisible, il entre, referme aussitôt. Chaque objet est à sa place, l'air est presque pur qu'il inspire à pleins poumons, trois, quatre fois Comment ici, un tel... ? Se précipite dans la salle de bains, fait couler l'eau qu'il recueille, glacée, dans ses paumes en creux où s'y noie son visage, il est sourd, le relais brûle, le relais va brûler, il n'entend plus rien, comment c'est même seulement envi... ? Le lanceur de grenades doit contempler son œuvre d'apocalypse dans une espèce de béatitude pleine et joyeuse. Va-t-il seulement se retirer, considérant sa mission accomplie ? Et Mathilde ? Dont il est sûr d'avoir deviné la silhouette, pressenti l'ombre qui glissait le long des écuries en direction du bois des Cendres, tenant sa tête entre ses mains ? Ses paumes plaquées contre ses tympans comme s'il ne s'agis-sait que de se préserver d'un volume sonore beaucoup trop élevé ? C'était au meilleur moment, la voie serait dégagée, elle pourrait, par le bois, rejoindre la maison d'Antoine, elle serait sauvée en somme, elle serait... C'était à l'extrémité de son champ visuel, à 9 h, plein ouest, c'était à l'instant où la casquette de l'homme effondré, face contre terre, finissait sa course, s'échouant au bord de la flaque noire du cerf abattu là. François vérifie sa Tikka en bandoulière, récupère sa Merkel Helix sur le bureau, ouvre la fenêtre sur l'arrière du relais, l'air piqué de flocons se fracture de volutes noires, le chaos s'immisce de ce côté de la bâtisse, il recouvre l'ouïe très partiellement, perçoit le souffle ardent du brasier qui s'enfle, il enjambe le rebord, pose ses pieds bottés dans la poudreuse, s'y enfonce Comment c'est...? Parce que la neige a cessé de tomber, le ciel s'est déchiré, laissant apparaître dans son échancrure la voluptueuse densité d'un bleu d'azur et les rayons diffus d'un soleil encore invisible qu'on nomme les doigts de Dieu. Les bois qui dévalent en contrebas sont donc éclaboussés de lumière d'or mouchetant le sol immaculé *Je vis le ciel ouvert... Je vis un ange debout dans le soleil, disant à tous les oiseaux...* Au-delà, le massif de l'Iseran taille son approche dans les nuages qui s'enfuient. Il distingue enfin, telle une apparition, qui foule les brumes, qui glisse entre les troncs, cette silhouette furtive qui se fige, le corps de part et d'autre d'un jeune bouleau le coupant net sur son flanc droit. C'est un quatorze cors, une coiffe régulière avec un front parsemé de boucles brunes, sa fourrure ample de prince russe sur un poitrail offert en blason, et cette grâce que François connaît si bien. Le cerf l'aperçoit mais dans une sorte d'indifférence à tout ce qui l'entoure, juste préoccupé, semble-t-il, d'atteindre la perfection d'une posture, celle d'une espèce de dignité immanente à l'animal, une sorte d'exigence endogène et métaphysique à la fois, qu'il sait seul imposer au regard. Le cerf, donc, fixe François dans une immobilité calme et une certitude d'être qui le désarment. De longues secondes, il se plaît à y songer, où pourrait naître une réciproque attention, puis l'animal flaire, museau au vent, l'air qui s'empoisonne d'émanations âcres, il tourne la tête vers la montagne, son corps qui suit, il s'éloigne au pas, délié, sans crainte, comme si le monde était trop plein pour que le temps existe.

Et pour François qui ne peut rien expliquer, qui s'avance lentement, lui aussi, les pieds et les chevilles enfouis dans la poudreuse, un pas puis l'autre, à son tour, dans ce qu'il croit être le chemin du cerf où rutilent dans la neige des flaques d'or, il n'est plus question de savoir à présent ce qui s'est réellement passé. Est-ce la magie de cette rencontre, le choc de l'explosion ? Parce qu'il s'avançait apparemment dans ce qui subsiste de la splendeur du lieu, avec, dans son dos, l'enfer qui grondait, qui gagnait, mais lui pensait demeurer résolument face au panorama d'une montagne déployée, répétant dans un murmure sans fin : *Et il n'y aura plus de nuit*. Il y eut peut-être encore, ses mains crispées sur la carabine en attestaient, des embuscades, deux silhouettes qui rampent, qui se profilent dans des lignes de mire et de haine, des coups de feu, dans un combat à la vie à la mort. Ce n'était pourtant pas ce qui obsédait François, noyé dans une blancheur diffuse, ne sachant plus si c'était le blanc froissé des draps d'hôpital, celui velouté de la neige, celui d'une trop grande perte de sang due aux blessures ou encore celui d'un aveuglement soudain, de cette blancheur pâle qui hante les yeux d'aveugle, parce qu'il fallait bien reconnaître en définitive que la blancheur dominait assurément l'espace, non ! Ce qui l'occupait sans relâche, c'était de comprendre comment ces derniers jours avaient pu se nouer ainsi en autant de nœuds inextricables pour conduire si inexorablement à cet état de blancheur de la plus grande irréalité ? Où pas un seul élément de la trame, depuis cette vision de Mathilde, le buste vrillé, les cheveux balayant son profil, ses mains protégeant son visage dans l'habitacle d'une voiture qui évitait le cerf, jusqu'à l'embrasement de l'ambulance à quelques mètres de la façade, où pas un seul élément de la trame donc, ne pouvait être soustrait ou rejoué dans le nécessaire enchaînement des faits. Cela relevait de la seule faisabilité technique d'un ensemble de gestes qu'ils avaient commis seuls et ensemble, fomentant ainsi une fin autant qu'un commencement. Or François, qui parcourait en tous sens la succession des choses, des causes et des conséquences, qui remontait inlassablement le compte à rebours pour ensuite le dévaler jusqu'à cet état de blancheur, se refusait d'arbitrer ou de conclure. Était-ce l'histoire d'une fin, d'un commencement ? Il était juste pénétré d'une fatigue profonde sans plus éprouver le simple désir d'être. Il tendait cependant l'oreille, guettait, espérait le son de sa voix, celui de ses pas approchant dans son dos, alors qu'il pensait articuler distinctement sur le mode interrogatif le prénom de Mathilde.

QUATRE

Il sent une pointe de douleur en haut de la joue, c'est un bouton de la grosseur d'une punaise, noir et gonflé, une surface brillante, laquée, le bouton était flasque, comme rempli d'un liquide épais, il l'avait saisi entre le pouce et l'index, voulant l'arracher, le bouton se distendait avec la plasticité et la cohérence d'une goutte d'eau, mais ne crevait ni n'éclatait. Il s'aperçut alors qu'il ne contenait pas seulement un liquide noirâtre, mais aussi un corps étranger, un insecte qui creusait sa chair, s'en nourrissait, sous l'œil, près de l'aile du nez, et plus il tirait sur le bouton, plus l'insecte échappait à sa prise, pénétrant plus loin dans l'épaisseur du visage. Son effort répété et l'image qui l'envahissait devenaient intolérables, il se réveille, sa main oubliée sur la joue, particulièrement l'extrémité du majeur dont la pulpe et l'ongle appuient trop lourdement sous l'œil, au point de générer cette douleur et son cauchemar. Il ouvre grand les yeux, ajuste son regard, vérifie l'absence du moindre bouton, il baigne dans une blancheur grisâtre, cotonneuse. Les vitres et le pare-brise blancs, ouatés, qu'il ne peut traverser, sont uniment floculés d'une neige fraîche qui s'accumule en fines strates depuis une bonne heure, s'il en croit sa montre. Quand il s'est arrêté sur l'aire de repos au petit matin, ce n'était qu'un fin grésil qui poudrait l'atmosphère. Il redresse son dossier, Argus dort, qui s'est glissé sur la banquette, sans honte, vautré. Il consulte l'écran de son smartphone, repère un signal d'appel, Antoine a essayé de le joindre il n'y a pas cinq minutes, sans laisser de message, comme à son habitude, il était 7 h 02, il est toujours plus matinal. La sonnerie devait être assourdie dans les replis de sa veste de chasse alors qu'il s'évertuait à extraire l'insecte enkysté dans sa joue, à flanc d'os. L'espèce de tique était très visible quand il pressait le bulbe aqueux entre ses doigts. Il se souvient parfaitement de la forme de l'arachnide, proche de celle de la seiche, les tentacules près de la bouche simplement remplacés par cet éperon aux dents inversées, le rostre, fouissant la chair avec ses palpes qui le verrouillent sur l'épiderme. Il en frissonne, mais aussi de froid dans l'habitacle sans chauffage où il expire par la bouche des lambeaux de vapeur. Le voile neigeux qui enveloppe la voiture est oppressant, il ouvre sa portière, Argus sursaute, lève la tête, hume le dehors, regarde François, guette un signe Tu restes près de l'auto. Vas-y ! Le chien bondit, lui laboure les cuisses, saute sur le bitume. François lui-même s'extirpe de son siège, ankylosé, vaseux. Il remarque le rideau de sapins sur sa droite, les pannes de brouillard qui pendent des frondaisons, la masse sombre de la montagne au-delà, plus dense que la nuit. La neige est trop liquide, elle forme une couche jaunâtre sur le goudron, un camion de salage passe au même instant sur l'autoroute, qui jette des éclairs orangés dans l'aube blafarde. Le parking est désert à l'exception d'un semi-remorque immatriculé en Allemagne, garé 100 m plus loin, après le bloc béton abritant les toilettes. Il commence d'arpenter l'aire de repos où il s'est arrêté en urgence, maudissant son retard, mais il était assailli au volant de telles langueurs somnolentes, les yeux dépourvus d'iris, blancs ouverts sur un vague océan bitumeux où le pick-up dérivait lentement vers la bande d'arrêt. À deux reprises, le claquement cinglant des pneus sur le relief dentelé l'avait réveillé en panique, le cœur qui cogne, au bord du spasme. Son corps se délie, sa conscience l'infuse pleinement, il observe le griffon qui trotte sur l'herbe pâle, flairant près du grillage, compissant les taillis, l'intervalle qui les sépare est celui d'une connivence fluide qui le réconforte. Ses semelles clapotent sur la mince surface de neige fondue, il se trouve à quelques pas du camion, y flotte une vague odeur de fuel et de caoutchouc, il fait demi-tour, revient vers le pick-up, sort le mobile de sa veste, compose sans réfléchir le numéro de Mathilde puis raccroche. Il ouvre la portière du Ford, prend un chiffon sous le siège, racle la neige sur les vitres et le pare-brise, siffle Argus qui s'approche en zigzags, la gueule au ras du sol, absorbé dans un labyrinthe d'odeurs insoupçonnable. Il secoue le chiffon, l'onglée au bout des doigts, le chien est contre ses jambes, il le hisse derrière son siège, s'installe au volant, allume le moteur, met le chauffage et, n'y tenant plus, téléphone au relais sur la ligne fixe.

Il laisse sonner jusqu'à déclencher la messagerie. Puis recommence. Enfin, ça décroche, la voix de Mathilde dans le combiné

Allô ?

Je te réveille ?

Non.

Comment ça… ?

Pourquoi t'insistes ? Ça sonne, ça sonne partout, j'ai tellement peur…

Désolé, Mathilde.

Je deviens folle, folle. Et toi, tu…

Je prenais des nouvelles et…

Mais il est 7 h ! Qui appelle à 7 h ? Je…

Mathilde ? Mathilde ? Ça…

Il n'entend plus que sa respiration, plutôt de longs chuintements dans le combiné, comme des…

Mathilde ! Tu m'entends ?

Il… Il souffre.

J'arrive. Vers 8 h, au plus tard. Tiens le coup.

Il pense avoir entendu un acquiescement. Elle a interrompu avant qu'il ait le temps de l'embrasser, c'est une barre de fer qui suit le dessin du diaphragme, il ne respire qu'avec la bouche, l'air n'emplit pas ses poumons, il éprouve comme une crise d'asthme

Il faut que tu connaisses Mathilde, mon chien. Tu vas l'aimer, tu vas…

Il claque sa portière, se sent débordé, s'essuie les yeux, fixe les trousses de chirurgie posées sur le siège passager, il ne pense pas s'être trompé sur le choix des outils, il pourra travailler, sans doute opérer dans les pires conditions sanitaires, mais enfin, si l'on considère l'histoire de la médecine, les hôpitaux de campagne à l'arrière du front... Ce n'est pas à cet endroit que l'émotion et la peur l'envahissent, c'est après. Quand bien même cet homme qu'il déteste déjà, pour lequel cependant il accepte d'œuvrer à sauver la jambe, avant son évacuation vers la Suisse, parce que la question ne se pose pas, parce qu'il travaille sous serment à soigner quiconque, dans une abstraction totale des êtres, une espèce de morale absolue touchant les corps, qu'il juge en l'instant parfaitement discutable, et qui ne l'est pas, il le sait, sous peine d'ouvrir à tous les... Quand bien même cet homme qu'il hait et que sa fille aime éperdument serait sauvé, si la peur l'envahit ainsi, c'est pour les semaines, les mois, les années peut-être à venir. Quelle intelligence pourra-t-il déployer pour arracher Mathilde, sans doute contre sa volonté, d'un cercle dont on ne s'affranchit pas ? Quelle sera sa puissance alors, lui, tout juste bon à ressouder des os, à raccrocher des muscles et des tendons ? Dérisoirement. La phrase de son fils lui revient en bouche : Sans compter qu'avec la robotique, c'est plus tes mains qui vont travailler... Mais il mélange tout, devient confus, la fatigue, sa fille qui l'attend, il boucle sa ceinture de sécurité, il n'aurait pas dû s'endormir si longtemps. Il boit de longues gorgées d'eau, lorgne dans son rétroviseur, enfin démarre, le pied lourd sur l'accélérateur.

Il ne reconnaît pas la Mathilde d'hier qui incarnait avec trop d'éclat une indéfectible volonté. La nuit est passée, l'aggravation probable de l'état de Tromeur, il file sur l'autoroute déserte, la lumière du jour qui vient ne recèle aucune promesse. Vingt minutes plus tard, il prend la bretelle de sortie, la neige n'a pas atteint cette zone, la route est de nouveau sèche, il laisse sur la droite l'embranchement vers le tunnel de Fréjus et s'engage sur la départementale, parcourant à présent le fond de la dépression. Il s'extirpe de cette poix, dépasse l'imposante silhouette de la redoute Marie-Thérèse, la départementale s'élève déjà sous le couvert des grands arbres, déplie ses premières courbes. L'asphalte est neuf, le balisage au sol, sous le pinceau des phares, dessine en éclats de lumière le rail où poser son pick-up, et François accélère dangereusement, l'aiguille avoisine les 140, il ralentit dans le village des Glières, quitte bientôt Le Verney, abondonnant l'ombre des sapins pour déboucher dans la vallée haute, les préalpages, la rivière de l'Arc qui bouillonne, le froid d'altitude qui dessine les contours au scalpel, le plafond nuageux enfin qui se dissipe, ce pays qui depuis l'enfance a su l'accueillir, nourrir en lui l'assurance d'un devenir, tout concourt soudain à l'annonce d'une journée, non pas sereine, mais où la chance pourrait se pencher sur sa nuque. Avec cette question qui l'obsède: puis-je désespérer? Dans l'idée de pouvoir, il met une certaine valeur morale, à moins qu'il ne s'agisse de la loi, suis-je en droit de désespérer? Il songe à Péguy, l'espérance étant l'unique vertu. Vitale. Croit-il bon d'ajouter, l'espérance irrépressible, si l'on veut traverser l'océan. L'existence, du moins. Je peux? Je dois? Autre chose que désespérer? Autre chose?

Il aperçoit les premiers chalets cossus à l'entrée de Lanslebourg, il s'arrête à la station-service, fait le plein d'essence, prend un expresso au distributeur, allume une pipe et repart, gagné par la nervosité et l'angoisse de ne pouvoir anticiper le moins du monde de quel matériau, de quel tissu, de quelle humanité cette journée sera faite comme on le dirait d'un organe. Il démarre trop vite, franchit la rivière et s'engage sur la route pentue qui mène au col et à la frontière, 1 000 m de dénivelé et la succession laborieuse des épingles à cheveux, sur un revêtement défoncé, la chaussée traversée de ruissellements, jonchée de graviers, d'épines rouillées de sapin, parfois de branches et de pierres où il devrait ralentir, ce dont il est incapable, brûlé d'impatience à l'approche du relais, comme si des choses décisives allaient survenir dans ces minutes qui le séparent de Mathilde. Sa fille qu'il couve et protège, cette femme devenue qui le désarticule et le disloque. Il décide d'ailleurs en amorçant l'épingle de la septième courbe, juste avant de tourner sur la communale menant au relais, qu'il ne dira mot, finalement, concernant ces parts de la clinique qu'elle a cédées à son... à moins qu'elle n'évoque elle-même la chose, non, il ne lui fera aucune remarque, ne posera aucune question qui pourraient sembler des reproches, l'accabler serait hors sujet, il faut qu'elle puisse envisager l'échappée, la sortie du cauchemar de son côté à lui, où ne règne que la bienveillance, se constituer en refuge non en repoussoir, l'accompagner au plus près de son mouvement, non dans la compassion

353

qui pourrait blesser son orgueil de jeune femme, non dans la passion filiale trop intrusive, la charité plutôt, moins dangereuse, moins écorchée, plus clairvoyante, non, il ne jugera pas, il cautérisera ses plaies, il est là pour ça, il y trouve la ressource d'une mission, il sait ce qu'il devra combler, préserver, ce qu'il devra concéder, abandonner à la souveraineté de Mathilde, à son aveuglement même…

Roulant à présent sur l'étroite voie blanche et damée, il a baissé sa vitre, un besoin de vent glacé qui l'irrigue, gonflant sa poitrine, armant sa détermination. Lorsqu'il bifurque sur le chemin dans l'aube rose et mauve, le ciel enfin pastel au zénith de sa voûte, il enclenche le crabot, tant le sol creusé d'ornières profondes de boue et de neige devient impraticable. C'est alors qu'un éclair bleu lacère son champ visuel, puis un second, il lève les yeux dans le rétroviseur Nom de… ? D'où ils sortent, les compères ? Qui se rendent, en la circonstance, parfaitement ridicules. Il reconnaît aisément la calandre du Duster aux couleurs de la gendarmerie, avec sa rampe de gyrophares sur le toit qui tailladent l'air de leurs éclats d'urgence. Ils ne se sont pas engagés par hasard dans son chemin dès le lever du jour. De ce jour où il lui faut…

Cet ouvrage a été composé
par Soft Office (38)
et achevé d'imprimer en France
par CPI BRODARD & TAUPIN (72200 La Flèche)
pour le compte des Éditions Stock
21, rue du Montparnasse, 75006 Paris
en août 2019

Stock s'engage pour l'environnement en réduisant l'empreinte carbone de ses livres. Celle de cet exemplaire est de : 0,900 kg éq. CO_2

Rendez-vous sur www.editions-stock-durable.fr

PAPIER À BASE DE
FIBRES CERTIFIÉES

Imprimé en France

Dépôt légal : août 2019
N° d'édition : 02 – N° d'impression : 3034887
48-51-8544/0